教員採用試験

2026年度版

教職教養

新ランナー

東京教友会

はじめに

この度，ランナーシリーズ刊行の出版社が，いわば，第1期の一ツ橋書店（1987年初版－2022年度版）から，時宜と縁とを得て，第2期のTAC出版（2023年度版（過渡期版で2022年度版とほぼ同じ），2024年度版～）にかわった。

2024年度版において，TAC出版編集部の英断で「キーワードに絞り込んだ」大改訂がなされ，「簡潔」化が企図され結果的に直読直解が工夫され見やすくなった。そもそもランナーシリーズ誕生の背景は，直近の2023年度版の「まえがき」に詳しいが，今版が初見だという読者のために少し解説する。

教師を目指し，明日を見つめて今をひたすらに勉学するひたむきな学生のつぶやきがあった駒澤大学の筆者の研究室で（1987年当時），教育職員免許法等に定める教職課程等の正規の授業科目履修上での学びの内容（理想・理論）と，地方教育行政等が実施する教員採用候補者選考試験内容（現実・実践）とのギャップを埋め架橋する演習課題・問題作成・解答・解説プレゼンの演習ノート蓄積がなされ，それを基盤として刊行が実現した。

演習課題は，例えば，次である。すなわち「教育で重要用語の「目的」と「目標」との意味の構造と，それをうける動詞の用法構造とが，「法は風土の産物」（モンテスキュー『法の精神』）といわれる法規定文脈でいかに語られているかを検索し整理して用語の目的・目標を集約整理するサブノートを作成しなさい」との筆者提示のプリント作成課題にチャレンジする。これは資料自身の文脈・構文等により資料自身自らを語らしめて定義を得るという意味論的手法である。浮上するのは，目的は「最終到達点」，動詞は「実現」でうける。目標は，目的に到達するためにクリアすべき通過条件を意味し，動詞は達成でうけることが文脈上に浮上することが判明する。同じく，例えば課題では，教育観（スズメの学校の教師像―メダカの学校の教師像，注入主義―開発主義，伝達観―助成観，教師中心―学習者中心），また，一般教養では，鉄道唱歌で全国を綴る地理教育・歴史教育，郵便番号で綴る47都道府県庁所在地に関する整理等の演習ノート等も提示されてきたが，本版では割愛した。出版編集業務・書店業務に詳しく，明日を見つめて今をひたすらに勉学に勤しむゼミ有縁の人材の機を得て刊行が発起され，刊行後も「ランナー」への愛顧が継続されてきた。

ランナーシリーズには，大きい版のランナー（以下 親ラン）と，親ランを要約した小さい版のポケットランナー（以下ポケラン。ただし幼稚園は除く）とがあるのは周知事であろう。今般，名称変更があり，例えば，親ランでは，教職教養新ランナーの如く「新」が加筆された。

朱熹作と伝わる漢詩『偶成』「少年易老學難成　一寸光陰不可輕　未覺池塘春草夢　階前梧葉已秋聲」は周知事である。換言すれば「只今日今時ばかりと思ふて時光をうしなはず，学道に心をいるべきなり。」（正法眼蔵随聞記）という「今でしょう！」である。いつでも，どこでも，寸暇を惜しんでポケットから取り出して，脳に忘れる暇を与えないように要点を注入・擦り込んでいくことの便を図ったのが要点確認用の新ポケランである。新ポケットランナーで要点・概要を把握する。新ランナーで内容確認をするという道程である。ポケランの記が親ランを補填する例もある。新ランナーと新ポケットランナーとの相互活用便で是非合格を！

東京教友会代表　責任編集
小 山 一 乗

本書の活用法

▶本書は教員採用試験「教職教養」で問われる主要分野とその要点について，書き込みとシート消しによる暗記の二重学習ができる対策本です。
▶テーマごとに1chapter見開き2ページにすっきりまとめ，効率的な学習が可能でありながら，書き込み学習によりさらなる知識の定着が図れます。

chapterの学習をするにあたってのポイントや，その知識が実際の教育現場にどうつながるのかといった多角的な視点などについて，導入センテンスを付記しています。

分野分けの表示

穴埋め箇所は1chapter最大25箇所。chapterによっては，穴埋め箇所以外にも，図や表中において，**消える色字**を設定しています。シートで消しつつ本文を何度も読み込むことで，知識の定着が図れます。

穴埋め以外の留意したい語句について**強調色字**で表記しています。

chapterの内容に応じて，図表化などより適切なまとめを取り入れ，ビジュアル的にも見やすく覚えやすいように構成。

ゆとりのマス目メモ欄

chapter 34 ［教育心理］

動機づけをすることで学習効果を高める

朝礼など児童生徒に講話をする際や，授業における導入部など，児童生徒に対しての動機づけを行うことは，指導や学習効果を高めるためにたいへん有効であり活用したい。

動機づけ，欲求

【動機づけ（モチベーション）とは？】
人（生物）を行動に駆り立て目標に向かわせる内的な過程

【認知に基づく動機づけ】
➤外発的，内発的に分けられる。

外発的動機づけ	内発的動機づけ
＊賞罰や叱責，報酬や罰，競争といった外的要因によって行動を引き起こさせる方法。 ＊ 1.導入 がしやすい。	＊興味や関心，知的好奇心など内的な要因に基づいて行動を引き起こさせる方法。 ＊より 2.高い効果 が得られる。

3.エンハンシング 効果／内発的動機づけに基づく自発的な行動に対して，賞賛などの褒め言葉（言語報酬）などの 4.外的要因 を与えると，一層効果がある。

5.アンダーマイニング 効果／内発的動機づけに基づく自発的な行動に対して，外的報酬を与えると内的動機づけが低下し，報酬がないと 6.行動 が低下する。

➤**デシ**と**ライアン**は，外発的から内発的へ継続して捉える 7.自己決定理論 を提唱した。

低 ―― 自己決定の度合い ―― 高

無動機づけ →	外的調整 →	8.取り入れ 的調整 →	9.同一化 的調整 →	10.統合 的調整 →	内発的動機づけへ
（例）	言われたからやるのみ。	やらなくてはいけないという意識が生まれる。	するのが当然のことと自分で認識する。	自分の行動とその価値が一致してくる。	やりがいを感じ楽しんで行動する。

【欲求とは？】
人を行動に取り立てて，方向づける動機（動因）

68

▶穴埋め問題をシートで消しながら答えを書き込めるスペースを，見開きページ内に2回分配置しています。
▶また，その他にも各 chapter での学習から派生した，確認したいことや覚え書きなどができるスペースを複数用意しています。学習を通して習得したこと・考えたこと・感じたことなどは全て，教員採用試験に向けた筆記対策だけにとどまらない，自身の貴重な気づきに繋がるものと思われます。どんどん書き込んでいこう！

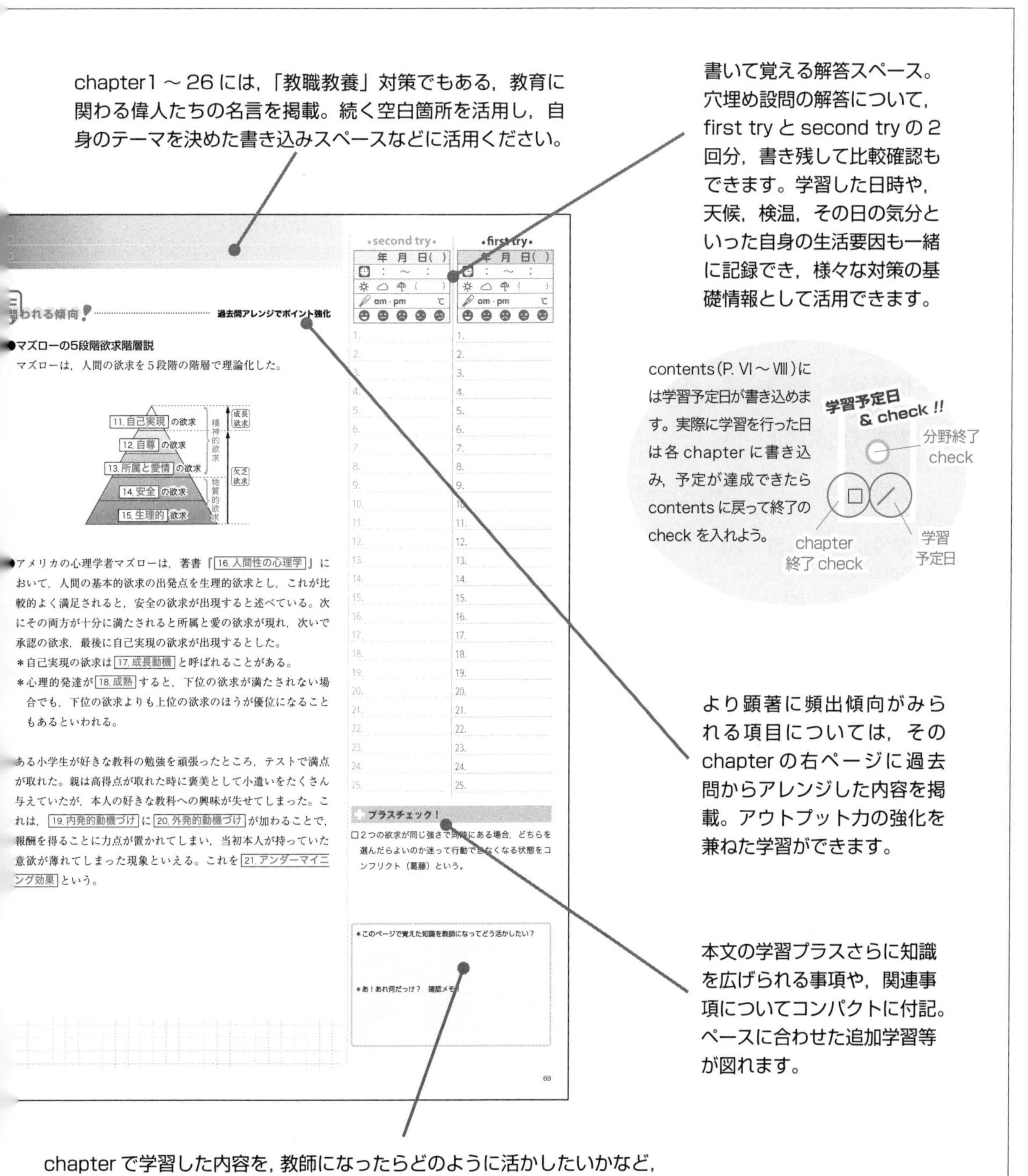

教職教養 新ランナー
contents + my study schedule

学習予定日 & check !!

○ 人権尊重の教育

○ 学習指導要領

○ 教育法規

教職教養 新ランナー
contents + my study schedule

学習予定日
& check !!

○ 注目トピックス

◆2024年度からデジタル教科書の段階的導入開始，◆全国学力・学習状況調査等，◆PISA2022結果，◆教育職員等による児童生徒性暴力等の防止等に関する法律，◆高等学校学習指導要領及び特別支援学校高等部学習指導要領の一部改正，◆誰一人取り残されない学びの保障に向けた不登校対策「COCOLOプラン」，◆こども家庭庁創設（こども基本法含む），◆第4期 教育振興基本計画，◆新たな研修のしくみ，◆キャリア教育，◆知っておきたい教育関連用語（STEAM教育，ウェルビーイング，マルトリートメント，ヤングケアラー，アントレプレナーシップ）

教採試験対策 年間ひとことスケジュール

月	
7月	
8月	
9月	
10月	
11月	
12月	
1月	
2月	
3月	
4月	
5月	
6月	

わたしは, ＿＿＿＿＿＿＿＿＿＿＿＿＿＿＿＿県・市・(＿＿＿＿＿＿＿＿)の,

学校種＿＿＿＿＿＿＿＿＿＿＿＿＿＿＿, 専門教科(科目)＿＿＿＿＿＿＿＿＿＿＿＿＿(＿＿＿＿＿＿＿＿＿＿＿)の

教員採用試験合格を目指します。 ＿＿＿＿＿年＿＿＿＿＿月＿＿＿＿＿日

わたしが教師を
目指す理由はこれです！

わたしの良さは
教師になったらこう活かせます！

こんな教師に
なりたい！

当地の特色を活かして
こんなことに取り組んでいきたい！

わたしの「教職教養」の習得,
学習到達目標は？

●本書で使用した法令等について，次のような略称を用いている場合があります。

〔法令略称〕　〔法令名〕
学校法……………………学校教育法
教育機会確保法…………義務教育の段階における普通教育に相当する教育の機会の確保等に関する法律
教科書無償措置法………義務教育諸学校の教科用図書の無償措置に関する法律
教基法……………………教育基本法
憲法………………………日本国憲法
国公法……………………国家公務員法
私学法……………………私立学校法
施規………………………施行規則
児童虐待防止法…………児童虐待の防止等に関する法律
生涯学習振興法…………生涯学習の振興のための施策の推進体制等の整備に関する法律
障害者差別解消法………障害を理由とする差別の解消の推進に関する法律
障害者総合支援法………障害者の日常生活及び社会生活を総合的に支援するための法律
施令………………………施行令
地公法……………………地方公務員法
地方教育行政法…………地方教育行政の組織及び運営に関する法律
中立確保法………………義務教育諸学校における教育の政治的中立の確保に関する臨時措置法
特例法……………………教育公務員特例法
標準法……………………公立義務教育諸学校の学級編制及び教職員定数の標準に関する法律
免許法……………………教育職員免許法
最判………………………最高裁判所
〔略称〕
中教審……………………中央教育審議会
文科省……………………文部科学省
SC……………………… スクールカウンセラー
SSW…………………… スクールソーシャルワーカー

Chapter 1～83

chapter 1 ［教育原理］

各種カリキュラムを体系的に捉えよう

学校の教育目標達成に向け，組織的・計画的に教育課程を編成する。「社会に開かれた教育課程」の理念実現に向けたカリキュラム・マネジメントの考え方と併せて確認しておこう。

カリキュラム（教育課程）の類型

【カリキュラムの類型】

➤教育課程は，カリキュラム（curriculum）の訳語。我が国では「教科課程」「学科課程」といわれていたが，1951年の学習指導要領以降「教育課程」といわれるようになった。

教科中心カリキュラム

① 1. 教科（科目）カリキュラム

知識・技能の学問体系により編成されたカリキュラム。

（例） 地理　歴史　公民　化学　物理　生物　地学

② 2. 相関 カリキュラム

相互に関連する複数の教科を関連づけて編成するプログラム。

（例）

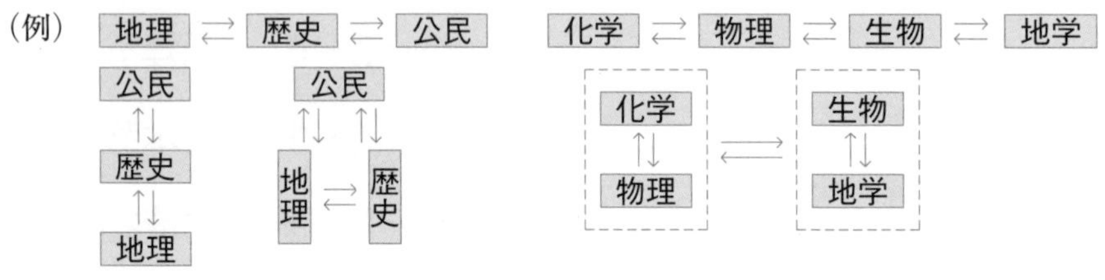

③ 3. 融合（合併）カリキュラム

複数の教科を関連づけて1つの教科として構成して編成したカリキュラム。

（例） （一般）社会科

主題・概括		
地理 教材	歴史 教材	公民 教材

（一般）理科

主題・概括			
化学 教材	物理 教材	生物 教材	地学 教材

④ 4. 広領域 カリキュラム

融合カリキュラムを発展させ，1つのテーマに沿って編成されたカリキュラム。

（例） 一般社会科 ⇄ 一般理科 ⇄ 一般技能 ⇄ 保健・体育

経験中心カリキュラム

① 5. コア・カリキュラム…中心となる教科（科目）を決め，それに関連する教科で編成するカリキュラム。

一般理科
一般技能
一般社会科
保健技能
その他の教科または広領域

② 6. 経験 カリキュラム…学習者が興味が持てるテーマを決め，これを学ぶため必要な経験を体系化したカリキュラム。

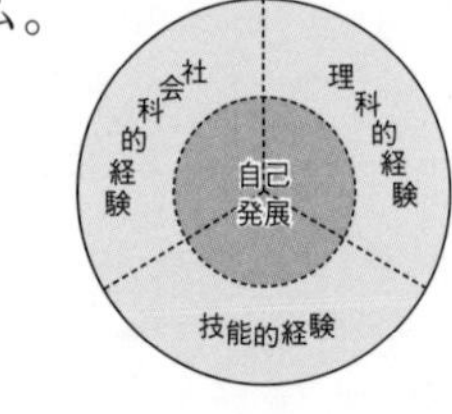

過去問アレンジでポイント強化

●一定のテーマに関係するいくつかの教科・領域を相互に関連づけて学習する教育課程を 7. クロスカリキュラム という。

●学校教育全体を通して偶発的に成立し，体得されている価値，態度，範囲など目に見えない隠された（隠れた）カリキュラムを 8. 潜在的カリキュラム という。対して，学校の教育課程など，公式に決定されたカリキュラムを 9. 顕在的カリキュラム という。

●教科の領域はそのままで，内容から見て性格的に近い教科の関連を図り，学習の相乗効果をあげるために，２教科以上の相互関連を図るカリキュラムを 10. 相関カリキュラム という。

●文化遺産の中から主として分野別に選択され，系統的に組織された教材のまとまりを学習内容として編成しようとするカリキュラムを 11. 教科カリキュラム という。

●スコープ（学習範囲）とシークエンス（順序）として学習者の生活経験，興味，問題意識を中心に組織するカリキュラムを 12. 経験カリキュラム という。活動重視ゆえに，知識の系統性が弱まることがある。

●中心となる教科や活動領域を設定し，その周辺に各教科や学習者の活動を配慮した同心円的構造のカリキュラムを 13. コア・カリキュラム という。

•second try•	•first try•
年　月　日(　)	年　月　日(　)
：　～　：	：　～　：
(　　)	(　　)
am・pm　℃	am・pm　℃
1.	1.
2.	2.
3.	3.
4.	4.
5.	5.
6.	6.
7.	7.
8.	8.
9.	9.
10.	10.
11.	11.
12.	12.
13.	13.
14.	14.
15.	15.
16.	16.
17.	17.
18.	18.
19.	19.
20.	20.
21.	21.
22.	22.
23.	23.
24.	24.
25.	25.

プラスチェック！

[小学校のスタートカリキュラム]

□小学校の入学当初は，特に幼児期に育まれたことが各教科等の学習に円滑に接続される必要があり，生活科を中心とした編成等が考えられる。

□カリキュラムの語源はラテン語currere（レースでコースを走ること）に由来する。

＊このページで覚えた知識を教師になってどう活かしたい？

＊あ！あれ何だっけ？　確認メモ！

chapter 2 ［教育原理］

過去から現代へと培われてきた教育方法の数々

例えば証明に演繹法や帰納法があるように，教育現場における効果的な教育実践に向け，授業の形式や進め方について工夫ができるよう考え方を理解しておこう。

教育プランの分類

【1. イエナ・プラン】ペーターゼン

学校は生活共同体の縮図と考える従来の学年別学級を廃して，低・中・高学年の集団を組織し，指導的立場と指導される立場を経験させる。

【2. モリソン・プラン】モリソン

教科を分類し，その類型に応じた指導を重要視した。また，「探索」「提示」「類化」「組織化」「発表」の五段階教受法を提唱。テストと評価と指導を繰り返し完全な習得を目指す。

【3. ドルトン・プラン】パーカスト

個別学習プラン。子供の自主性・自律性を重んじる。それぞれが，自ら計画を立て自己のペースで学習を進め，教師は必要な助言を与える。

【4. ウィネトカ・プラン】ウォッシュバーン

教科特性により共通基礎教科と美術・体育などの社会的・創造的な活動に分け，前者は個別化し能力に応じた速度による習得を，後者は集団協力での学習活動を進める。

【5. プロジェクト・メソッド】キルパトリック

子供の自発性に基づいた目標設定などをプロジェクト化して学習することで，自主性や社会性を育てる。プロジェクトを目標設定·計画·展開・評価の四段階で教授する。

【6. チーム・ティーチング】ケッペル

複数の教師と子供をいくつかのチームに分け，教師の各々の専門的能力を十分に生かす。

【7. ゲーリー・システム】ワート

プラトゥーン・システムともいう。子供を2つのグループに分け，1つのグループが学習している間，もう1つのグループは作業や遊戯を行わせる。

【8. ドクロリー法】ドクロリー

子供の欲求と興味を中心とし，生活を理解し参加する生活総合カリキュラムと，観察・連合・発表の3段階の学習活動からなる。

【9. 問題解決学習】デューイ

児童生徒が自ら問題を発見して主体的に問題を解決していく学習方法。問題に直面した際の問題解決のための思考に対応する学習指導の過程が重視される。

【10. 助教法】ベル，ランカスター

多人数を一度に教授するため，学力の進んだ子供を助教（モニター）として他の生徒の指導に当たらせる。**モニトリアル・システム**，**ベル・ランカスター法**ともいう。

□「人間が真の人間となるべきならば，人間として形成されなければならない」コメニウス

問われる傾向！

過去問アレンジでポイント強化

●アメリカのパーカストが私立学校「子どもの大学」を創設して実践した，子供一人一人の個性や要求に応じた個別学習の指導法を 11. ドルトン・プラン という。基本原理は自由と協同であり，教師と相談の上「契約」を取り交わして自律的に学習を進めていく形態を基本とした。

●児童生徒の自発的・合目的的な活動を中軸に学習を組織する方法で，キルパトリックにより付随学習の概念も採り入れられ，実験主義的経験教育の方法原理にまで高められた学習指導法を 12. プロジェクト・メソッド という。日本には大正後期に導入され，当時の自由主義を基調とする新教育運動に影響を与えた。

●アメリカのウォッシュバーンが開発・実践した学校改革案で，カリキュラムを，共通に習得すべき基礎的・常識的な知識・技能と，社会性の育成を目指す集団的・創造的活動から構成した教育プランを 13. ウィネトカ・プラン という。

●ドイツのペーターゼンが大学付属実験学校で試みた学校改革案。従来の学年制を廃し，時間割や科目別によらない合科教授と集団作業を中心とするカリキュラム編成を基本とする教育プランを 14. イエナ・プラン という。

●問題解決学習に対し， 15. 系統学習 とは，体系化された教授内容（知識，技術など）を，一定の筋道をもって習得させようとする学習法を指す。児童生徒の主体性が育ちにくいといった面がある。

second try	first try
年　月　日（　）	年　月　日（　）
：　～　：	：　～　：
（　　）	（　　）
am・pm　℃	am・pm　℃
1.	1.
2.	2.
3.	3.
4.	4.
5.	5.
6.	6.
7.	7.
8.	8.
9.	9.
10.	10.
11.	11.
12.	12.
13.	13.
14.	14.
15.	15.
16.	16.
17.	17.
18.	18.
19.	19.
20.	20.
21.	21.
22.	22.
23.	23.
24.	24.
25.	25.

プラスチェック！

［適性処遇交互作用（ATI）］

□適性と処遇（教授法など）の組み合わせにより，現れる効果が異なる現象。クロンバックが提唱した。

□すべての児童生徒に合う指導法を求めるのではなく，一人一人の適性に応じた指導法に変えていくという理論。

＊このページで覚えた知識を教師になってどう活かしたい？

＊あ！あれ何だっけ？　確認メモ！

chapter 3 ［教育原理］

「主体的・対話的で深い学び」に

「生きる力」を育むために，「何のために学ぶのか」といった学習の意義をはっきりさせる必要がある。児童生徒の自ら学ぶ意欲や〝問い〟を引き出せる学習・授業とは？

学習の理論・教授法

【教授と学習指導の教育観と過程】

教授は・・・

教師中心で，知識（教材）の伝達（を教える）〈ヘルバルトは管理・教授・訓練を説く〉

学習指導は・・・

1. 生徒中心 で，生徒が学習するのを教師が指導する。生徒の学習活動の助長。〈エレン・ケイの児童中心主義教育，パーカーやデューイの児童中心主義，キルパトリックのプロジェクト法など〉

【学習組織上の分類】

［ 2. 一斉 学習 ］
1人の教師が多数の生徒に同一の場所で同時に行う。

［ 3. 個別 学習 ］
学級を解体し，個人の個性や能力に応じた指導。

［ 4. グループ(小集団) 学習 ］
学級内をいくつかに分け，グループでの協力学習を行う。

【おもな学習形態】

5. 発見 学習	7. 範例 学習	8. プログラム 学習
▶ 6. ブルーナー がウッズホール会議（1959年）の報告書「教育の過程」を整理し提唱。▶教育的再編成，短縮・平担・簡素化することで，自分自身の発見を通して学習が進められる方法。▶どの教科においても，知的な性格をそのままに，どの段階の発達のどの子供にも効果的に教えることができるとされる。	▶「チュービンゲン決議」(1951年，西ドイツ)に発する。▶教材の過剰による学力の質的低下を克服する方式として「基礎的なもの」「本質的なもの」「根本的な現象」を，実際の例(Beispiel)ないし範例(Exemplar)を通して獲得させる教授方式。	▶学習プログラムにそって，問題提示→反応→フィードバックを繰り返すことで学習。▶スキナーの理論的影響に負う。▶一斉学習のマイナスの面を解消する個別学習。▶ティーチング・マシン。▶現在では 9. AI 機能で，より高度な学習成果が分析されフィードバックされている。

【アクティブ・ラーニング】

➤教員からの一方向的な講義形式の教育とは異なる学修者の 10. 能動的 な学修への参加を取り入れた教授・学習法の総称。

➤認知的，倫理的，社会的能力，教養，知識，経験を含む 11. 汎用的能力 の育成を図る。

➤発見学習，問題解決学習，体験学習，調査学習等が含まれる，教室内でのグループ・ディスカッション，ディベート，グループ・ワーク等も有効なアクティブ・ラーニングの方法である。

過去問アレンジでポイント強化

●学習目的上の分類

＊ 12.練習 学習／練習によって技能を獲得。

＊ 13.鑑賞 学習／絵画，工芸等の美的価値の体験を通して鑑賞能力を育成

●教授法

14.ヘルバルト の四段階教授法…明瞭→連合→系統→方法

15.ツィラー の五段階教授法 …分析→総合→連合→系統→方法

16.ライン の五段階教授法 …予備→提示→比較→概括→応用

17.モリソン の五段階教授法 …探索→提示→類化→組織化→発表

18.マクマリー の五段階教授法…予備→提示→比較→概括→応用

●学習内容を細分化し系統的に配列したものを，学習者が能力差や個人差に応じてそれぞれ異なった過程で進めていく方法で，現在では 19.eラーニング の基になっている学習形態を 20.プログラム学習 という。

●学ぶべき内容を分割していくつかのグループでそれぞれの内容に取り組み，学んだことを互いに教え合うことで協同学習を進めていく形態を 21.ジグソー学習 といい，アメリカのアロンソンが提唱した。

● 22.有意味受容学習 とは，学習者がすでに持っている知識に働きかけ，学習材料を利用可能な知識として効率よく獲得できるようにする学習法である。オーズベルの提唱。学習内容は論理的に有意味である必要があり，丸暗記するような 23.機械的学習 は含まれない。

●ブルームは，大多数の子供に一定水準の学習内容を習得させることを目指し，教育目標に照らした形成的評価を行い，目標に達している者には発展学習を，達していない者には回復学習を行うといった 24.完全習得学習 （ 25.マスタリー・ラーニング ）を提唱した。

•second try•	•first try•
年 月 日( )	年 月 日( )
: 〜 :	: 〜 :
( )	( )
am・pm ℃	am・pm ℃
1.	1.
2.	2.
3.	3.
4.	4.
5.	5.
6.	6.
7.	7.
8.	8.
9.	9.
10.	10.
11.	11.
12.	12.
13.	13.
14.	14.
15.	15.
16.	16.
17.	17.
18.	18.
19.	19.
20.	20.
21.	21.
22.	22.
23.	23.
24.	24.
25.	25.

プラスチェック！

[バズ・セッション]

□6・6討議ともいう。小グループに分け班別討議をさせる。その姿がハチの巣をつついたようにブンブンと討議することからこの名称がついた。

□フィリップスの創案。

＊このページで覚えた知識を教師になってどう活かしたい？

＊あ！あれ何だっけ？ 確認メモ！

chapter 4 ［教育原理］

学校教育法第1条における9校種を押さえよう

学校には，幼稚園，小学校，中学校，義務教育学校，高等学校，中等教育学校，特別支援学校，大学，高等専門学校（以上１条校）以外に，専修学校や各種学校がある。

学校種と設置，学級編制

❶ 学校種と設置

【学校の設置者】

設置者について

［設置義務］
○ 1. 市町村 （学校法38条）
⇨小学校，中学校（準用）（義務教育学校の場合あり）
○都道府県（学校法80条）
⇨ 2. 特別支援学校

国立学校	国（国立大学法人・独立行政法人国立高等専門学校機構を含む）
公立学校	3. 地方公共団体（公立大学法人を含む）
私立学校	4. 学校法人

［設置基準］
○学校種ごとに定められた設置基準に従い設置する（学校法３条）
○基準より低下してはならない。水準の向上に努めなければならない（各学校種設置基準）

［学校の管理］
［経費の負担］ }（学校法５条）

【学校に必要な施設】

➤設置基準は，各校種においてすべての学校で順守されるべく水準で，これを下回ってはならない。

	小学校，中学校（準用規定）
学級数	5. 12 以上 6. 18 以下を標準とする。地域の実態等による …学校法施規第41条
児童生徒数	1学級40人以下 …小学校設置基準第4条
教諭等の配置基準	1学級当たり1人以上 …小学校設置基準第6条①
備える施設	校舎〔教室（普通，特別等），図書室，保健室，職員室〕，運動場，体育館…小学校設置基準第9･10条

❷ 学級編制 …「公立義務教育諸学校の学級編制及び教職員定数の標準に関する法律 第３条②より

学校の種類	学級編制の区分	1学級の児童または生徒の数
小学校（義務教育学校の前期課程を含む）	同学年の児童で編制する学級	7. 35 人*
	2の学年の児童で編制する学級	8. 16 人（第1学年の児童を含む学級にあっては8人）
	学校教育法第81条②及び③に規定する特別支援学級	9. 8 人
中学校（義務教育学校の後期課程及び中等教育学校の前期課程を含む）	同学年の生徒で編制する学級	10. 40 人
	2の学年の生徒で編制する学級	11. 8 人
	特別支援学級	12. 8 人

＊少人数学級の計画的な整備。2025年までに小学校第２学年から学年進行で段階的に引き下げ実施。

問われる傾向

過去問アレンジでポイント強化

●学校教育法 第１条　…１条校

この法律で，学校とは，13. 幼稚園，小学校，中学校，14. 義務教育学校，高等学校，中等教育学校，特別支援学校，大学及び高等専門学校とする。

●学校教育法 第38条

15. 市町村は，その区域内にある学齢児童を就学させるに必要な小学校を設置しなければならない。ただし，教育上有益かつ適切であると認めるときは，16. 義務教育学校の設置をもってこれに代えることができる。

●学校教育法 第80条

17. 都道府県は，その区域内にある学齢児童及び学齢生徒のうち，視覚障害者，聴覚障害者，知的障害者，肢体不自由者又は病弱者で，その障害が第75条の政令で定める程度のものを就学させるに必要な18. 特別支援学校を設置しなければならない。

second try	first try
年　月　日(　)	年　月　日(　)
：　～　：	：　～　：
(　　)	(　　)
am・pm　℃	am・pm　℃
1.	1.
2.	2.
3.	3.
4.	4.
5.	5.
6.	6.
7.	7.
8.	8.
9.	9.
10.	10.
11.	11.
12.	12.
13.	13.
14.	14.
15.	15.
16.	16.
17.	17.
18.	18.
19.	19.
20.	20.
21.	21.
22.	22.
23.	23.
24.	24.
25.	25.

プラスチェック！

□2021年標準法改正で，小学校（義務教育学校の前期課程を含む）の学級編制は35人となった。

□在籍者数の増加により，教育環境改善の観点から2021年９月，特別支援学校設置基準が公布された。総則・学科の規定は22年４月から，編制・施設・設備の規定は23年４月から施行。

＊このページで覚えた知識を教師になってどう活かしたい？

＊あ！あれ何だっけ？　確認メモ！

chapter 5 ［教育原理］

小学校入学までの手続きをしっかり把握しよう

保護者は子供に教育を受けさせる義務がある。経済上の理由で就学困難な場合には奨学措置が必要。子供の貧困も問題となっている昨今，関連法令についても押さえておこう。

就学手続き，就学義務と猶予・援助

❶ 就学手続き

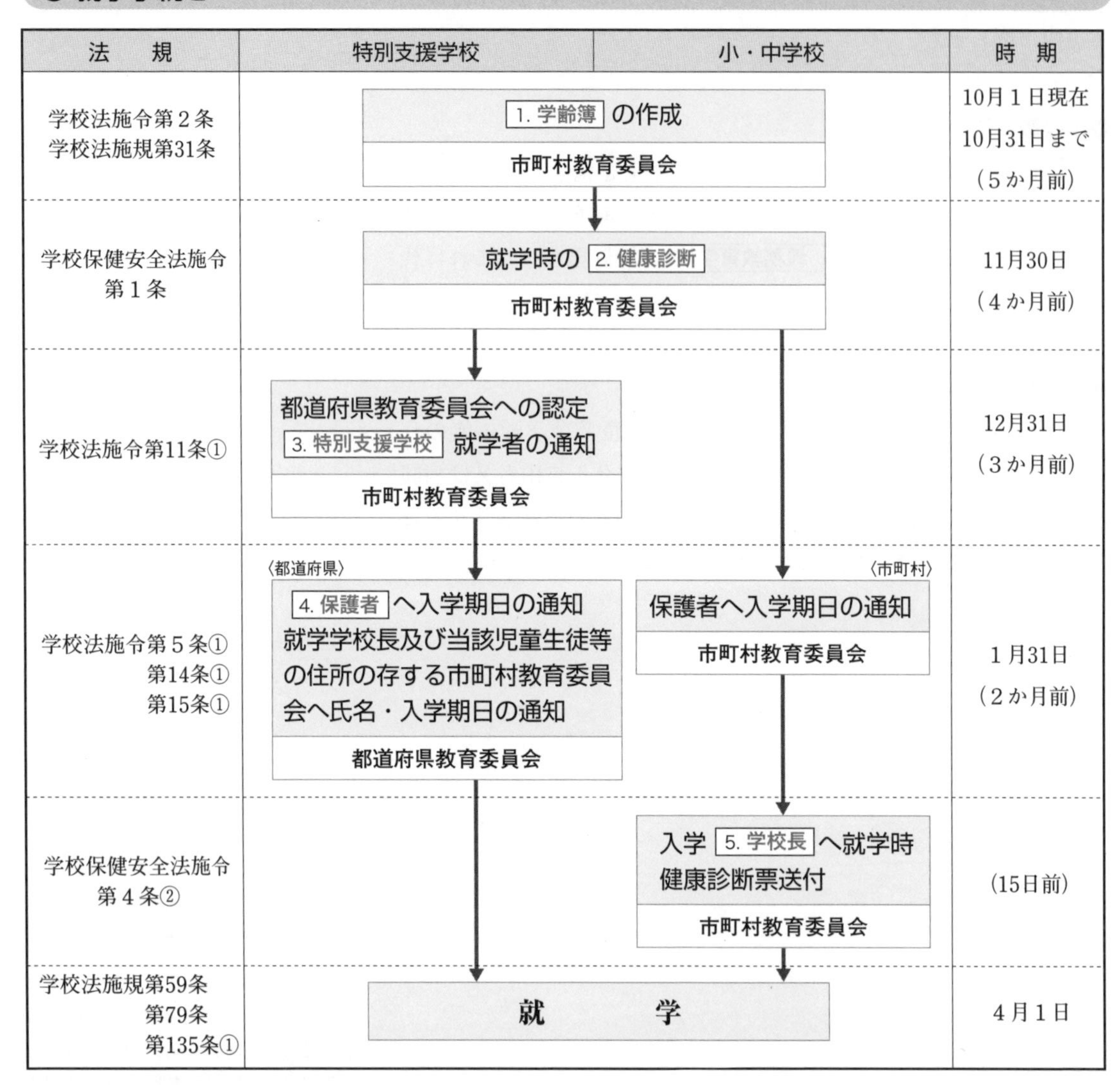

法　　規	特別支援学校	小・中学校	時　期
学校法施令第２条 学校法施規第31条	1. 学齢簿 の作成 市町村教育委員会		10月１日現在 10月31日まで （５か月前）
学校保健安全法施令 第１条	就学時の 2. 健康診断 市町村教育委員会		11月30日 （４か月前）
学校法施令第11条①	都道府県教育委員会への認定 3. 特別支援学校 就学者の通知 市町村教育委員会		12月31日 （３か月前）
学校法施令第５条① 第14条① 第15条①	〈都道府県〉 4. 保護者 へ入学期日の通知 就学学校長及び当該児童生徒等の住所の存する市町村教育委員会へ氏名・入学期日の通知 都道府県教育委員会	〈市町村〉 保護者へ入学期日の通知 市町村教育委員会	１月31日 （２か月前）
学校保健安全法施令 第４条②		入学 5. 学校長 へ就学時健康診断票送付 市町村教育委員会	（15日前）
学校法施規第59条 第79条 第135条①	就　　　学		４月１日

❷ 就学義務と猶予・援助

教育を受ける権利（憲法 第26条①）
⇩
6. 義務教育（教基法 第５条①）
⇩
教育を受けさせる義務（学校法 第16条） ⇨ 就学猶予・免除（学校法 第18条）／就学の援助義務（学校法 第19条） ⇨ 教育扶助（生活保護法 第13条）

過去問アレンジでポイント強化

●学校教育法 第16条

保護者（子に対して親権を行う者（親権を行う者のないときは，未成年後見人）をいう）は，次条に定めるところにより，子に9年の 7.普通教育 を受けさせる義務を負う。

●学校教育法 第18条（要旨）

保護者が就学させなければならない子（「学齢児童」又は「学齢生徒」）で，病弱，発育不完全その他やむを得ない事由のため， 8.就学困難 と認められる者の保護者に対しては， 9.市町村 の教育委員会は，文部科学大臣の定めるところにより，就学させる義務を 10.猶予 又は 11.免除 することができる。

●学校教育法 第19条

経済的理由によって，就学困難と認められる学齢児童又は学齢生徒の保護者に対しては， 12.市町村 は，必要な 13.援助 を与えなければならない。

●生活保護法 第13条　…教育扶助の内容（抜粋）

一　義務教育に伴って必要な 14.教科書 その他の学用品
二　義務教育に伴って必要な通学用品
三　 15.学校給食 その他義務教育に伴って必要なもの

•second try•	•first try•
年　月　日(　)	年　月　日(　)
：　～　：	：　～　：
(　　)	(　　)
am · pm　℃	am · pm　℃
1.	1.
2.	2.
3.	3.
4.	4.
5.	5.
6.	6.
7.	7.
8.	8.
9.	9.
10.	10.
11.	11.
12.	12.
13.	13.
14.	14.
15.	15.
16.	16.
17.	17.
18.	18.
19.	19.
20.	20.
21.	21.
22.	22.
23.	23.
24.	24.
25.	25.

プラスチェック！

□就学猶予の「その他やむを得ない事由」には，児童生徒の失踪等があげられる（経済的事由は含まない）。

□少年院に入院中の学齢児童生徒は，状況が適切であれば引き続き通学していた学校に在籍することもできる。

＊このページで覚えた知識を教師になってどう活かしたい？

＊あ！あれ何だっけ？　確認メモ！

6 非常時にあっても児童生徒の学びを止めない

［教育原理］

1人1台端末環境は令和の学校におけるスタンダードである。忘れてならないのはICT環境の整備は手段であり目的ではないことだ。教員のICT活用指導力向上が求められている。

学校の休業，多様化する授業形態と教科用図書等

❶ 学校の休業

【休業等を定めるもの】

		公立小学校・中学校	都道府県立高等学校
学年の始まり		国	国
学期の始まり*		市町村教育委員会	都道府県教育委員会
夏季休業等		市町村教育委員会	都道府県教育委員会
授業の終始		校長	校長
臨時休業	非常変災等	1. 校長	2. 校長
臨時休業	感染症予防上	3. 市町村教育委員会	4. 都道府県教育委員会

＊公立の学校（大学を除く）の学期と夏季，冬季，学年末，農繁期等における休業日又は家庭・地域の体験的な学習活動その他の学習活動のための休業日（体験的学習活動等休業日）は，市町村又は都道府県の設置する学校では当該市町村又は都道府県の教育委員会が，公立大学法人の設置する学校では当該公立大学法人の理事長が定める。（学校法施令第29条①要旨）

❷ 多様化する授業形態と教科用図書等

➤文部科学省は，GIGAスクール構想により「多様な子供たちを誰一人取り残すことなく，子供たち一人一人に公正に 5. 個別最適化 され，資質・能力を一層確実に育成できる 6. 教育ICT環境 の実現」を推進している。

➤臨時休校ほか，やむを得ず学校に登校できない児童生徒等に対し，ICT端末を活用したオンライン授業等が導入されている。

【教科用図書の採択】 ※補助教材の使用については， 7. 教育委員会 へ届け出て承認が必要。

公立の小・中学校	8. 市町村教育委員会 が，市・郡の区域単位に広域採択
公立の高等学校	9. 都道府県教育委員会 が採択
国立・私立の小・中学校	10. 校長 が，都道府県教育委員会の指導・助言で採択

【学習者用デジタル教科書を使用する際の指導上の留意点】 （⇒P.181参照）

＊紙の教科書と学習者用デジタル教科書を使用する授業を，適切に**組み合わせる**ことが重要である。

＊可能な限り予備用学習者用コンピュータを準備。不使用時は 11. 画面 を閉じる等の指導をする。

＊「主体的・対話的で深い学び」の視点からの授業改善に資するよう活用し，使用には**固執**しない。

＊繰り返し学習や，まとめなどで書くことが大事な場面では， 12. ノート 使用を基本とする。

＊教育課程の実施状況を 13. 評価 し，使用を見直すことも含め指導方法や指導体制の**改善**に努める。

過去問アレンジでポイント強化

●学校教育法施行規則 第61条

公立小学校における休業日は，次のとおりとする。ただし，第三号に掲げる日を除き，当該学校を設置する 14. 地方公共団体 の教育委員会（公立大学法人の設置する小学校にあっては，当該公立大学法人の理事長。第三号において同じ）が必要と認める場合は，この限りでない。

一　国民の祝日に関する法律（略）に規定する日

二　日曜日及び 15. 土曜日

三　学校教育法施行令第29条第１項の規定により 16. 教育委員会 が定める日

●学校教育法施行規則 第63条

非常変災その他急迫の事情があるときは， 17. 校長 は，臨時に授業を行わないことができる。この場合において，公立小学校についてはこの旨を当該学校を設置する 18. 地方公共団体 の教育委員会（公立大学法人の設置する小学校にあっては，当該公立大学法人の理事長）に報告しなければならない。

●学校保健安全法 第20条

学校の 19. 設置者 は，感染症の予防上必要があるときは，臨時に，学校の全部又は一部の 20. 休業 を行うことができる。

●学校教育法 第34条

① 小学校においては， 21. 文部科学大臣 の検定を経た教科用図書又は文部科学省が著作の名義を有する 22. 教科用図書 を使用しなければならない。

② 前項に規定する教科用図書の内容を文部科学大臣の定めるところにより記録した 23. 電磁的記録 （電子的方式，磁気的方式その他人の知覚によっては認識することができない方式で作られる記録であって，電子計算機による情報処理の用に供されるものをいう）である教材がある場合には，同項の規定にかかわらず，文部科学大臣の定めるところにより，児童の教育の充実を図るため必要があると認められる教育課程の一部において，教科用図書に代えて当該教材を使用することができる。

second try	first try
年　月　日(　)	年　月　日(　)
：　～　：	：　～　：
(　　)	(　　)
am・pm　℃	am・pm　℃
1.	1.
2.	2.
3.	3.
4.	4.
5.	5.
6.	6.
7.	7.
8.	8.
9.	9.
10.	10.
11.	11.
12.	12.
13.	13.
14.	14.
15.	15.
16.	16.
17.	17.
18.	18.
19.	19.
20.	20.
21.	21.
22.	22.
23.	23.
24.	24.
25.	25.

プラスチェック！

□教育上，必要限度内での著作物の複製，公衆送信・伝達が認められているが，限度について理解しておく必要がある。（著作権法 第35条要旨）

□学習者用デジタル教科書は，紙の教科書と同一の内容がデジタル化された教材であり，教科書発行者が作成する。動画･音声等のコンテンツは該当しない。

＊このページで覚えた知識を教師になってどう活かしたい？

＊あ！あれ何だっけ？　確認メモ！

chapter 7
［教育原理］

校務分掌は学校を運営する上で不可欠なしくみ

校務の分担の原案は運営（企画）委員会で審議され，職員会議で確認される。校務には何がある？　学校に備えなければならない法定表簿についても併せて確認しておこう。

校務分掌・職員会議，法定表簿

❶ 校務分掌と職員会議

【校務分掌とは？】
学校を運営するために教職員が校務を分担すること

調和のとれた学校運営が行われるためにふさわしい「校務分掌」の仕組みを整える（学校法施規より）	
教務主任	校長の監督を受け，教育計画の立案その他の教務に関する事項について連絡調整及び指導，助言に当たる。
1. 学年主任	校長の監督を受け，当該学年の教育活動に関する事項について連絡調整及び指導，助言に当たる。
2. 保健主事	校長の監督を受け，小学校における保健に関する事項の管理に当たる。
3. 研修主事	校長の監督を受け，研修計画の立案その他研修に関する事項について連絡調整及び指導・助言に当たる。
生徒指導主事	校長の監督を受け，生徒指導に関する事項をつかさどり，当該事項について連絡調整及び指導，助言に当たる。
進路指導主事	指導教諭又は教諭をもって充てる。校長の監督を受け，生徒の職業選択の指導その他の進路の指導に関する事項をつかさどり，当該事項について連絡調整及び指導，助言に当たる。
学科主任	校長の監督を受け，当該学科の教育活動に関する事項について連絡調整及び指導，助言に当たる。

【職員会議】
➤職員会議は**校長**が主宰し，学校の運営が円滑に執行されるよう補助する機関として位置づけられる。

❷ 法定表簿

法定表簿	保存期間	根拠法規
指導要録（学籍に関する記録）	4. 20 年間	学校法施規第28条②
指導要録（指導に関する記録）その他の表簿	5. 5 年間	学校法施規第28条②
健康診断票	6. 5 年間	学校保健安全法施規第８条④

➤指導要録は，児童生徒等の**学籍・指導**の過程及び結果の要約を記録し，その後の指導や外部に対する証明などに役立たせるための**原簿**となるものである。
➤指導要録等について情報通信技術を活用する場合には，**バックアップ**，**情報セキュリティ**や**個人情報保護**について十分な対策が必要である。
➤「あゆみ」「学習の記録」などの名称で学期末に作成している 7. 通知表 は，法定表簿ではない。
➤備付表簿には，教育委員会規則などが規定する卒業証書授与台帳，学校沿革史などがある。

【出席簿】 …学校法施規 第25条（要旨）
当該学校に在学する児童等についての出席簿は， 8. 校長 （学長を除く）が作成しなければならない。

過去問アレンジでポイント強化

●学校教育法施行規則 第48条

① 小学校には，設置者の定めるところにより，9.校長の職務の円滑な執行に資するため，10.職員会議を置くことができる。

② 職員会議は，11.校長が主宰する。

●学校教育法施行規則 第24条

① 校長は，その学校に在学する児童等の12.指導要録（略）を作成しなければならない。

② 校長は，児童等が進学した場合においては，その作成に係る当該児童等の指導要録の13.抄本又は写しを作成し，これを進学先の14.校長に送付しなければならない。

③ 校長は，児童等が15.転学した場合においては，その作成に係る当該児童等の指導要録の16.写しを作成し，その写し（転学してきた児童等については転学により送付を受けた指導要録（略）の写しを含む）及び前項の抄本又は写しを転学先の17.校長，保育所の長又は認定こども園の長に送付しなければならない。

●学校教育法施行規則 第28条

① 学校において備えなければならない表簿（抜粋）

一 学校に関係のある法令

二 学則，日課表，教科用図書配当表，学校医執務記録簿，学校歯科医執務記録簿，学校薬剤師執務記録簿及び学校日誌

三 職員の名簿，履歴書，出勤簿並びに担任学級，担任の教科又は科目及び時間表

四 指導要録，その写し及び抄本並びに出席簿及び健康診断に関する表簿

② 前項の表簿（第24条②の抄本又は写しを除く）は，別に定めるもののほか，18.5年間保存しなければならない。ただし，指導要録及びその写しのうち入学，卒業等の学籍に関する記録については，その保存期間は，19.20年間とする。

③ 学校教育法施行令第31条の規定により指導要録及びその写しを保存しなければならない期間は，前項のこれらの書類の保存期間から当該学校においてこれらの書類を保存していた期間を20.控除した期間とする。

•second try•	•first try•
年 月 日( )	年 月 日( )
: 〜 :	: 〜 :
( )	( )
am・pm ℃	am・pm ℃
1.	1.
2.	2.
3.	3.
4.	4.
5.	5.
6.	6.
7.	7.
8.	8.
9.	9.
10.	10.
11.	11.
12.	12.
13.	13.
14.	14.
15.	15.
16.	16.
17.	17.
18.	18.
19.	19.
20.	20.
21.	21.
22.	22.
23.	23.
24.	24.
25.	25.

プラスチェック！

[学校保健関係の備付表簿]…学校保健安全法施規 第8条（要旨）

□学校は定期健康診断を行った際，児童生徒等の健康診断票を作成し，5年間保存しなければならない。

□校長は，健康診断票を，児童生徒が進学・転学した先の校長等に送付しなければならない。

＊このページで覚えた知識を教師になってどう活かしたい？

＊あ！あれ何だっけ？ 確認メモ！

chapter 8 ［教育原理］

懲戒の範囲をはっきり理解しよう

懲戒は，学校の教育目的を達成するために教育的配慮の下に行われなければならない。事実関係の確認を含めた適正な手続きを経る必要がある。

懲戒，出席停止

❶ 懲戒

生徒の人権を尊重し，教育上必要があっても生徒の育成上人格形成に悪影響を及ぼす手段による制裁は厳に禁じられている。

1. 退学	児童生徒が，卒業・修了を待たずに学校を途中でやめる。 公立の小・中学校(中等教育学校前期課程を除く)，公立特別支援学校小学部・中学部では不可。
2. 停学	教育を受けている児童生徒に対して罰則として学校等の教育を受けることを一定期間停止させる。 国公私立のすべての義務教育諸学校では不可。
3. 訓告	校長が厳しく諭して更正を促す。すべての学校で可能。

【体罰の禁止及び懲戒について】 …文科省「生徒指導提要（2022年改訂版）」より

- 体罰による指導では，児童生徒に 4. 正常な倫理観 を養うことはできず，むしろ 5. 力 による解決への志向を助長することになりかねません。体罰によることなく，児童生徒の規範意識や社会性の育成を図るよう，適切に 6. 懲戒 を行い，**粘り強く指導**することが重要です。
- 懲戒行為が体罰に当たるかどうかは，当該児童生徒の年齢，健康，心身の発達状況，当該行為が行われた場所的・時間的環境，懲戒の態様等の諸条件を**総合的かつ客観的**に考え，**個々の事案ごとに判断**する必要があります。これらのことを勘案して，懲戒の内容が，身体に対する**侵害**や 7. 肉体的苦痛 を与えると判断される場合には，体罰になります。
- 8. 部活動 は学校教育の一環であり，特定の生徒等に対して執拗かつ過度に肉体的・精神的負荷を与えることは 9. 教育的指導 とは言えないことに留意し，教育活動として適切に実施されなければなりません。

❷ 出席停止

性行不良による 10. 出席停止 （学校法 第35条①）

他の児童に対する傷害，心身の苦痛，財産上の損失	職員に与える傷害，心身の苦痛	学校の施設または設備の損壊	授業などの教育活動実施の妨害

【児童生徒の出席停止命令に関わる事項】 …学校法 第35条②④

- 市町村の教育委員会は，前項の規定により出席停止を命ずる場合には，あらかじめ 11. 保護者 の意見を聴取するとともに，理由及び期間を記載した 12. 文書 を交付しなければならない。(②)
- 市町村の教育委員会は，出席停止の命令に係る児童の出席停止の期間における学習に対する 13. 支援 その他の教育上必要な措置を講ずるものとする。(④)

□「植物は耕作により，人間は教育によってつくられる」ルソー
□

過去問アレンジでポイント強化

●学校教育法 第11条

校長及び教員は，教育上必要があると認めるときは，文部科学大臣の定めるところにより，児童，生徒及び学生に 14. 懲戒 を加えることができる。ただし， 15. 体罰 を加えることはできない。

●学校教育法施行規則 第26条

① 校長及び教員が児童等に懲戒を加えるに当っては，児童等の心身の発達に応ずる等教育上必要な配慮をしなければならない。

② 懲戒のうち，退学，停学及び訓告の処分は， 16. 校長 （大学にあっては，学長の委任を受けた学部長を含む）が行う。

③ 前項の 17. 退学 は，市町村立の小学校，中学校（略），義務教育学校又は公立の特別支援学校に在学する学齢児童又は学齢生徒を除き，次の各号のいずれかに該当する児童等に対して行うことができる。

一 18. 性行不良 で改善の見込がないと認められる者
二 学力劣等で成業の見込がないと認められる者
三 正当の理由がなくて出席常でない者
四 学校の 19. 秩序 を乱し，その他学生又は生徒としての本分に反した者

④ 第２項の 20. 停学 は，学齢児童又は学齢生徒に対しては，行うことができない。

●学校教育法 第35条①

21. 市町村 の教育委員会は，次に掲げる行為の一又は二以上を繰り返し行う等 22. 性行不良 であって他の児童の教育に妨げがあると認める児童があるときは，その保護者に対して，児童の 23. 出席停止 を命ずることができる。

一 他の児童に傷害，心身の苦痛又は財産上の損失を与える行為
二 24. 職員 に傷害又は心身の苦痛を与える行為
三 施設又は設備を損壊する行為
四 授業その他の 25. 教育活動 の実施を妨げる行為

•second try•	•first try•
年 月 日( )	年 月 日( )
: 〜 :	: 〜 :
( )	( )
am · pm ℃	am · pm ℃
1.	1.
2.	2.
3.	3.
4.	4.
5.	5.
6.	6.
7.	7.
8.	8.
9.	9.
10.	10.
11.	11.
12.	12.
13.	13.
14.	14.
15.	15.
16.	16.
17.	17.
18.	18.
19.	19.
20.	20.
21.	21.
22.	22.
23.	23.
24.	24.
25.	25.

プラスチェック！

□児童生徒から教員等に対する暴力行為に対して，教員等が防衛のためにやむを得ずした有形力の行使は，体罰に該当しない。
□他の児童生徒に被害を及ぼすような暴力行為に対して，制止や目前の危険回避のためにやむを得ずした有形力の行使は体罰に該当しない。

＊このページで覚えた知識を教師になってどう活かしたい？

＊あ！あれ何だっけ？ 確認メモ！

chapter 9 [教育原理]

免許状を授与された教員の職責とは？

研究はあることに対し考査・調査し真理・事実を明らかにすること，修養は自己の知識を高め品性を磨き人格形成に努めること。職責遂行のための研修についてしっかり認識しよう。

教員免許状，研修（研究と修養）

❶ 教員免許状

【免許状は３種類】

普通免許状，特別免許状，臨時免許状

	①普通免許状	②特別免許状	③臨時免許状	根拠法規
概要	学校種ごとの教諭，養護教諭，1. 栄養教諭 の免許状	学校種ごとの教諭の免許状。3. 社会的経験 を有する。教育職員検定合格。任用者の推薦	学校種ごとの助教諭，養護助教諭の免許状	免許法第４条
有効期間	定めなし	定めなし	5. 3 年	免許法第９条
有効地域範囲	2. 全国 の学校	授与を受けた 4. 都道府県 内の学校	授与を受けた 6. 都道府県 内の学校	

❷ 研修（研究と修養）

➤教員は，絶えず研究と修養に努めなくてはならない。

➤ 7. 研修実施者 は研修について，要する施設や，研修を奨励するための方途その他研修に関する計画を樹立し，その実施に努めなければならない。

➤文部科学大臣は，公立の小学校等の校長及び教員の計画的で効果的な資質向上を図るため，指標の策定に関する指針を定めなければならない。

8. 初任者 研修（特例法第 23 条①）	9. 中堅教諭等資質向上 研修（特例法第 24 条）	10. 指導改善 研修（特例法第 25 条）
公立の小学校等の教諭等の研修実施者は，当該教諭等(臨時的に任用された者その他の政令で定める者を除く)に対して，その採用(略)の日から１年間の教諭又は保育教諭の職務の遂行に必要な事項に関する実践的な研修を実施しなければならない。	公立の小学校等の教諭等(略)の研修実施者は，当該教諭等に対して，個々の能力，適性等に応じて，公立の小学校等における教育に関し相当の経験を有し，その教育活動その他の学校運営の円滑かつ効果的な実施において中核的な役割を果たすことが期待される中堅教諭等としての職務を遂行する上で必要とされる資質の向上を図るために必要な事項に関する研修を実施しなければならない。	公立の小学校等の教諭等の任命権者は，児童，生徒又は幼児に対する指導が不適切であると認定した教諭等に対して，その能力，適性等に応じて，当該指導の改善を図るために必要な事項に関する研修を実施しなければならない。

【新たな教師の学びの姿】 …「『令和の日本型学校教育』を担う教師の養成・採用・研修等の在り方について（答申）」（2022年）（抜粋）

＊変化を前向きに受け止め，11. 探究心 を持ちつつ自律的に学ぶという「主体的な姿勢」

＊求められる知識技能が変わっていくことを意識した「継続的な学び」

＊新たな領域の 12. 専門性 を身に付けるなど強みを伸ばすための，一人一人の教師の個性に即した「個別最適な学び」

＊他者との対話や振り返りの機会を確保した「協働的な学び」

過去問アレンジでポイント強化

●教育職員免許法 第4条

② 13. 普通免許状 は，学校（義務教育学校，中等教育学校及び幼保連携型認定こども園を除く）の種類ごとの教諭の免許状，養護教諭の免許状及び栄養教諭の免許状とし，それぞれ 14. 専修免許状 ，一種免許状及び二種免許状（高等学校教諭の免許状にあっては，専修免許状及び一種免許状）に区分する。

③ 15. 特別免許状 は，学校（幼稚園，義務教育学校，中等教育学校及び幼保連携型認定こども園を除く）の種類ごとの教諭の免許状とする。

④ 16. 臨時免許状 は，学校（義務教育学校，中等教育学校及び幼保連携型認定こども園を除く）の種類ごとの 17. 助教諭 の免許状及び養護助教諭の免許状とする。

●教育公務員特例法 第21条

① 教育公務員は，その職責を遂行するために，絶えず 18. 研究と修養 に努めなければならない。

② 教育公務員の 19. 研修実施者 は，教育公務員（公立の小学校等の校長及び教員（略）を除く）の研修について，それに要する施設，研修を奨励するための方途その他研修に関する 20. 計画 を樹立し，その実施に努めなければならない。

●教育公務員特例法 第22条

① 教育公務員には， 21. 研修 を受ける機会が与えられなければならない。

② 教員は，授業に支障のない限り， 22. 本属長 の承認を受けて，勤務場所を離れて研修を行うことができる。

③ 教育公務員は， 23. 任命権者 （略）の定めるところにより，現職のままで， 24. 長期 にわたる研修を受けることができる。

•second try•	•first try•
年 月 日( )	年 月 日( )
: 〜 :	: 〜 :
( )	( )
am・pm ℃	am・pm ℃
1.	1.
2.	2.
3.	3.
4.	4.
5.	5.
6.	6.
7.	7.
8.	8.
9.	9.
10.	10.
11.	11.
12.	12.
13.	13.
14.	14.
15.	15.
16.	16.
17.	17.
18.	18.
19.	19.
20.	20.
21.	21.
22.	22.
23.	23.
24.	24.
25.	25.

プラスチェック！

□2022年7月1日から教員免許更新制が廃止された。新たな体制について確認しておこう。(⇒P.183参照)

□2022年度から小学校で教科担任制を本格導入。文科省は当該教科の中学校または高等学校の教員免許を保有していることなどの要件を示している。

＊このページで覚えた知識を教師になってどう活かしたい？

＊あ！あれ何だっけ？ 確認メモ！

chapter 10 [教育原理]

教育的給食の位置づけと意義を理解しよう

学校における食育の推進や，現代的な課題対応として求められている「健康・安全・食に関する資質・能力」について，併せて押さえておこう。

学校給食，食育

❶ 学校給食

義務教育諸学校の設置者は，学校給食が実施されるように努めなければならない。年間を通じて原則毎週 1. 5 回，授業日の昼食時に実施することとしている。

【学校給食のおもなあゆみ】

(年)		
1889	山形県鶴岡市忠愛小学校	⇨慈善給食
1947	全国の都市の児童約300万人対象	⇨福祉給食
1954	学校給食法制定	⇨教育的給食への動き
1958	学習指導要領の学校行事等の位置づけ	⇨教育的給食への位置づけ
1968	学習指導要領の特別活動の中の 2. 学級指導 に位置づけ	⇨教育的給食への変化
2005	3. 栄養教諭 の制度化	⇨食に関する指導。食育基本法の制定

❷ 食育

学校における食育の視点 …文科省「食に関する指導の手引ー第二次改訂版ー（2019)」抜粋

- 食事の重要性，食事の喜び，楽しさを理解する。
- 心身の成長や健康の保持増進の上で望ましい栄養や食事のとり方を理解し，自ら 4. 管理 していく能力を身に付ける。
- 正しい知識・情報に基づいて，食品の品質及び安全性等について自ら 5. 判断 できる能力を身に付ける。
- 食べ物を大事にし，食料の生産等に関わる人々へ 6. 感謝 する心をもつ。
- 食事のマナーや食事を通じた 7. 人間関係形成能力 を身に付ける。
- 各地域の産物，食文化や食に関わる歴史等を理解し， 8. 尊重 する心をもつ。

【アレルギーとアナフィラキシー】

➤アレルギーとは，異物が体内に入ることで体を守るために 9. 免疫 が過剰に働くことによって，くしゃみ，かゆみ，炎症などの症状がおきる状態を指す。

➤ 10. アナフィラキシー は，アレルギーの原因物質（アレルゲン）に接触したり摂取したりすることで，数分から数十分の短時間に全身にあらわれる急性のアレルギー反応のこと。

➤直ちに対応しないと生命にかかわる状態を 11. アナフィラキシー・ショック と呼び，血圧の低下，呼吸困難，意識を失う，などの症状がみられる。

➤緊急補助治療薬として自己注射剤（**エピペン®**）が処方されている場合，使用後はすみやかに医療機関の 12. 受診 が必要である。

過去問アレンジでポイント強化

●学校給食法 第1条

この法律は，学校給食が児童及び生徒の心身の健全な発達に資するものであり，かつ，児童及び生徒の 13.食 に関する正しい理解と適切な判断力を養う上で重要な役割を果たすものであることにかんがみ，学校給食及び学校給食を活用した食に関する指導の実施に関し必要な事項を定め，もって学校給食の普及充実及び学校における 14.食育 の推進を図ることを目的とする。

●学校給食法 第2条 …7つの目標

学校給食を実施するに当たっては，義務教育諸学校における教育の目的を実現するために，次に掲げる目標が達成されるよう努めなければならない。

一 適切な栄養の摂取による健康の保持増進を図ること。

二 日常生活における食事について正しい理解を深め，健全な食生活を営むことができる判断力を培い，及び望ましい 15.食習慣 を養うこと。

三 学校生活を豊かにし，明るい社交性及び協同の精神を養うこと。

四 食生活が自然の恩恵の上に成り立つものであることについての理解を深め， 16.生命 及び自然を尊重する精神並びに環境の保全に寄与する態度を養うこと。

五 17.食生活 が食にかかわる人々の様々な活動に支えられていることについての理解を深め，勤労を重んずる態度を養うこと。

六 我が国や各地域の優れた伝統的な 18.食文化 についての理解を深めること。

七 食料の生産，流通及び消費について，正しい理解に導くこと。

●小学校学習指導要領「特別活動」／学級活動／日常の生活や学習への適応と自己の成長及び健康安全（抜粋）

エ 食育の観点を踏まえた学校給食と望ましい食習慣の形成

給食の時間を中心としながら，健康によい食事のとり方など，望ましい 19.食習慣 の形成を図るとともに，食事を通して 20.人間関係 をよりよくすること。

•second try•	•first try•
年 月 日( )	年 月 日( )
: ～ :	: ～ :
( )	( )
am · pm ℃	am · pm ℃
1.	1.
2.	2.
3.	3.
4.	4.
5.	5.
6.	6.
7.	7.
8.	8.
9.	9.
10.	10.
11.	11.
12.	12.
13.	13.
14.	14.
15.	15.
16.	16.
17.	17.
18.	18.
19.	19.
20.	20.
21.	21.
22.	22.
23.	23.
24.	24.
25.	25.

プラスチェック！

□食べ物のアレルギー／えび，かに，くるみ，小麦，そば，卵，乳，落花生（ピーナッツ）…特定原材料（表示義務）

□薬のアレルギー／抗生物質，解熱鎮静剤，ワクチン，麻酔薬など

□昆虫に刺された毒によるアレルギー／ハチなど

＊このページで覚えた知識を教師になってどう活かしたい？

＊あ！あれ何だっけ？ 確認メモ！

chapter 11 ［教育原理］

児童生徒と教職員の，健康の保持増進

感染症流行時の対策・指導や学級閉鎖に関しても把握しておこう。児童生徒等の感染経路は全学校種で感染経路不明に次いで家庭内感染の割合が高い。各家庭との協力が不可欠である。

学校保健

児童生徒等及び職員の健康の 1. 保持増進 を図るため，学校における保健管理に関し必要な事項を学校保健安全法で定めている。

【学校保健安全にかかわる計画づくり】

学校においては・・・

○ 2. 学校保健計画 を策定・実施
児童生徒等及び職員の心身の健康の保持増進を図るため
健康診断，環境衛生検査，児童生徒等に対する指導など

○ 3. 学校安全計画 を策定・実施
児童生徒等の安全の確保を図るため
学校の施設・設備の安全点検，日常生活の安全に関する指導，職員の研修など

○ 4. 危険等発生時対処要領 の作成
児童生徒等の安全の確保を図るため
危険等発生時において当該学校の職員がとるべき措置の具体的内容及び手順

文部科学大臣は・・・

○ 5. 学校環境衛生基準 を定める
学校における換気，採光，照明，保温，清潔保持等，児童生徒等及び職員の健康を保護する上で維持されることが望ましい基準（学校保健安全法 第6条①）

【健康診断】

➤学校においては，幼児，児童，生徒，学生，職員の健康の保持増進を図るため，健康診断を行い，その他その保健に必要な措置を講じなければならない。…学校法 第12条（要旨）

➤学校においては， 6. 毎学年定期 に，児童生徒等（通信による教育を受ける学生を除く）の健康診断を行わなければならない。…学校保健安全法 第13条①

➤必要があるときは， 7. 臨時 に，児童生徒等の健康診断を行うものとする。…学校保健安全法 第13条②（要旨）

➤定期健康診断は，毎学年， 8. 6月30日 までに行うものとする。…学校保健安全法施規 第5条①（要旨）

【感染症】

校長	9. 出席停止	感染症への罹患・疑い・かかる恐れのある児童生徒等があるとき（学校保健安全法 第19条）
学校の設置者	学校の一部・全部臨時休業	感染症の 10. 予防上 必要があるとき（学校保健安全法 第20条）

➤学校において予防すべき感染症の**出席停止期間**の基準について，それぞれ把握しておくことが必要である。

新型コロナウイルス感染症の出席停止期間の基準…学校保健安全法施規 第19条第二号
発症した後 11. 5 日を経過し，かつ，症状が軽快した後 12. 1 日を経過するまで。

過去問アレンジでポイント強化

●学校保健安全法 第5条 …学校保健計画の策定

学校においては，児童生徒等及び職員の心身の健康の保持増進を図るため，児童生徒等及び職員の 13. 健康診断 ， 14. 環境衛生検査 ，児童生徒等に対する指導その他保健に関する事項について計画を策定し，これを実施しなければならない。

●学校保健安全法 第27条 …学校安全計画の策定

学校においては，児童生徒等の安全の確保を図るため，当該学校の施設及び設備の 15. 安全点検 ，児童生徒等に対する通学を含めた学校生活その他の日常生活における安全に関する指導，職員の研修その他学校における 16. 安全 に関する事項について計画を策定し，これを実施しなければならない。

●学校保健安全法 第29条 …危険等発生時対処要領の作成

① 学校においては，児童生徒等の安全の確保を図るため，当該学校の実情に応じて， 17. 危険等発生時 において当該学校の職員がとるべき措置の具体的内容及び手順を定めた対処要領（「危険等発生時対処要領」）を作成するものとする。

② 校長は， 18. 危険等発生時対処要領 の職員に対する周知， 19. 訓練 その他の危険等発生時において職員が適切に対処するために必要な措置を講ずるものとする。

●学校保健安全法 第7条

学校には，健康診断，健康相談，保健指導，救急処置その他の保健に関する措置を行うため， 20. 保健室 を設けるものとする。

●学校保健安全法 第8条

学校においては，児童生徒等の心身の健康に関し， 21. 健康相談 を行うものとする。

•second try•	•first try•
年 月 日( )	年 月 日( )
: ～ :	: ～ :
( )	( )
am · pm ℃	am · pm ℃
1.	1.
2.	2.
3.	3.
4.	4.
5.	5.
6.	6.
7.	7.
8.	8.
9.	9.
10.	10.
11.	11.
12.	12.
13.	13.
14.	14.
15.	15.
16.	16.
17.	17.
18.	18.
19.	19.
20.	20.
21.	21.
22.	22.
23.	23.
24.	24.
25.	25.

プラスチェック！

[学校環境衛生基準（抜粋）]

□照度…教室及び準ずる場所の下限値は300ルクス。黒板面は500ルクス以上。

□保湿と換気…温度は18℃以上28℃以下，相対湿度は30％以上80％以下，一酸化炭素は6ppm以下，二酸化炭素は1500ppm以下。

＊このページで覚えた知識を教師になってどう活かしたい？

＊あ！あれ何だっけ？ 確認メモ！

古代ギリシアの教育は今日に影響を与えている

問答を通して真理を追究していったソクラテスの産婆術は，現在の「総合的な学習（探究）の時間」における学習指導のベースになるとも考えられる。どう活用することができる？

古代・中世・近世・近代の教育－①

【古代ギリシア時代】

➤古代ギリシアの教育は 1. ポリス （都市国家）と緊密にかかわっていた。

➤**アテネ**では私塾的な音楽・体育・戦闘技の訓練が，**スパルタ**では共同宿舎で 2. 軍隊 式教育がなされた。

➤ 3. ソクラテス やプラトンらはソフィストを批判。「愛知」を主張し，ポリスの危機の解決を試みた。

➤ 4. ソフィスト は「知者」の意。弁術論などの専門的知識を教える職業教師集団。**プロタゴラス**ら。

➤ソクラテスは， 5. 無知の知 （「汝自身を知れ」。 6. 産婆術 といわれる問答法）を説いた。

➤ソクラテスの弟子プラトンは，学校：アカデメイア（アカデミア）を開設。イデア論を説いた。

【古代ローマ時代】

➤共和制時代のローマの学校／Magister Ludiの経営する学校（初等学校），Grammaticus の学校（11～12歳から），Rhetor の学校（15歳から）

➤帝政時代ローマ後期には，いわゆる「 7. 七自由科 」〔三学：文法， 8. 修辞学 ，論理学（弁証法）＋四科：算術，幾何，天文学，音楽（音楽は，算術のもっとも価値ある応用）〕が，高等教育の予備コースの教育内容として確立した。

➤『国家論』の 9. キケロ は，弁論を通して国家に奉仕できる国民の育成を説いた。

➤ 10. クインティリアヌス は，弁論術を人格形成と結びつけた指導書『弁論家の教育』を著した。

【中世ヨーロッパ】

➤教会の教育／唱歌学校，修道院学校，本山学校

➤騎士の教育内容は「騎士道」。14歳から 11. 七芸 （乗馬，水泳，槍術，フェンシング，狩猟，チェス，作調と詩吟）。

➤中世都市の学校／イギリスの下層市民階級の組合学校，上流市民階級の私立中等学校，ドイツの商業用の読・書・算を教授したドイツ語学校，市会議員有資格者の議員学校など

➤ 12. アウグスティヌス は教父哲学。予定説を説き，キリスト教の神学的基礎を築いた。

【近世の教育】

➤西洋の近世はルネサンス期・ 13. 宗教改革 期に当たり，中世的世界が解体され，人間に中心をおいた 14. 人文主義 （ヒューマニズム）の教育観から，人間性の解放，個性尊重の教育が提唱された。

➤ルネサンス期には，エラスムスやラブレーなどの人物が輩出された。

➤宗教改革の結果，新教の国では，読・書・算の世俗的学科と，教理問答書と賛美歌の宗教的学科とを包含する民衆の 15. 初等教育課程 がほぼ承認された。

➤ 16. ルター は，公費による民衆のための学校設立を主張した。ほか『95ヶ条の論題』発表。

□「国民教育は公権力の当然の義務である」コンドルセ
□

問われる傾向！　過去問アレンジでポイント強化

BC830頃	リュクルグスが憲法を制定し尚武教育を実施
(年) 776	第１回オリンピア競技を開催
393	イソクラテスがアテネに学園開設
387	17.プラトン がアカデメイアを創設
336	アレクサンダー大王が即位。東方遠征開始
335	18.アリストテレス がリュケイオンに学園開設。逍遥学派
146頃	ヘレニズム文化がローマに伝わる
27	オクタウィアヌスが皇帝に即位。ローマ帝政が始まる
4	イエス・キリスト生誕
68	クインティリアヌスが修辞学校をローマに開設
476	西ローマ帝国崩壊

～ヨーロッパでは以降中世と位置づけられる～

800	カール大帝がアルクィンを招いて宮廷学校開設
962	19.ボローニャ 大学（法律学校）創立　←中世の大学の先駆け
1096	第１回十字軍の遠征　（～1270 第７回）
1150	パリ大学創立
1169	オックスフォード大学創立
1209	ケンブリッジ大学創立
1215	マグナ=カルタ（大憲章）に英国王が署名
1289	ハンブルクにラテン語学校創立

～ヨーロッパの近世はルネサンス期・宗教改革の時期に当たる～

1509	20.エラスムス （蘭）『痴愚神礼賛』を著す
1516	21.トマス・モア （英）『ユートピア』を著す
1517	ドイツで宗教改革の動きが始まる
1522	ルター（独）『新約聖書』をドイツ語訳する
1532	カルヴィン（仏）が宗教改革を主張
1538	シュトゥルム（独）がシュトラスブルクにギムナジウムを開設
1541	22.カルヴィン がジュネーブ学校規定を制定
1580	23.モンテーニュ （仏）『エセー（随想録）』を著す
1635	米国教育史上最初のセカンダリー・スクールがボストンに創設
1644	ミルトン（英）『教育論』を著す
1657	24.コメニウス （チェコ）『大教授学』を著す
1658	25.コメニウス 『世界図絵』を著す

second try	first try
年　月　日（　）	年　月　日（　）
：　～　：	：　～　：
（　）	（　）
am・pm　℃	am・pm　℃
1.	1.
2.	2.
3.	3.
4.	4.
5.	5.
6.	6.
7.	7.
8.	8.
9.	9.
10.	10.
11.	11.
12.	12.
13.	13.
14.	14.
15.	15.
16.	16.
17.	17.
18.	18.
19.	19.
20.	20.
21.	21.
22.	22.
23.	23.
24.	24.
25.	25.

プラスチェック！

□修辞学は思想や感情を効果的に伝えるための原理研究の学問。
□エラスムス（蘭）は『幼児教育論』で体罰や注入主義の教育を批判。児童の興味や自発性に基づく教育を奨励した。
□ラブレー（仏）はキケロ主義を批判した。

＊このページで覚えた知識を教師になってどう活かしたい？

＊あ！あれ何だっけ？　確認メモ！

chapter 13 ［西洋教育史］

時代の教育学者たちは何を重視していたか？

知識の理解の質を高め資質・能力を育む「主体的・対話的で深い学び」実現のためには，どのような指導が効果的だと考えられる？　教育史の学びからもヒントを導き出そう。

古代・中世・近世・近代の教育－②

【実学主義（16～17世紀）】

実学主義は，形式化した人文主義に対して，16～17世紀に主張された。事実・経験・実践などを重視する。コメニウス，ロック，1. ラトケ など。

【啓蒙主義と教育（18～19世紀前半）】

➤「自然に帰れ」というルソーの思想に影響を受けた 2. ペスタロッチ は，「合自然性の原理」を根本原理とした。「近代教育学の父」と呼ばれ，以後の多くの教育学者に影響を与えた。子供の自発的活動を重視。直観主義・開発主義の教育を説いた。「生活が陶冶する」。著書『3. 隠者の夕暮』など。

➤フランスの 4. コンドルセ は，1792年「公教育の全般的組織に関する報告及び法案（コンドルセ案）」で，無償の公立学校制度を構想し，教育の無償・公教育の中立性・男女平等などを提唱した。「近代公教育の父」。

【ドイツの教育（18世紀後半～19世紀）】

➤ 5. カント は，４つの問題「私は何を知ることができるのだろうか」「私は何をすべきなのであろうか」「私は何を望むのがよいのだろうか」「人間とは何だろうか」に対応する４つの分野があるとした。

➤ドイツ教育学の創建者といわれる 6. ヘルバルト は，教育の基礎を倫理学（教育目的）と心理学（教育方法）におき，教育方法の理論を確立。教育目的を実現する教育作用に「管理」「教授」「訓練」を示した。「管理」は「教授」「訓練」の予備段階で，手段として作業・監視・威嚇・懲罰・体罰をあげた。

➤ペスタロッチの教育思想を受けた 7. フレーベル は，世界で最初に 8. 幼稚園 （Kindergarten）を創設。性善説に立脚した消極教育による幼児教育論を展開した。遊戯を中心とし，「9. 恩物 （Froebel Gifts）」と呼ばれる遊具，玩具を考案。著書『10. 人間の教育』など。

＜教授法の変遷＞

➤ 11. ヘルバルト の教育方法は，のちに戦前の日本の教育思想の根底を成すようになった。「明瞭（静的専心）・連合（動的専心）・系統（静的至思）・方法（動的至思）」の四段階教授法。「訓練」についても「保持・規定・規則・助成」の四段階を示した。著書『12. 一般教育学』『教育学講義綱要』など。

➤ 13. ツィラー はヘルバルトの理論を受け中心統合法，文化史的段階説を説いた。また，四段階教授法を五段階に改めた。今日の教科でも使用している学習内容のまとまりを示す「単元」という考え方を示した。

➤ 14. ライン はヘルバルトの四段階教授法の本格的修正から 15. 五段階教授法 として「予備・提示・比較・概括・応用」を示した。現在日本で普及している学習指導過程の３段階「導入・展開・まとめ」の基礎となった。

□「生活が陶冶する」ペスタロッチ

□

問われる傾向！

過去問アレンジでポイント強化

(年)	
1693	ロック(英)『教育に関する考察』を著す

1717	プロイセンで義務教育制が公布
1751	フランスで『百科全書』出版
1762	16.ルソー (仏)『エミール』を著す
1771	ペスタロッチ（スイス）がノイホーフで貧民学校設立
1780	17.ペスタロッチ 『隠者の夕暮』を著す
1781	ペスタロッチ『リーンハルトとゲルトルート』を著す
1792	18.コンドルセ (仏)が『公教育の全般的組織に関する報告および考案』を著す
1793	コンドルセ『人間精神進歩史』を著す
1798	ランカスターが貧民学校で助教法を実施

1801	ペスタロッチ『ゲルトルート児童教育法』を著す
1802	19.ヘルバルト (独)『ペスタロッチの直観のABCの理念』を著す
1803	20.カント (独)『教育学』を著す
1806	21.ヘルバルト 『一般教育学』を著す
1807	フィヒテ(独)講演『ドイツ国民に告ぐ』(~1808)
1810	ベルリン大学創設
1821	米国教育史上最初のパブリック・ハイ・スクール創設
1826	22.フレーベル (独)『人間の教育』を著す
1840	23.フレーベル が「一般ドイツ幼稚園」創設

•second try•

年　月　日(　)

：　～　：

(　)

am・pm　℃

1.
2.
3.
4.
5.
6.
7.
8.
9.
10.
11.
12.
13.
14.
15.
16.
17.
18.
19.
20.
21.
22.
23.
24.
25.

•first try•

年　月　日(　)

：　～　：

(　)

am・pm　℃

1.
2.
3.
4.
5.
6.
7.
8.
9.
10.
11.
12.
13.
14.
15.
16.
17.
18.
19.
20.
21.
22.
23.
24.
25.

プラスチェック！

□ゲーテはドイツを代表する作家で，宗教的人道的方面（一般的陶冶）と新時代の要求（職業的陶冶）とを統合した人間形成が必要であると説いた。

□ドイツのラトケは直観教授法の先駆者で，直観や経験・実験を重視し授業法を改善。近代教授法を提唱した。

＊このページで覚えた知識を教師になってどう活かしたい？

＊あ！あれ何だっけ？　確認メモ！

chapter 14 ［西洋教育史］

様々な教育思想は現代にどう生きている？

教育学者ほか名を馳せた人物たちが提唱したこと，代表的な著作物などについてすっきり把握しておこう。現代の教育現場に導入されている考え方について整理しよう。

古代・中世・近世・近代の教育－③

【教育思想の流れ】

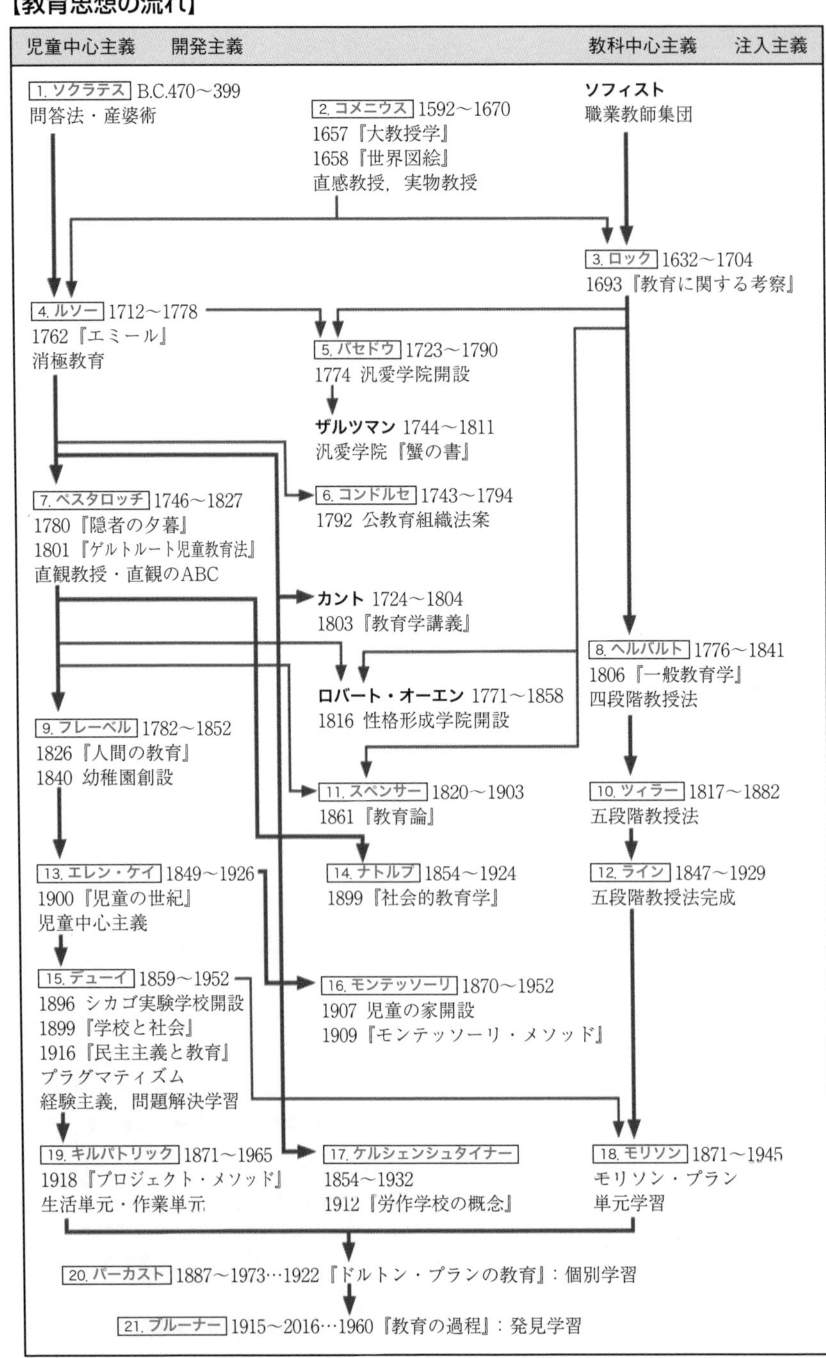

【開発主義と注入主義】

教育という言葉は，二面的性格を持つ用語である。

つまり，教育に関する考え方には大きく２つの考え方があることになる。教育論議にも援用される２つの歌を引き，意識的に対象化し，それらに示唆されながら，「広義の教育」と「学習に対立する狭義の教育」に関する考案の端緒にしたい。

教　育		（広義）
開発主義	↔	注入主義
学習者中心	↔	教育者中心
学習者次第	↔	教育者次第
児童中心	↔	教師中心
経験主義	↔	教科中心
経験主義	↔	系統主義
〈学 習〉	↔	〈教 育〉（狭義）
性善説的	↔	性悪説的
メダカの学校型	↔	スズメの学校型

※　開発主義は，生まれながらに備わる子供の無限の可能性を開発して育てるのが望ましいという考え方に立脚。

※　注入主義は，親や教師が教え込まなければ子供は育たないという考え方に立脚。ギリシャ哲学のプロタゴラスに代表されるソフィスト（教育者）に始まる。

□「玉座の上にあっても，茅屋の陰にあってもその本質において人間たることにかわりなき人間よ，汝はそも何者か」ペスタロッチ

過去問アレンジでポイント強化

●チェコの近代教育法学の開拓者である 22. コメニウス は，世界初の子供のための絵入り教科書『世界図絵』を発行した。多くの国でみられる同一年齢・同時入学・同一学年・同一内容・同時卒業という現代の学校教育のしくみを構想した。

また，『大教授学』で教育学そのものの体系を考案した。

●イギリスの啓蒙思想家 23. ロック は，「イギリス経験論の父」としても知られる。「健全な身体にやどる健全な精神とは，この世における幸福な状態」であると説いた。

著書に，名誉革命を理論的に支持した『市民政府二論（統治二論)』ほか『人間悟性論（人間知性論)』『教育に関する考察』がある。

経験論に基づいて，人間の精神は本来白紙の状態であり，あらゆる認識は経験〈感覚と反省〉によるものという 24. 精神白紙説（タブラ・ラサ）を説き，経験とそれについての正しい反省こそが人を成長させると提唱した。

●『社会契約論』で国民主権を提唱したフランスの啓蒙思想家ルソーは，「25. 子供の発見」として知られている。「社会における自然人」の形成を目指し，社会・政治，教育，愛情・宗教の３分野で思索を展開した。

とくに教育の分野では『エミール』を通して，「子供は小さな大人ではない」「子供時代には子供特有の成長の論理がある」「成長の論理に即して手助けすることが教育である」と説き，発達段階に応じた教育課題を設定する必要があるとした。

子供の人格形成や自由を尊重する立場に立ち，子供の心身の発達に応じた教育を行うべきであるとし，個人差があることを認め，その子供の世界に応じた教育を提唱した。

後のカントやペスタロッチに大きな影響を与えた。

•second try•	•first try•
年　月　日(　)	年　月　日(　)
:　〜　:	:　〜　:
(　)	(　)
am・pm　℃	am・pm　℃
1.	1.
2.	2.
3.	3.
4.	4.
5.	5.
6.	6.
7.	7.
8.	8.
9.	9.
10.	10.
11.	11.
12.	12.
13.	13.
14.	14.
15.	15.
16.	16.
17.	17.
18.	18.
19.	19.
20.	20.
21.	21.
22.	22.
23.	23.
24.	24.
25.	25.

プラスチェック！

□コメニウスは，生涯学習を初めて体系的に語った教育学者でもあった。

□『世界図絵』は子供向けの教科書であり絵本でもある。現在の教科書の原点とも考えられる。

＊このページで覚えた知識を教師になってどう活かしたい？

＊あ！あれ何だっけ？　確認メモ！

chapter 15 [西洋教育史]

多くの授業実践がなされた19～20世紀

19世紀末から20世紀にかけて欧米諸国で展開された教育革新運動は「新教育運動」と呼ばれる。デューイの理論は戦後日本の根本思想にも。各国で提唱された内容を確認しておこう。

現代の教育

【アメリカ】

➤ 1. シェルドン は**新教育運動**の先駆者。

➤ 2. パーカー は，ヘルバルト主義に対してペスタロッチ主義の教育を発展継承した。カリキュラムの理論において地理を中心に「知識の統合」を主張し**クインシー・メソッド**を提唱。著書『中心統合の理論』など。「進歩主義教育の父」。

➤アメリカ新教育の理論的指導者であるデューイは，アメリカ哲学である 3. プラグマティズム の完成者。子供の直面する生活（経験）上の「問題解決」を主眼とする生活経験主義教育論を展開。「なすことによって学ぶ」学習原理。戦後日本の根本思想に影響を与えた。著書『学校と社会』など。

➤キルパトリックはデューイの学習原理を具体化し，著書『 4. プロジェクト・メソッド 』にまとめた。「なすことによって学ぶ」とは，「社会的環境の中で行われる全心をこめた目的活動」であるとした。

➤キルパトリックと同時期に，パーカーストの「 5. ドルトン・プラン 」，ウォッシュバーンの「 6. ウィネトカ・プラン 」などが実施された。

➤ 7. ブルーナー は1959年のウッズホール会議で全米の教育改革を提唱。著書『教育の過程』で**発見学習**を説いた。

【ドイツ】

➤ 8. ナトルプ は，教育の根本は「意思の陶冶」であるとし，理念が教育学の最重要課題とした。意思の発展を，衝動・理性意思・狭義の意思の3段階に区分。「人間は共同社会を通してはじめて人間になる」考え方で，社会機能主義の立場による教育思想を展開した。著書『社会的教育学』など。

➤ 9. ケルシェンシュタイナー は，公民教育論と作業（労作）学校論を展開。思考と行動とは一致する考えに立脚し，職業陶冶による公民の育成が重要とした。体験・作業（労作）による教育を重視。著書『 10. 労作学校の概念 』など。

➤ 11. シュプランガー は歴史主義と生の哲学の流れを汲み，著書『生の諸形式』で人間類型を理論的・経済的・審美的・社会的・宗教的・権力志向的の6つに類型化し，それらに応じた文化領域を定義した。

➤ 12. シュタイナー は「科学的・神秘体験を通じて精神世界を研究する」という「人智学（アントロポゾフィー）」を確立。1919年ドイツで創立した「自由ヴァルドルフ学校」はこの理念の実現を目指した。

【イタリア・スウェーデン・ベルギー・ソ連】

➤イタリアの 13. モンテッソーリ は，1907年「子どもの家」を開設した。独自の教具。

➤スウェーデンの 14. エレン・ケイ は，児童中心主義を説き『児童の世紀』を著した。

➤ベルギーの 15. ドクロリー は，「生活による，生活のための学校」を創設するなど，子供の要求に基づく教育運動を牽引した。

□「すべては他人のために為し，自分のためには何も考えない」ペスタロッチ
□

問われる傾向！ 過去問アレンジでポイント強化

(年)	
1861	スペンサー（英）『教育論』（『知育・徳育・体育論』）を著す
1870	イギリスで「初等教育法（フォスター教育法）」が成立
1896	16. デューイ（米）がシカゴに実験学校創設
1898	リーツ（独）がイルゼンブルクに田園教育舎を創設

1900	エレン・ケイ（スウェーデン）が『児童の世紀』を著す
1909	17. モンテッソーリ（英）『モンテッソーリ・メソッド』を著す
1912	18. ケルシェンシュタイナー『労作学校の概念』を著す
1916	19. デューイ（米）『民主主義と教育』を著す
1917	20. クループスカヤ（ソ）『国民教育と民主主義』を著す
1918	キルパトリック（米）『プロジェクト・メソッド』を著す
1919	21. シュプランガー（独）『文化と教育』を著す
	ウォッシュバーン（米）の「ウィネトカ・プラン」が実施
1920	22. パーカスト（米）の「ドルトン・プラン」が実施
1924	ペーターゼン（独）の「イエナ・プラン」が実施
1944	バトラー（英）の「バトラー法」で中等教育が義務化される
1947	ランジュバン（仏），ワロン（仏）による教育改革案
1958	国防教育法（米）
1959	コナント報告書（米），ウッズホール会議（米）
1960	23. ブルーナー（米）『教育の過程』を著す
1970	シルバーマン（米）『教室の危機』を著す
1983	アメリカ教育省諮問委員会報告書『危機に立つ国家』で教育改革運動が起こる
1985	ペレストロイカによる教育改革（旧ソ）

second try 年 月 日( ) : ～ : am・pm ℃

1. 2. 3. 4. 5. 6. 7. 8. 9. 10. 11. 12. 13. 14. 15. 16. 17. 18. 19. 20. 21. 22. 23. 24. 25.

first try 年 月 日( ) : ～ : am・pm ℃

1. 2. 3. 4. 5. 6. 7. 8. 9. 10. 11. 12. 13. 14. 15. 16. 17. 18. 19. 20. 21. 22. 23. 24. 25.

プラスチェック！

□デューイは，シカゴ大学の教育学部を開設。
□クループスカヤ(ソ連)『国民教育と民主主義』を著す。
□マカレンコ(ソ連)『愛と規律の家庭教育』を著す。
□「陶冶」とは，人の性質や能力を円満に育て上げること。育成。「人格を陶冶する」。

＊このページで覚えた知識を教師になってどう活かしたい？

＊あ！あれ何だっけ？　確認メモ！

chapter 16 [日本教育史]

時の権力者が学校を創設した

時代による教育機関を押さえよう。平安時代には万葉仮名が発展し，ひらがなとカタカナが生まれた。今日につながっている教育時事といった視点から教育史を捉えるのも一考。

古代・中世の教育

- 平安時代には，貴族が子弟のための教育機関を創設した。
- 鎌倉時代の新しい仏教は，それまでの仏教に比べわかりやすい教義，信仰のしやすさで庶民に広がっていった。

【飛鳥・奈良・平安時代の教育関連史】

(年)	
285	百済の博士王仁と阿直岐が『論語』『千字文』を伝える　～5世紀 漢字・儒教が伝わる～
538	仏教伝来　←552年とする説もある
645	大化改新
701	大宝律令が成る。学令により大学・国学が設置される
712	『1. 古事記』が作成される
720	『2. 日本書紀』が作成される
771	石上宅嗣が日本最初の公開図書館：3. 芸亭 を設立　～780から880頃，有力な貴族達が私塾を建てる～
805	最澄が天台宗を開く　←最澄は818年，天台宗学僧養成の学習過程「山家学生式」を定める
806	空海が真言宗を開く　←空海は813年，真言宗学僧養成の学習過程「弘仁遺戒」を定める
821	藤原氏が勧学院を開く
828頃	空海が 4. 綜芸種智院 を開設
844	橘氏が学館院を開く
881	在原行平が奨学院を開く
11C初頃	藤原明衡が日本最古の往来物で『明衡往来』を編む　←往来物は後に初等教育の学習手本になった

【鎌倉・室町・安土桃山時代の教育関連史】

(年)	
1238	道元が『5. 正法眼蔵』を著す
1247	北条重時が『極楽寺殿御消息』(武家家訓)を定める
1252	日本最初の修身書である『十訓抄』ができる
1260	日蓮が『立正安国論』を著す　～この頃，唯円が『歎異抄』を著す～
1275頃	北条（金沢）実時が 6. 金沢文庫 を設ける
1334	後醍醐天皇の建武中興　～この頃『庭訓往来』が編まれる～
1338	足利尊氏が征夷大将軍となる　～この頃は寺院がおもな教育の場となる～
1400	7. 世阿弥 元清が『風姿花伝』を著す
1439	上杉憲実が 8. 足利学校 を再興する
1549	ザビエルの来日によりキリスト教が伝わる
1573	室町幕府が滅ぶ
1600	関ヶ原の戦い

＊よみがな…石上宅嗣（いそのかみのやかつぐ），芸亭（うんてい），山家学生式（さんけがくしょうしき），綜芸種智院（しゅげいしゅちいん）

問われる傾向！ 過去問アレンジでポイント強化

●平安時代に貴族が設けた大学別曹（別曹）

設立者	設立年	名称	事項
和気氏	782	9. 弘文院	私宅を教育施設にした
菅原・大江氏	805頃	文章院	姓氏を問わずに入学志望者を収容した
藤原氏	821	10. 勧学院	もっとも盛大で，鎌倉時代まで存続
橘氏	834~847	学館院	嵯峨天皇の皇后が設立
在原氏	881	奨学院	皇室の子孫で学問に志ある者を収容

●11. 空海は828年，身分上当時の大学・国学に学ぶことのできない庶民のために綜芸種智院を設立した。

●鎌倉新仏教

宗派	開祖	主要著書
12. 浄土宗	法然	選択本願念仏集
浄土真宗	13. 親鸞	教行信証
時宗	一遍	一遍上人語録
臨済宗	栄西	興禅護国論
曹洞宗	14. 道元	正法眼蔵
日蓮宗（法華宗）	15. 日蓮	立正安国論

●鎌倉時代の武士たちは，文化や学問に関心を持つようになった。北条実時の頃に設立された16. 金沢文庫は，代表的な教育施設である。和漢の書物を多く収集した。

●室町時代における代表的な教育施設は，上杉憲実が再興した17. 足利学校である。禅僧や武士に対する高度な教育が行われた。「坂東の大学」。

●『18. 歎異抄』は，親鸞の語録を弟子唯円が編纂したといわれる。

●『19. 庭訓往来』は，南北朝時代から室町初期に初学者の書簡文範例として１年の各月の消息文を集めた往来物（手紙の往復）で，武士の子弟・庶民のための教科書。

●『20. 風姿花伝』は，世阿弥元清の最初の能楽書。年来稽古条々・物真似条々・問答条々・神儀・奥義・花修・別紙口伝の７編から構成されている。「初心忘るべからず」。『花伝書』ともいう。

•second try•

年　月　日(　)
：　～　：
☼ ☁ ☂ (　　)
am・pm　℃

1.
2.
3.
4.
5.
6.
7.
8.
9.
10.
11.
12.
13.
14.
15.
16.
17.
18.
19.
20.
21.
22.
23.
24.
25.

•first try•

年　月　日(　)
：　～　：
☼ ☁ ☂ (　　)
am・pm　℃

1.
2.
3.
4.
5.
6.
7.
8.
9.
10.
11.
12.
13.
14.
15.
16.
17.
18.
19.
20.
21.
22.
23.
24.
25.

プラスチェック！

□律令期に成立した国府に置かれた大学や，地方に置かれた国学では，儒教を教えた。

□鎌倉時代以降，武士をはじめいろいろな階層での様々な教育が行われた。

＊このページで覚えた知識を教師になってどう活かしたい？

＊あ！あれ何だっけ？　確認メモ！

chapter 17 [日本教育史]

戦乱の時代から文治政治の時代へ

幕府は寛政異学の禁を発し朱子学のみを昌平坂学問所で教授，各藩は藩校を設立し子弟を教育，庶民は寺子屋で読み・書き・そろばん。身分のあった社会での教育内容を確認しよう。

近世の教育

【江戸時代の教育関連史】

(年)	
1603	徳川家康が征夷大将軍となる
1613	全国でキリスト教を禁止
1630	林羅山が上野忍ヶ岡に家塾：弘文館を開く
1648	中江藤樹が家塾：1. 藤樹書院 を開く(陽明学派の開祖)
1662	伊藤仁斎が京都の堀川に塾：2. 古義堂 (堀川塾)を開く
1664	会津藩の藩校：稽古堂(のちの日新館)ができる
1670	岡山藩主池田光政が郷校：3. 閑谷学校 を設立
1710	貝原益軒『4. 和俗童子訓』を著す ←発達段階に応じた教授法(随年教法)を説く
1716	徳川吉宗の享保の改革が始まる
1719	『六諭衍義大意』を全国の寺子屋に教科書として頒布。長州藩の藩校：明倫館を萩に設立
1729	石田梅岩が心学を講ず
1755	熊本藩(肥後藩)が藩校：時習館を設立。安藤昌益が『自然真営道』を著す
1757	本居宣長が家塾：鈴の屋を開く
1773	薩摩藩が藩校：造士館を設立
1776	米沢藩が藩校：5. 興譲館 を設立
1787	松平定信の寛政の改革が始まる
1789	秋田藩が藩校：6. 明徳館 を設立
1790	7. 寛政異学の禁 が出される
1793	8. 塙保己一 が和学講談所を設立 ←のちに『群書類従』を著す
1797	官立としての 9. 昌平坂学問所 (昌平黌)が確立(幕府直轄)
1798	本居宣長が『古事記伝』を著す
1815	杉田玄白が『蘭学事始』を著す
1817	10. 広瀬淡窓 が1805年に開いた家塾：桂林荘を咸宜園と改名。高野長英，大村益二郎らを輩出
1824	シーボルトが 11. 鳴滝塾 を開き，医学・自然科学を教授する
1838	緒方洪庵，蘭学塾である適塾(適々斎塾)を開く
1841	12. 水戸藩 が藩校：弘道館を設立。水野忠邦の天保の改革が始まる。
1857	吉田松陰が萩に家塾：13. 松下村塾 を主宰。高杉晋作，木戸孝允，伊藤博文，山県有朋らを輩出
1858	福沢諭吉が江戸に 14. 蘭学塾 を開く
1867	徳川慶喜が大政奉還を行う，翌日勅許
1868	王政復古の大号令

□「教育の目的を倫理学に，方法を心理学に求める」ヘルバルト
□

過去問アレンジでポイント強化

●藩校（藩学）

設立年	名称	所在地	設立者
1641	① 15. 花畠教場	岡山	池田光政
1719	② 16. 明倫館	萩	毛利吉元
1755	③時習館	熊本	細川重賢
1773	④造士館	鹿児島	島津重豪
1776	⑤興譲館	米沢	上杉治憲
1789	⑥明徳館	秋田	佐竹義和
1799	⑦日新館	会津	松平容頌
1841	⑧ 17. 弘道館	水戸	徳川斉昭

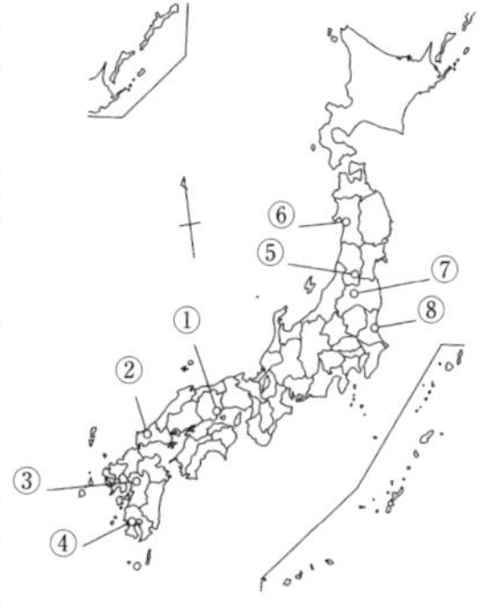

●私塾・家塾

設立年	塾名	設立者	事柄
1648	藤樹書院	中江藤樹	＊江戸時代初期，王陽明の陽明学を唱える
1662	古義堂	伊藤仁斎	＊江戸前期の儒学者。古学を京都堀川の塾に教授
1709頃	蘐園塾	18. 荻生徂徠	＊江戸中期の儒学者で，初めは朱子学を学び，のち古学を唱道する
1817	19. 咸宜園	広瀬淡窓	＊江戸後期の儒学者。多方面に人材を輩出
1824	鳴滝塾	シーボルト	＊ドイツの医学者・博物学者。地理・歴史や言語を研究。高野長英らに医術を教授
1838	適塾	20. 緒方洪庵	＊江戸末期の蘭医。大坂に医業を開く
1857	松下村塾	吉田松陰（主宰）	＊佐久間象山に洋学を学び，下級武士に対し社会改革の指導者養成を行い，高杉晋作・伊藤博文らを輩出。
1858	蘭学塾	21. 福沢諭吉	＊緒方洪庵に蘭学を学び江戸に塾を開く。のちの慶應義塾大学

●昌平坂学問所（昌平黌）は，江戸幕府直轄の学校。藩校の模範ともなった。将軍家光が学問奨励のために儒臣 22. 林羅山 に与えた上野忍ヶ岡の学問所が起源。

● 23. 私塾 は，もともとは学者や教育者が自らの学説の教授のために私的に開設した教育機関であり，公的学校の補完的存在や新しい学問・教育の場となっていった。

•second try•

年 月 日( )
： ～ ：
（ ）
am・pm ℃

•first try•

年 月 日( )
： ～ ：
（ ）
am・pm ℃

1.
2.
3.
4.
5.
6.
7.
8.
9.
10.
11.
12.
13.
14.
15.
16.
17.
18.
19.
20.
21.
22.
23.
24.
25.

プラスチェック！

□「郷校(学)」は，藩校にならったものと，領内の庶民教育が目的で藩主らに設立されたものがある。

□私塾のうち，幕藩公認で幕臣・藩士の子弟教育のために設けたものを家塾と呼ぶことがある。

＊このページで覚えた知識を教師になってどう活かしたい？

＊あ！あれ何だっけ？　確認メモ！

chapter 18 ［日本教育史］

就学率が100％近くまで向上し国家発展の礎に

国家発展の礎となった就学普及のバックボーンには江戸時代の寺子屋教育があった。福沢諭吉，新島襄，津田梅子らが創設した学校や，学校教育制度の変遷について押さえておこう。

近代の教育－①

【明治時代の教育関連史】

(年)	
1868	福沢諭吉の蘭学塾を慶應義塾と改名
1871	1. 文部省 が創設される。太政官布告448号「解放令」
1872	福沢諭吉『2. 学問のすゝめ』を刊行
	太政官布告「3. 学事奨励ニ関スル被仰出書」（被仰出書，学制序文ともいう）。 4. 学制 頒布
1873	明六社が森有礼・福沢諭吉らにより結成。キリスト教禁令を撤廃
1875	新島襄が，同志社大学の前身である同志社英学校を設立
1876	5. クラーク が来日，札幌農学校の創設にあたる
1879	学制を廃し， 6. 教育令 を公布　←文部大輔田中不二麻呂が学監モルレーの進言を得て作成
	元田永孚が『教学聖旨』を著す
1880	改正教育令を公布
1881	「小学校教員心得」「小学校教則綱領」を制定
1882	元田永孚が『幼学綱要』を編纂。大隈重信が早稲田大学の前身である東京専門学校を設立
1885	7. 森有礼 が初代文部大臣に就任
1886	帝国大学令，師範学校令，小学校令，中学校令（総称：学校令）公布。教科用図書検定条例を制定
1887	ハウスクネヒトが来日。ヘルバルト主義を紹介する
1889	8. 大日本帝国憲法 発布
1890	「9. 教育ニ関スル勅語（教育勅語）」が下賜される。　←元田永孚，井上毅らが起草
	第二次小学校令公布　←1886年の小学校令廃止
1891	「小学校教則大綱」を制定

1900	小学校令改正。義務教育年限を 10. 4 年とする
	11. 津田梅子 が女子英学塾(のち津田塾大学)を設立
1903	国定教科書制度が成立。専門学校令公布
1907	小学校令改正により義務教育年限を 12. 6 年に延長
1908	戊申詔書発布。社会不安鎮静のため綱紀粛正を強調。
	13. 新渡戸稲造 の『武士道』日本語訳出版
1909	澤柳政太郎が『実際的教育学』を著す
1912	及川平治が『分団式動的教育法』を著す

□「遊戯とは，内面的なものの自主的な現れ，内面的なものそのもののあらわれにほかならない」フレーベル

問われる傾向 ……… 過去問アレンジでポイント強化

●明治期の学校教育制度の変遷

年	教育制度	事項
1872	14. 学制 頒布	フランス式学制，初等教育普及を目標
1879	15. 教育 令	アメリカ式学制，地方分権的・自由主義的教育
1880	改正教育令	中央集権的教育に改正
1886	16. 学校 令	初代文相森有礼の国家主義的学校教育法規
1890	教育勅語	
1900	17. 小学校令 改正	義務教育年限を4年とする
1903	国定教科書制度成立	前年の教科書疑獄事件を直接の契機とする
1907	18. 小学校令 改正	義務教育年限を6年とする

●1872年に頒布された「19. 学制」の基本理念は，太政官布告である「学制序文（被仰出書）」に明示されており，個人主義・功利主義の立場が示された。

●1879年に公布された教育令は，法制を現実に適合させ 20. 教育制度 の定着を図った。児童の小学校への就学の期間や条件を緩和し，私立学校の設置を勧奨するなど，従来の政策を大きく転換したため，当時は「自由教育令」などと評されることもあった。

●1885年に内閣が設置されると，森有礼が文部大臣になった。小学校令・中学校令・帝国大学令・師範学校令などからなる「21. 学校令」を制定し，学校制度の基礎をほぼ確立した。

●1890年，明治天皇から文部大臣に「教育ニ関スル勅語（教育勅語）」が下賜された。実際には 22. 元田永孚 と 23. 井上毅 が起草したもので，国民には天皇の臣民としての義務をまっとうすることが要求された。

●1900年の第三次小学校令で，義務教育は4年となり，24. 無償 を原則とした。これに伴い1902年には就学率が男女平均で初めて90％を上回り，戦前における初等教育制度の基本が確立された。

•second try•	•first try•
年 月 日( )	年 月 日( )
: 〜 :	: 〜 :
( )	( )
am · pm ℃	am · pm ℃
1.	1.
2.	2.
3.	3.
4.	4.
5.	5.
6.	6.
7.	7.
8.	8.
9.	9.
10.	10.
11.	11.
12.	12.
13.	13.
14.	14.
15.	15.
16.	16.
17.	17.
18.	18.
19.	19.
20.	20.
21.	21.
22.	22.
23.	23.
24.	24.
25.	25.

プラスチェック！

□明治政府は，政治・経済・社会にわたる大改革であった明治維新直後から，教育改革の方策をつくることに努め，学校の開設について計画を立てて学校の設置を奨励した。

＊このページで覚えた知識を教師になってどう活かしたい？

＊あ！あれ何だっけ？ 確認メモ！

chapter 19 [日本教育史]

「八代教育主張」は大正自由教育を先導

第一次世界大戦以降，教育の国家統制が強まり国家主義的な内容になっていく中，八代教育主張のように真の教育を目指した教育者たちがいた。人物と各論について確認しておこう。

近代の教育－②

【大正・昭和前期の教育関連史】

(年)	
1913	芦田恵之助『1. 綴方教授』刊行
1914	第一次世界大戦始まる
1917	2. 澤柳政太郎 が成城小学校（のち成城大学）を創立しドルトン・プラン導入
	臨時教育会議設置
1918	大学令，高等学校令公布 ←私立大学等が増設される
	鈴木三重吉らにより『3. 赤い鳥』刊行
1921	4. 羽仁もと子 が自由学園を開く。西村伊作が文化学院を開く。山本鼎が『自由画教育』を著す
	八大教育主張の講演会が開かれる
1922	全国水平社が結成される
1923	関東大震災
1924	5. 野口援太郎 らが池袋児童の村小学校を開く。6. 赤井米吉 が明星学園を開く
1925	治安維持法，普通選挙法公布
1926	幼稚園令，青年訓練所令公布
1929	世界恐慌が起こる。 ～この頃プロレタリア教育運動が起こる～ 小原国芳が玉川学園を開く
1931	満州事変が起こる
1932	五・一五事件が起こる
1935	美濃部達吉の天皇機関説が不敬罪で告発される。青年学校令公布
1936	二・二六事件が起こる
1937	『国体の本義』刊行
1938	国家総動員法
1941	7. 国民学校令 公布 ←義務教育期間８年（初等科６年＋高等科２年）としたが，戦局の悪化で実施できず
	太平洋戦争始まる
1943	学徒出陣
1944	学徒勤労令公布
1945	戦時教育令公布

□「19世紀以前における2 人の偉大な教育理論の改革論者は，ロックとルソーであった」スペンサー

問われる傾向！ 過去問アレンジでポイント強化

●私立学校と創立者の組み合わせ

＊澤柳政太郎 ―― 8. 成城小学校
＊赤井米吉 ―― 9. 明星学園
＊小原国芳 ―― 10. 玉川学園
＊羽仁もと子 ―― 11. 自由学園
＊西村伊作 ―― 文化学院
＊野口援太郎ら ―― 池袋児童の村小学校，城西学園
＊ 12. 手塚岸衛 ―― 自由ヶ丘学園

●八大教育主張

(1) 13. 創造教育論 ……稲毛金七（詛風）：早稲田大学文学部教授
教育は創造であると解釈。教育の方法手段は，創造性を最も有効に発動させることを主眼とする。

(2) 14. 動的教育論 ……及川平治：兵庫県明石女子師範学校付属小学校主事
動的教育は知識の構成に興味を持つのみならず，知識の価値を喜ぶ人間になる。子供の要求を根本に置くことでいかに強い動機を起こすか。

(3) 15. 自学教育論 ……樋口長市：東京府師範学校主事
自学自習の教育は従前の教育が知識万能主義であるのに対し，児童内部の諸能力を十二分に発揮させようとする教育。自主的学習を重んじ，心理学の主意説に立脚する。

(4) 16. 自由教育論 ……手塚岸衛：自由ヶ丘学園を創設
予習復習ということが本習。児童の自発的な活動を重んじる。

(5) 17. 文芸教育論 ……片上伸：早稲田大学文学部教授
人間の道徳生活に対して最も微妙な，甚深や，根本的永久的な感化を有するものは文芸であり，その力によって教育の根本的綜合的な事業が成しとげられなければならない。

(6) 18. 一切衝動皆満足論 ……千葉命吉：広島師範付属小学校主事
道徳上の善は嫌な事から出発して到達するものでない。善をするには自ら好む望むところをしなければならない。

(7) 19. 自動教育論 ……河野清丸：モンテッソーリ教育法に注目
創造する主体は個人の存する前に存する超個人が構成する。

(8) 20. 全人教育論 ……小原國芳：玉川学園を創設
教育は，結局は自己開拓であり，自己深化である。

•second try•

年　月　日(　)

：　～　：

am・pm　℃

1.
2.
3.
4.
5.
6.
7.
8.
9.
10.
11.
12.
13.
14.
15.
16.
17.
18.
19.
20.
21.
22.
23.
24.
25.

•first try•

年　月　日(　)

：　～　：

am・pm　℃

1.
2.
3.
4.
5.
6.
7.
8.
9.
10.
11.
12.
13.
14.
15.
16.
17.
18.
19.
20.
21.
22.
23.
24.
25.

プラスチェック！

□芦田恵之助による「綴り方教授」の改革は，のちの生活綴方教育運動の一源流となった。
□1929年，小砂丘忠義らによって雑誌『綴方生活』を刊行。
□生活綴方は，自由な題材で文を綴らせる考え方からの生活教育を目的とする。

＊このページで覚えた知識を教師になってどう活かしたい？

＊あ！あれ何だっけ？　確認メモ！

chapter 20 [日本教育史]

戦後教育制度は大きく改革され民主化へ

GHQ占領下の戦後における教育刷新委員会は，1947年の教育基本法，学校教育法の制定，新学校制度，教育行政に多大な影響を与えた。現代への変遷をしっかり確認しよう。

現代の教育－①

➤戦後日本の教育改革に関する基本法令や制度は，ほとんど1946年に設置された教育刷新委員会（1949年「教育刷新審議会」に改称）での審議を経て実施された。

➤ 1. **中央教育審議会** は文部科学大臣の諮問機関（1952年設置・2001年新発足）で，多くの教育政策について審議し答申の発出を続けている。

➤ 2. **臨時教育審議会** は1984～87年に設置された内閣総理大臣の諮問機関で，4回の答申を発出。個性の重視，生涯学習体系への移行，国際化・情報化など21世紀志向の教育改革を検討をした。

【昭和後期の教育関連史】

1945 (昭和20年)	ポツダム宣言受諾。GHQ指令「 3. **修身** ，日本歴史及ビ地理停止二関スル件」
	文部省「新日本建設ノ教育方針」発表
1946	天皇の「人間宣言」。第一次米国教育使節団報告書公表。 4. **日本国憲法** 公布（施行は半年後）
1947	学習指導要領〔一般編〕試案発行。 5. **教育基本** 法， 6. **学校教育** 法公布。日本教職員組合結成
1948	教育勅語等の失効確認に関する決議。教育委員会法公布。新制高等学校・大学発足
1949	教育公務員特例法，文部省設置法，国立学校設置法，教育職員免許法，社会教育法，私立学校法公布
1950	第二次アメリカ教育使節団来日，勧告。レッド・パージ始まる
1951	学習指導要領〔一般編〕試案改訂発行。サンフランシスコ平和条約調印
1952	義務教育費国庫負担法公布。 7. **中央教育審議会** 設置
1954	教育二法公布（義務教育諸学校における教育の政治的中立の確保に関する臨時措置法，教育公務員特例法の一部を改正する法律） ←教員の政治活動の禁止・制限
1956	教科書調査官が新設され 8. **教科書検定** が始まる。文部省が初めての全国学力調査実施
	地方教育行政の組織及び運営に関する法律公布
1958	9. **学校保健法** 公布
	学習指導要領が告示。「 10. **道徳の時間** 」が設けられる。←1958年：小・中／1960年：高
1963	教科書無償措置法公布
1966	ILO・ユネスコ「教師の地位に関する勧告」
1968	学習指導要領全面改訂 ←1968年：小／1969年：中／1970年：高
1972	沖縄本土に復帰
1977	学習指導要領全面改訂 ←1977年：小・中／1978年：高
1979	養護学校の義務制実施。国公立大学共通一次試験実施。国際人権規約を批准
1983	放送大学開学
	11. **臨時教育審議会** が中曽根首相の諮問機関として発足 ←1987年最終答申

問われる傾向！

過去問アレンジでポイント強化

●1945年8月15日，日本はポツダム宣言を受諾・降伏し，連合国の占領下に置かれた。同年10月に連合国総司令部（GHQ）は「民主化に関する五大改革指令」を発表した。その中の１項目は「学校教育の 12.自由主義化 」であり，それに基づき教育についての四つの指令が出された。内容は，軍国主義・超国家主義思想の 13.排除 ，そのような思想を持つ教師の罷免，修身・日本歴史・地理の 14.停止 などであり，戦時下の教育の否定と戦後教育の 15.民主 的再建の基礎となるものであった。また12月には「女子教育刷新要綱」（閣議了解）が出され，大学の女子への門戸開放などが示された。

●1946年，教育に関する重要事項を調査審議するために，内閣総理大臣の所轄下に 16.教育刷新委員会 が設置された。

●1947年3月に，教育基本法，学校教育法が公布された。教育の基本原理と学校体系が決定され，同年４月の新学制発足に伴い，国民学校は 17.小学校 と改称し，いわゆる６・３制の最初の６か年の過程を担う学校として構成された。

さらに，従来の高等科を廃止して新しく３年課程の中学校が編制され，この前期中等教育を含む９か年の 18.義務教育制度 が確立された。

●1947年に試案として編集・刊行された学習指導要領は，1958～60年改訂で， 19.道徳の時間 の新設，系統的な学習の重視，基礎学力の充実，科学技術教育の向上等， 20.教育課程の基準 としての性格が明確化された。

•second try•	•first try•
年　月　日(　)	年　月　日(　)
:　～　:	:　～　:
(　　)	(　　)
am・pm　℃	am・pm　℃
1.	1.
2.	2.
3.	3.
4.	4.
5.	5.
6.	6.
7.	7.
8.	8.
9.	9.
10.	10.
11.	11.
12.	12.
13.	13.
14.	14.
15.	15.
16.	16.
17.	17.
18.	18.
19.	19.
20.	20.
21.	21.
22.	22.
23.	23.
24.	24.
25.	25.

プラスチェック！

[GHQの教育に関する４大改革指令（1945年）]
①日本教育制度に対する管理政策，②教職追放令
③神道指令，④修身，日本歴史及び地理に関する件
[米国教育使節団の勧告（1946年）]
日本教育の目的・内容，国語改革，初等・中等段階の教育行政，教育活動と教師教育，成人教育，高等教育

＊このページで覚えた知識を教師になってどう活かしたい？

＊あ！あれ何だっけ？　確認メモ！

chapter 21 [日本教育史]

社会変化の中，学校に求められる課題は多い

教師や学校はSociety5.0時代の到来や予測困難な時代であることを前向きに受け止め，社会のニーズに対応し，高い教育力を持つ組織となっていくことが求められている。

現代の教育－②

【平成，令和の教育関連史】

年	事項
1989（平成元年）	昭和天皇没，明仁親王即位，平成と改元 学習指導要領全面改訂　←1989年：小（「1. 生活科」新設）・中・高
1990	生涯学習振興法公布
1991	中教審答申「新しい時代に対応する教育の諸制度の改革について」
1994	児童の権利に関する条約を批准。高等学校で総合学科の設置
1995	阪神・淡路大震災
1998	学習指導要領全面改訂　←1998年：小・中／1999年：高（2. 総合的な学習(探究)の時間 新設，授業時数削減）
2000	教育改革国民会議答申「教育を変える17の提案」　←教育基本法の改正や奉仕活動実施等の検討
2001	文科省「21世紀教育新生プラン」発表　←習熟度別授業の導入，全国学力調査の実施，道徳教育の充実，学校評議員制度の導入など）
2002	3. 学校週5日 制の完全実施
2003	学習指導要領一部改正　←指導要領に示していない内容指導可の明確化
2006	4. 教育基本法 改正・施行。学校教育法改正により盲・聾・養護学校から 5. 特別支援学校 へ
2007	文科省通知「特別支援教育の推進について」
2008	学習指導要領全面改訂　←2008年：小・中／2009：高（6. 脱ゆとり教育，伝統と文化の重視，小学校高学年に「7. 外国語活動」新設） 文科省調査研究会議「人権教育の指導方法等の在り方について［第三次とりまとめ］」
2009	学校保健安全法施行，教育職員免許法改正
2010	子ども手当支給。高等学校授業料無償化制度
2011	中教審答申「今後の学校におけるキャリア教育・職業教育の在り方について」
2013	文部科学大臣決定「いじめの防止等のための基本的な方針」（最終改定2017年３月）
2015	学習指導要領一部改訂　←道徳が「8. 特別の教科 道徳」に
2016	学校教育法改正により義務教育学校の設置
2016	中教審答申「幼稚園，小学校，中学校，高等学校及び特別支援学校の学習指導要領等の改善及び必要な方策について」
2017	学習指導要領全面改訂　←2017年：小（高学年に「9. 外国語科」新設，中学年に外国語活動）・中／2018年：高
2019（3月）	文科省：学校安全資料「『生きる力』をはぐくむ学校での安全教育」

年	事項
2021（令和３年）	中教審答申「『令和の日本型学校教育』の構築を目指して～全ての子供たちの可能性を引き出す，個別最適な学びと，協働的な学びの実現～」
2022	教育公務員特例法及び教育職員免許法の一部改正　←教員研修に関する新たなしくみ関連（教員免許更新制の廃止）。文科省「公立の小学校等の校長及び教員としての資質の向上に関する指標の策定に関する指針」改正。文科省「生徒指導提要」全面改訂
2023	第４期 教育振興基本計画（2023～2027年度の５年間）

問われる傾向！ 過去問アレンジでポイント強化

●中教審答申「『令和の日本型教育』の構築を目指して～全ての子供たちの可能性を引き出す，個別最適な学びと，協働的な学びの実現～」2021年

［子供の学び］(抜粋)

＊全ての子供に基礎的・基本的な知識・技能を確実に習得させ，思考力・判断力・表現力等や，自ら学習を 10.調整 しながら粘り強く学習に取り組む 11.態度 等を育成するためには，教師が支援の必要な子供により重点的な指導を行うことなどで効果的な指導を実現することや，子供一人一人の特性や学習進度，学習到達度等に応じ，指導方法・教材や学習時間等の柔軟な提供・設定を行うことなどの「指導の 12.個別化 」が必要である。

＊基礎的・基本的な知識・技能等や， 13.言語 能力，情報活用能力，問題発見・解決能力等の学習の基盤となる資質・能力等を土台として，幼児期からの様々な場を通じての体験活動から得た子供の興味・関心・ 14.キャリア形成 の方向性等に応じ，探究において課題の設定，情報の収集，整理・分析，まとめ・表現を行う等，教師が子供一人一人に応じた学習活動や学習課題に取り組む機会を提供することで，子供自身が学習が 15.最適 となるよう調整する「学習の 16.個性化 」も必要である。

＊以上の「**指導の個別化**」と「**学習の個性化**」を教師視点から整理した概念が「**個に応じた指導**」であり，この「個に応じた指導」を学習者視点から整理した概念が「 17.個別最適な学び 」である。

［「令和の日本型学校教育」の構築に向けた今後の方向性］(要約)

＊全ての子供たちの知・徳・体を一体的に育むため，①学習機会と 18.学力 の保障，② 19.社会の形成者 としての 20.全人的 な発達・成長の保障，③安全・安心な居場所・ 21.セーフティネット としての身体的，精神的な健康の保障，を学校教育の本質的な役割として重視し継承していくことが必要である。

＊義務教育段階では，進級や卒業の要件としては 22.年齢主義 を基本に置きつつも，教育課程を履修したと判断するための基準については 23.履修主義 と 24.修得主義 の考え方を適切に組み合わせ，各長所を取り入れる教育課程の在り方を目指すべきである。

＊これまでの実践と 25.ICT との適切な組合せを実現する。

•second try•	•first try•
年　月　日(　)	年　月　日(　)
：　～　：	：　～　：
(　　)	(　　)
am・pm　℃	am・pm　℃
1.	1.
2.	2.
3.	3.
4.	4.
5.	5.
6.	6.
7.	7.
8.	8.
9.	9.
10.	10.
11.	11.
12.	12.
13.	13.
14.	14.
15.	15.
16.	16.
17.	17.
18.	18.
19.	19.
20.	20.
21.	21.
22.	22.
23.	23.
24.	24.
25.	25.

プラスチェック！

□学校が子供たちの知・徳・体を一体で育む「日本型学校教育」は，諸外国から高い評価を得ている。

□一方，家庭や地域でなすべきことまでが学校に委ねられる・子供たちの多様化・学習意欲の低下・教師の長時間勤務・教師不足・情報化への対応の遅れなど，様々な課題への改革を進めなければならない。

＊このページで覚えた知識を教師になってどう活かしたい？

＊あ！あれ何だっけ？　確認メモ！

chapter 22 自己指導能力の獲得を支えていく生徒指導

［生徒指導］
（「生徒指導提要」改訂版をもとに）

児童生徒の現代的な個別性・多様性・複雑性への課題対応が求められている。個に焦点を当てる教育相談は，生徒指導における中心的な教育活動であるともいえる。

生徒指導の意義

生徒指導の定義

生徒指導とは，児童生徒が，社会の中で［1. 自分らしく生きる］ことができる存在へと，**自発的・主体的**に成長や発達する過程を**支える**教育活動のことである。なお，生徒指導上の**課題**に対応するために，必要に応じて［2. 指導や援助］を行う。

生徒指導の目的

生徒指導は，児童生徒一人一人の**個性の発見とよさや可能性**の［3. 伸長］と社会的資質・能力の［4. 発達］を**支える**と同時に，自己の幸福追求と社会に受け入れられる［5. 自己実現］を**支える**ことを目的とする。

●生徒指導は，児童生徒が自身を個性的存在として**認め**，自己に内在しているよさや可能性に自ら**気付き，引き出し，伸ばす**と同時に，社会生活で必要となる**社会的資質・能力**を身に付けることを［6. 支える働き（機能）］です。したがって，生徒指導は学校の［7. 教育目標］を達成する上で重要な機能を果たすものであり，［8. 学習指導］と並んで学校教育において重要な意義を持つものと言えます。

●生徒指導の目的は，［9. 教育課程］の内外を問わず，学校が提供する全ての**教育活動**の中で児童生徒の**人格**が尊重され，個性の発見とよさや可能性の伸長を児童生徒自らが図りながら，**多様**な社会的資質・能力を**獲得**し，自らの資質・能力を適切に行使して**自己実現**を果たすべく，**自己の幸福**と**社会の発展**を児童生徒自らが**追求**することを支えるところに求められます。

●生徒指導において**発達**を支えるとは，児童生徒の**心理**面（自信・自己肯定感等）の発達のみならず，**学習**面（興味・関心・学習意欲等），**社会**面（人間関係・集団適応等），**進路**面（進路意識・将来展望），**健康**面（生活習慣・メンタルヘルス等）の発達を含む［10. 包括的］なものです。

●また，生徒指導の目的を達成するためには，児童生徒一人一人が［11. 自己指導能力］を身に付けることが重要です。児童生徒が，深い**自己理解**に基づき，「**何をしたいのか**」，「**何をするべきか**」，主体的に問題や課題を発見し，自己の目標を選択・設定して，この目標の達成のため，**自発的**，**自律的**，かつ，**他者の主体性**を尊重しながら，**自らの行動**を**決断**し，**実行**する力，すなわち，「**自己指導能力**」を獲得することが目指されます。

●児童生徒は，学校生活における多様な他者との関わり合いや学び合いの経験を通して，学ぶこと，生きること，働くことなどの**価値や課題**を見いだしていきます。その過程において，自らの**生き方や人生の目標**が徐々に明確になります。学校から学校への移行，学校から社会への移行においても，**主体的な選択・決定**を促す**自己指導能力**が重要です。

□「子供というのは神の創造物の中で最高のものだ」パーカー
□

【生徒指導と教育相談，キャリア教育】

●教育相談の目的は，児童生徒が将来において**社会的な自己実現**ができるような資質・能力・態度を形成するように働きかけることであり，この点において生徒指導と教育相談は共通しています。ただ，12.生徒指導は集団や社会の一員として求められる**資質や能力を身に付ける**ように働きかけるという発想が強く，13.教育相談は個人の資質や能力の**伸長を援助**するという発想が強い傾向があります。

●この発想の違いから，時には，毅然とした14.指導を重視すべきなのか，受容的な15.援助を重視すべきなのかという指導・援助の方法を巡る意見の違いが顕在化することもあります。しかし，16.教育相談は，17.生徒指導の一環として位置付けられ，重要な役割を担うものであることを踏まえて，生徒指導と教育相談を**一体化**させて，全教職員が一致して取組を進めることが必要です。

[教育相談]

＊教育相談はすべての児童生徒を対象に，**発達支持・課題予防・困難課題対応**の機能をもった教育活動。

＊18.コミュニケーションを通して気付きを促す。

＊児童生徒の個別性を重視しているため，おもに19.個に焦点を当てて，面接や**エクササイズ**（**演習**）を通し，**個の内面の変容**を図ることを目指している。

[生徒指導]

＊おもに20.集団に焦点を当て，集団としての成果や発展を目指し，**集団に支えられた個**の変容を図る。

＊主体的・能動的な21.自己決定を支える働きかけ。

＊生徒指導と教育相談が一体となったチーム支援。

　現代的な課題を持つ児童生徒への対応は生徒指導と教育相談が一体となり，「事案が発生してからのみではなく，**未然防止**，**早期発見**，**早期支援・対応**，さらには，事案が発生した時点から事案の**改善・回復**，**再発防止**まで**一貫した支援**」に重点をおいた22.チーム支援体制をつくることが求められている。

[キャリア教育]

＊生徒指導と同様に，児童生徒の23.社会的自己実現を支える教育活動として24.キャリア教育がある。両者の相互作用を理解して，一体となった取組を行うことが大切である。

＊25.進路指導は，キャリア教育の中に包含される。

•second try•

年　月　日(　)
：　〜　：
am・pm　℃

1.
2.
3.
4.
5.
6.
7.
8.
9.
10.
11.
12.
13.
14.
15.
16.
17.
18.
19.
20.
21.
22.
23.
24.
25.

•first try•

年　月　日(　)
：　〜　：
am・pm　℃

1.
2.
3.
4.
5.
6.
7.
8.
9.
10.
11.
12.
13.
14.
15.
16.
17.
18.
19.
20.
21.
22.
23.
24.
25.

プラスチェック！

[生徒指導実践上の視点]

□①自己存在感の感受…学校生活のあらゆる場面での実感。②共感的な人間関係の育成…創造的な学級・ホームルームづくり。③自己決定の場の提供…主体的・対話的で深い学びの実現に向けた授業改善。④安心・安全な風土醸成…児童生徒自らがつくり上げることが大切。

＊このページで覚えた知識を教師になってどう活かしたい？

＊あ！あれ何だっけ？　確認メモ！

chapter 23 [生徒指導]
（「生徒指導提要」改訂版をもとに）

生徒指導の基本は児童生徒理解

生徒指導においてはアセスメント（見立て）が重要である。組織的かつ効果的に生徒指導を実践するためには，教職員同士が支え合い学び合うといった「同僚性」が基盤となる。

生徒指導の方法（児童生徒理解，マネジメント）

【生徒指導に共通する，児童生徒理解と集団指導・個別指導の方法原理】

➤児童生徒理解とは，一人一人の児童生徒に対して適切な**指導・援助**を計画し実践することを目指して，学習面，心理・社会面，進路面，家庭面の状況や環境についての情報を収集し，[1.分析]するためのプロセスを意味する。

➤学級・ホームルーム担任の日頃のきめ細かい[2.観察力]が，指導・援助の成否を大きく左右する。

➤学年担当，教科担任，部活動の顧問等による**複眼的**な広い視野からの児童生徒理解に加えて，養護教諭，SC，SSWの**専門的**な立場からの児童生徒理解を行うことが大切である。

➤生活実態調査等のデータに基づく[3.客観的]な理解，児童生徒の受容，傾聴，[4.共感的]理解が求められる。

集団指導	個別指導
集団指導と個別指導は，集団に支えられて個が育ち，個の**成長**が集団を**発展**させるという[5.相互作用]により，児童生徒の力を最大限に伸ばし，児童生徒が社会で[6.自立]するために必要な力を身に付けることができるようにするという指導原理に基づいて行われる。	
＊社会の一員としての自覚と責任，他者との[7.協調性]，集団の目標達成に**貢献する態度**の育成を図る。 ＊**役割分担**の過程で，各役割の重要性を学びながら協調性を身につけることができる。	＊集団から離れて行う指導と，集団指導の場面においても**個に配慮**するという２つの概念がある。 ＊[8.誰一人取り残さない生徒指導]が求められる。 ＊個の課題や家庭・学校環境に応じた，適切かつ[9.切れ目]のない指導を行うことが大切である。

【ガイダンスとカウンセリング】

●ガイダンスとカウンセリングは，教員，SC，SSW等が**協働**して行う生徒指導において，児童生徒の行動や意識の[10.変容]を促し，一人一人の発達を支える働きかけの**両輪**として捉えることができます。

●ガイダンスの観点からは，場合により社会性の発達を支援するプログラムとして**ソーシャル・スキル・トレーニング**や[11.ソーシャル・エモーショナル・ラーニング]（**SEL：社会性と情動の学習**）等を実施します。

【生徒指導マネジメント；PDCAサイクルによる取組】

●生徒指導を切れ目なく，効果的に実践するためには，[12.学校評価]を含む生徒指導マネジメントサイクルを確立することが大切です。

●PDCAサイクル（Plan→Do→Check→Action　→Plan→…）の推進に当たっては，管理職の[13.リーダーシップ]と，[14.保護者]の学校理解や教職員理解が不可欠です。

●生徒指導に関する明確な**ビジョンの提示**，[15.モニタリング]と確実な[16.情報共有]，保護者の学校理解と教職員理解（学校から保護者へ積極的に情報を発信）に留意することが必要です。

【児童生徒の権利の理解】

生徒指導を実践する上では，児童の権利に関連する条約や法規の理解が必要である。

(1) **児童の権利に関する条約**　…児童：18歳未満のすべての者
日本批准：1994年

児童生徒の 17.基本的人権 に十分配慮し，一人一人を大切にした教育が行われることが求められている。

[生徒指導実践で理解しておくべき児童の権利条約４つの原則]

①児童生徒に対するいかなる 18.差別 もしないこと

②児童生徒にとって 19.最もよいこと を第一に考えること

③児童生徒の命や生存，発達が 20.保障 されること

④児童生徒は自由に自分の意見を表明する**権利**を持っていること

(2) **こども基本法**　…施行：2023年４月

本法における「こども」は「心身の発達の過程にある者」。

[基本理念（第３条抜粋）]

一　全てのこどもについて，個人として尊重され，その**基本的人権**が保障されるとともに， 21.差別的取扱い を受けることがないようにすること。

二　全てのこどもについて，適切に**養育**されること，その生活を**保障**されること，愛され**保護**されること，その健やかな成長及び発達並びにその**自立**が図られることその他の福祉に係る権利が等しく保障されるとともに， 22.教育基本法 の精神にのっとり**教育を受ける機会**が等しく与えられること。

【ICTを活用した生徒指導の推進】

➤令和の日本型学校教育の実現に向けて，**GIGAスクール構想**を踏まえICTを活用した生徒指導を推進することが大切である。

➤ 23.校務系 データと 24.学習系 データ等を組み合わせることで，客観的なデータを用いた**分析・検討**が可能となる。

① データを用いた生徒指導と学習指導との関連付け
…相関的な**相互作用**を，データから省察

② 悩みや不安を抱える児童生徒の 25.早期発見・対応
…気づきの一助に（情報はあくまで状況把握の端緒）。

③ 不登校，病気療養中などの児童生徒への支援

•second try•

年　月　日(　)
：　～　：
am · pm　℃

1.
2.
3.
4.
5.
6.
7.
8.
9.
10.
11.
12.
13.
14.
15.
16.
17.
18.
19.
20.
21.
22.
23.
24.
25.

•first try•

年　月　日(　)
：　～　：
am · pm　℃

1.
2.
3.
4.
5.
6.
7.
8.
9.
10.
11.
12.
13.
14.
15.
16.
17.
18.
19.
20.
21.
22.
23.
24.
25.

プラスチェック！

□集団づくりの基盤…安心して生活できる。個性を発揮できる。自己決定の機会を持てる。集団に貢献できる役割を持てる。達成感・成就感を持つことができる。集団での存在感を実感できる。他の児童生徒と好ましい人間関係を築ける。自己肯定感・自己有用感を培うことができる。自己実現の喜びを味わうことができる。

＊このページで覚えた知識を教師になってどう活かしたい？

＊あ！あれ何だっけ？　確認メモ！

chapter 24 いじめによる深刻な事態が依然発生

[生徒指導]
(「生徒指導提要」改訂版をもとに)

いじめは，学校の教育的指導だけでは解決できないほど深刻化している。教師として，いじめを生まない環境づくり，いじめをしない態度・能力の育成について，どう動いたらよいだろうか。

いじめ

【いじめ防止対策推進法（2013年公布）】

いじめは相手の人間性とその尊厳を踏みにじる「1. 人権侵害行為」であることを改めて共通認識し，人権を社会の基軸理念に据えて，社会の成熟を目指す決意が表明されている。

各学校の義務：いじめ防止のための基本方針の策定と見直し。いじめ防止のための実効性のある組織の構築。未然防止・早期発見・事案対処における適切な対応。

いじめの定義（第2条①） ～いじめられている児童生徒の主観を重視～

この法律において「いじめ」とは，児童等に対して，当該児童等が在籍する学校に在籍している等当該児童等と**一定の人的関係**にある他の児童等が行う 2. 心理的又は物理的 な影響を与える行為（**インターネット**を通じて行われるものを含む。）であって，当該行為の対象となった児童等が 3. 心身の苦痛 を感じているものをいう。

学校及び学校の教職員の責務（第８条）

学校及び学校の教職員は，基本理念にのっとり，当該学校に在籍する児童等の保護者，地域住民，児童相談所その他の関係者との**連携**を図りつつ，学校全体で 4. いじめの防止 及び 5. 早期発見 に取り組むとともに，当該学校に在籍する児童等がいじめを受けていると思われるときは， 6. 適切かつ迅速 にこれに対処する**責務**を有する。

【いじめの防止等のための基本的な方針（2013年策定／ 2017年改定）】

➤国の基本方針を踏まえて

○地方公共団体……「地方いじめ防止基本方針」策定の努力義務。

○各学校　……上記を受け「7. 学校いじめ防止基本方針」策定（年間計画）の義務。学校いじめ対策組織の設置。いじめ防止の取組内容を公開。入学時等で説明が必須。

[いじめが解消している状態とは]

いじめは単に 8. 謝罪 をもって安易に「**解消**」とすることは**できない**。

少なくとも①②の２つが満たされていること

①被害者に対する心理的又は物理的な影響を与える行為が止んでいる状態が相当の期間（9. 3か月 が目安）**継続**している。

②被害者が**心身の苦痛**を受けていないと認められること（本人や保護者の面談等で心身の苦痛を 10. 感じていない かどうか確認する）。

※　解消している状態とは，あくまでひとつの段階に過ぎないと捉え，教職員は 11. 日常的 に注意深く**観察**する必要がある。

【いじめの重大事態の調査に関するガイドライン（2017)】

➤公立学校は，重大事態の発生を認知した場合，直ちに 12. 教育委員会 に報告（その時点で学校が「ではない」と考えたとしても**発生したものとして**報告・調査）する。

[いじめの重大事態]

○いじめにより生命，心身及び財産に重大な被害が生じた疑いがある場合（法第28条第1項第1号） ➡ 13. 生命・心身・財産 重大事態

○いじめにより相当の期間学校を欠席することを余儀なくされている疑いがある場合*（同第2号） ➡ 14. 不登校 重大事態

*不登校の基準の年間30日が目安だが，一定期間連続して欠席している場合は迅速に調査して「15. 公平性・中立性」を確保し，いじめの事実の全容を解明。対応を検証し，再発防止につなげる。

【いじめの構造から考える未然防止教育】

●いじめはいじめる側といじめられる側という二者関係だけで生じるものではありません。「16. 観衆」としてはやし立てたり面白がったりする存在や，周辺で暗黙の了解を与える「17. 傍観者」の存在によって成り立ちます。いじめを防ぐには，「**傍観者**」の中から勇気をふるっていじめを抑止する「18. 仲裁者」や，いじめを告発する「19. 相談者」が現れるかどうかがポイントになります。(略) 学級・ホームルーム担任が 20. 信頼 される存在として児童生徒の前に立つことによって初めて，(略) 出現が可能になります。

【いじめ防止につながる発達支持的生徒指導】

●いじめに取り組む基本姿勢は，人権尊重の精神を貫いた教育活動を展開することです。したがって，児童生徒が 21. 人権意識 を高め，共生的な社会の一員として 22. 市民性 を身に付けるような働きかけを日常の教育活動を通して行うことが，いじめ防止につながる**発達支持的生徒指導**と考えることができます。

●全ての児童生徒にとって安全で安心な学校づくり・学級づくり

①「23. 多様性 に配慮し，均質化のみに走らない」学校づくりを目指す

② 児童生徒の間で人間関係が固定されることなく，**対等で自由**な人間関係が築かれるようにする

③「どうせ自分なんて」と思わない 24. 自己信頼感 を育む

④「**困った，助けて**」と言えるように適切な 25. 援助希求 を促す

•second try•	•first try•
年　月　日(　)	年　月　日(　)
：　〜　：	：　〜　：
(　　)	(　　)
am・pm　℃	am・pm　℃
1.	1.
2.	2.
3.	3.
4.	4.
5.	5.
6.	6.
7.	7.
8.	8.
9.	9.
10.	10.
11.	11.
12.	12.
13.	13.
14.	14.
15.	15.
16.	16.
17.	17.
18.	18.
19.	19.
20.	20.
21.	21.
22.	22.
23.	23.
24.	24.
25.	25.

プラスチェック！

□集団内の異質な者への嫌悪感情，嫉妬感情，遊び感覚やふざけ意識，いじめの被害者となることへの回避感情など，いじめる心理に対する未然防止教育。

□いじめは時には犯罪行為になるという認識と，行為の結果への顧慮と責任があるという，自覚を持つように働きかける未然防止教育。

*このページで覚えた知識を教師になってどう活かしたい？

*あ！あれ何だっけ？　確認メモ！

早期支援に必要なアセスメントの視点

不登校の背景要因は多様化・複雑化している。「社会に開かれたチーム学校」としての生徒指導体制に基づいた，個々の児童生徒の状況に応じた具体的な支援の展開が重要である。

不登校

不登校の定義（文部科学省）

何らかの 1.心理的 ，2.情緒的 ，3.身体的 あるいは 4.社会的要因・背景 により，登校しない，あるいはしたくともできない状況にあるため年間 5.30 日以上欠席した者のうち， 6.病気 や 7.経済的 な理由による者を除いたもの。

不登校の児童生徒への支援目標

将来，児童生徒が精神的にも経済的にも自立し，豊かな人生を送れるような， 8.社会的自立 を果たすこと。

＊ここでいう社会的自立は，**適切**に他者に依存したり，**自ら**が必要な支援を求めたりしながら，社会の中で自己実現していくことと捉えられる。

＊支援の第一歩は，将来の社会的自立に向けて，現在の生活の中で「傷ついた**自己肯定感**を回復する」「**コミュニケーション力**や**ソーシャルスキル**を身につける」「人に上手に**SOS**を出せる」ようになることを身近で支えることといえる。

【義務教育の段階における普通教育に相当する教育の機会の確保等に関する法律（2016年公布）】

➤学校への支援体制を整備し，関係機関との連携協力等の 9.ネットワーク による支援の重要性を強調。

➤不登校を「 10.問題行動 」と判断してはならないと示している。

➤児童生徒の多様で適切な 11.教育機会の確保 の再確認　…教育支援センター，不登校特例校（特別の教育課程を編成する文部科学大臣指定の学校），NPO法人，フリースクール，夜間中学等。学校外の公的機関や民間施設で相談・指導を受けている場合，一定の要件の下，**指導要録上の出席扱い**としている。

➤本法第７条に基づき，「義務教育の段階における普通教育に相当する教育の機会の確保等に関する基本指針」が策定された。

【不登校児童生徒への支援の方向性】

●「なぜ行けなくなったのか」と原因のみを追求したり，「どうしたら行けるか」という方法のみにこだわったりするのではなく，どのような学校であれば行けるのかという 12.支援ニーズ や，本人としてはどうありたいのかという 13.主体的意思(希望や願い) ，本人が持っている 14.強み(リソース) や興味・関心も含め，不登校児童生徒の気持ちを理解し，思いに**寄り添い**つつ， 15.アセスメント に基づく個に応じた**具体的な支援**を行うことが重要です。

●児童生徒によっては，不登校の時期が休養や自分を見つめ直す等の**積極的な意味**を持つことがある一方で，学業の遅れや進路選択上の不利益，社会的自立への**リスク**が存在することにも留意する必要があります。

□「なすことによって学ぶ（Learning by doing）」デューイ
□

【教育相談体制の充実】

➤校内で情報を共有し，**共通理解**の下で支援に当たるための一つの方法として，「16. 児童生徒理解・支援シート」を活用した個別の支援策作成が挙げられる。

➡ 17. 個人情報保護の原則に配慮した取扱い。

➤校内での支援に当たっては多職種によるネットワークを構築し，教育相談体制が組織的に機能するようにすることが求められる。

➡ 第一義的に関わる 18. 学級・ホームルーム担任。養護教諭，19. 教育相談コーディネーター（会議の主導，教職員の立場からのカウンセリング等），特別支援教育コーディネーター，SC，SSW

➤校種を越えた切れ目のない情報連携

➡ 20. 校長のリーダーシップのもと学校全体の組織による対応体制，学校外の専門機関等との「**横**」の連携，継続的に一貫した支援を行う視点からの校種間による「**縦**」の連携。

【不登校対策につながる発達支持的生徒指導】

➤**魅力**ある学校づくり・学級づくり…すべての児童生徒にとっての安心・安全な場所となるような取組

➤学習状況等に応じた指導と配慮…指導の**個別化**，学習の**個性化**

【不登校対策としての課題未然防止教育】

➤ 21. SOS を出すことの大切さ…悩みを聴いてもらう重要性

➤教職員の 22. 相談力 向上のための取組

【不登校対策における課題早期発見対応】

➤教職員の受信力の向上と情報共有…毎日見ている強み

➤保健室・相談室との連携

➤ 23. 保護者 との日頃からの関係づくり…保護者の心理的な支援

【不登校児童生徒支援としての困難課題対応的生徒指導】

➤**ケース会議**による具体的な対応の決定

➤ 24. 家庭訪問 の実施

➤ 25. ICT を活用した支援 …**オンライン**による学習を学校内でも共有。一定のルールで**出席扱い**としたり，不登校特例校の指定を受けて**単位認定**につなげられるような取組の推進。ICTを適切に活用した客観的な児童生徒の状況把握など。

second try	first try
年 月 日( )	年 月 日( )
: ～ :	: ～ :
( )	( )
am・pm ℃	am・pm ℃
1.	1.
2.	2.
3.	3.
4.	4.
5.	5.
6.	6.
7.	7.
8.	8.
9.	9.
10.	10.
11.	11.
12.	12.
13.	13.
14.	14.
15.	15.
16.	16.
17.	17.
18.	18.
19.	19.
20.	20.
21.	21.
22.	22.
23.	23.
24.	24.
25.	25.

プラスチェック！

[不登校に関する基本指針の変遷]

□学校恐怖症→登校拒否→神経症的な不登校中心→原因や状態像が多様化→待つことの必要なケース・待ってはいけないケースへの適切な対応の必要性→段階ごとの組織的・計画的な支援の必要性→教育機会確保法の成立

＊このページで覚えた知識を教師になってどう活かしたい？

＊あ！あれ何だっけ？ 確認メモ！

chapter 26 喫緊課題の「自殺予防教育」と「危機介入」

[生徒指導]
(「生徒指導提要」改訂版をもとに)

児童生徒の自殺者数は増加傾向にある。自殺予防の教育相談体制の構築や，早期発見対応・危機介入・事後の心のケアなど，学校内外の早急なる組織的な体制づくりと対応が必要である。

自殺

生徒指導における自殺予防教育の目標

自他の「**早期の問題認識**（1. 心の危機に気付く力）」と「2. 援助希求的態度（**相談する力**）」の促進を身につけること。

➤**自殺対策基本法**（2016年改正）で，学校は「児童，生徒等の**心の健康の保持**に係る教育又は啓発を行うよう**努める**ものとする」（第17条③より）と示された。」

➤**自殺総合対策大綱**（2017年改正）で，社会に出てから直面する可能性のある様々な困難やストレスへの対処方法を身に付けるための教育（**SOSの出し方**に関する教育）等の推進が求められ、各学校が自殺予防教育に取り組むことが**努力義務**として課せられた。

【自殺心理と自殺予防につながる発達支持的生徒指導】

●自殺は，本人の心理的・身体的要因や家庭的要因（略）などが複雑に絡み合って心の危機が高まったところへ，直接の動機となる事柄が 3. 引き金 となって生じるものと捉えることができます。**直接の動機**と思われる事柄が自殺の原因として捉えられがちですが，自殺を理解し，適切な関わりを行うためには，様々な要因が絡み合った 4. 心理的危機 に目を向けることが必要です。

【自殺に追いつめられたときの心理】

① 5. 強い孤立感 ……「誰も自分のことなんか考えていない」としか**思えなくなる**。
② 6. 無価値感 ……「自分なんか生きていても仕方がない」という考えが拭い去れなくなる。
③ 7. 怒りの感情 ……やり場のない気持ちの他者への攻撃性が，**自分自身**に向けられる。
④苦しみが永遠に続くという 8. 思い込み ……どう努力しても解決できないという絶望的な感情。
⑤ 9. 心理的視野狭窄 ……問題解決策として自殺以外の**選択肢**が思い浮かばなくなる。

●このような危機的な心理状況に陥らないような，また，陥ったとしても 10. 抜け出せる ような思考や姿勢を身に付けることが自殺予防につながると考えられます。そのためには，

＊困ったとき，苦しいときに，進んで 11. 援助を求める ことができる
＊ 12. 自己肯定感 を高め，自己を受け入れることができる
＊怒りを 13. コントロール することができる
＊偏った 14. 認知 を柔軟にすることができる

といった態度や能力を「 15. 未来を生きぬく力 」として児童生徒が身に付けるように，日常の教育活動を通じて働きかけることが，自殺予防につながる**発達支持的生徒指導**の方向性として考えられます。

【自殺の未然防止教育】

…SOSの出し方に関する教育を含む自殺予防教育の構造

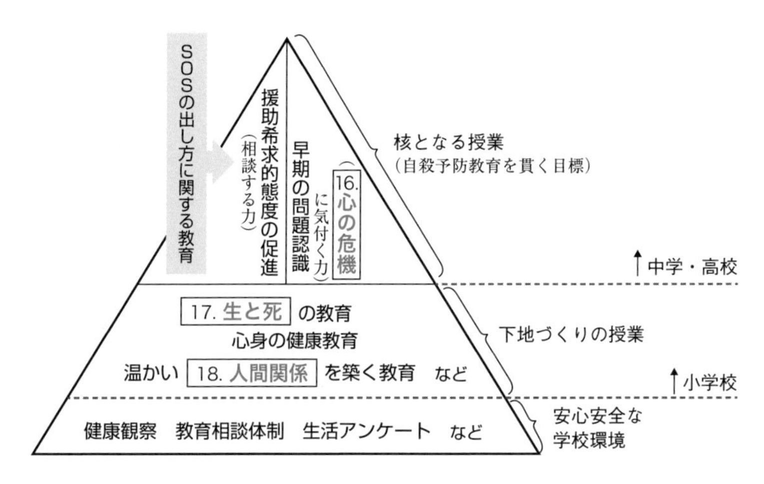

【自殺の危険の高まった児童生徒への関わり】

- 何より大切なことは，児童生徒の声をしっかりと「**聴く**」ことです。
- 教職員自身が自分の考え方や感じ方のクセを知ること（19.自己理解）や，**言葉にならない「ことば」**を聴こうとする姿勢を持つことが大切です。

［TALKの原則］

20.Tell ……心配していることを言葉に出して**伝える**。

21.Ask ……「死にたい」と思うほどつらい**気持ちの背景**にあるものについて**尋ねる**。

22.Listen ……絶望的な気持ちを 23.傾聴 する。話をそらしたり，叱責や助言などをしたりせずに訴えに真剣に耳を傾ける。

24.Keep safe ……安全を確保する。一人で抱え込まず，連携して適切な**援助**を行う。

【ICTを利活用した自殺予防体制】

- 最終的には人による直接的な支援につなげることができる体制を確保した上で，**SNS**の持つ危険性への理解に留意しながら，SNS等を活用した相談体制の一層の充実が求められます。
- ICTを活用しながら児童生徒の 25.見守り を行うことで，心身の状態の変化に**気付きやすくなる**とともに，（略）早期発見や早期対応につながることが期待されます。

second try	first try
年 月 日( )	年 月 日( )
： ～ ：	： ～ ：
（ ）	（ ）
am・pm ℃	am・pm ℃
1.	1.
2.	2.
3.	3.
4.	4.
5.	5.
6.	6.
7.	7.
8.	8.
9.	9.
10.	10.
11.	11.
12.	12.
13.	13.
14.	14.
15.	15.
16.	16.
17.	17.
18.	18.
19.	19.
20.	20.
21.	21.
22.	22.
23.	23.
24.	24.
25.	25.

プラスチェック！

□自殺のリスクマネジメントは，自傷行為等から自殺の予兆を捉え対応すること。クライシスマネジメントは，自殺（未遂）が発生した際の対応。

□一般的な自殺予防の３段階に応じた学校の取組…予防活動（プリベンション）→危機介入（インターベンション）→事後対応（ポストベンション）。

＊このページで覚えた知識を教師になってどう活かしたい？

＊あ！あれ何だっけ？ 確認メモ！

受胎から死に至るまでの変化の過程

幼い頃の感覚や価値観・思いは根強く影響されるといわれる。発達は質的な面，成長は量的な面。生物としてのヒトの発達について，様々な説を整理して把握しておこう。

発達とは―①（胎児期～幼児期）

【発達の初期学習】

(1) ローレンツの 1. インプリンティング （刻印づけ）

鳥類が卵から孵化して最初に目に入った動く対象に愛着を抱き後を追うことから，後追い自体が生来プログラムされた行動であることを検証した。初期学習の効果の代表的な例に挙げられる。

(2) ハーロウの代理母実験

生まれたばかりの子ザルに2種類の代理母模型（針金製および針金をやわらかい布でおおったもの）から授乳する比較実験により，両者とも授乳時以外は布模型に接触して過ごすことが確認されたことから，生理的欲求の充足が愛着形成の主要因とはいえず，接触の快感が重要であることが明らかになった。

(3) ボウルビィの 2. アタッチメント （愛着），マターナル・デプリベーション

アタッチメントは幼児と養育者との情愛的な結びつきを指す。あたたかい接触が欠如することで情緒，性格，知能などに諸症状が発生しやすくなることを 3. マターナル・デプリベーション と称した。

(4) 4. ホスピタリズム

乳幼児期に乳児院や児童養護施設，小児病院などに長期間収容された乳幼児にみられることのある心身の発達障害で，思考能力，言語，運動などに影響を与える。

【胎児期～幼児期の発達の特徴】

	時期	特徴
胎児期	妊娠2か月の終わり～出生（ 5. 受胎 から出生）	胎内で身体諸機能が発達。薬物やアルコール，ニコチンなどの摂取が母胎を通して胎児へ影響を与える。第一次性徴。
新生児期	出生～4週間（場合により生後1週間）	身体機能など外界への適応の時期。母に対する応答能力。 6. 原始反射 。 ＊ 7. 哺乳 反射…生後まもない赤ちゃんが母乳等を上手に飲むための原始反射 ＊ 8. モロー 反射…外部の刺激で腕を外側に広げたあと身体に引き寄せる反射 ＊ 9. バビンスキー 反射…足の裏の刺激に親指が反り返る反射 ほか，押し出し反射（舌に触れた固形物を押し出そうとする）， 10. 自動歩行 反射（体勢により足踏み）， 11. 把握 反射（手指の刺激物を握る）。吸いつき反射。
乳児期	生後1年ないし1年半	生後より身長が約1.5倍，体重が約3倍に。 12. 大脳皮質 の発達で学習能力等が発達。自分の感覚を伝えようとする。 13. 反射 が消える。離乳，歩行ができる。片言の言葉が出る。
幼児期	1歳ないし1歳半～6歳頃（または学校就学）	神経系，リンパ系の発達。 14. 自我 の芽生え。走行，ボール投げ，跳躍等が可能に。 15. アニミズム （物質にも生命があると考える）， 16. 第一反抗 期（自我の発達から親に対する反抗）， 17. 退行 （親の関心を引きつけようと子供返り），質問期（好奇心から「なぜ」「どうして」と多く問う）

問われる傾向！ 過去問アレンジでポイント強化

● 18. マーラー は，赤ん坊の誕生直後から３歳ぐらいまでの間に，赤ん坊の心には母親との関係を通じて徐々に“自分”というものが芽生え「心理的誕生」に到達することを明らかにした。この心の発達を「分離―固体化過程」としてまとめた。

●初期学習（初期経験）が成立するのはある短い一定の期間のみであり，この時期のことを 19. 臨界期 という。

● 20. ゲゼル は，訓練・学習のような経験よりも，神経系の成熟が発達に重要な要因であるとし，訓練・学習が効果を発揮するには，その成熟にとって適切なレディネスが備えられていることが必要であるという成熟優位説を説いた。

● 21. ピアジェ は，生物・無生物を問わず事物や事象に生命と意識を認める幼児の心理的特徴であるアニミズムなどの世界観や，幼児が自分自身を他者の立場においたり，他者の視点に立ったりすることができないという認知上の限界性を示す自己中心性などについて研究した。

●エインズワースのストレンジ・シチュエーション法による愛着の４類型
* 養育者に対する分離不安，見知らぬ人に対する不安を示し，養育者との再会で喜びの態度で迎える子供たち …22. 安定型
* 養育者との分離を嫌がらず，再会においてもとくに歓迎しない子供たち …23. 回避型
* 養育者に対して，おびえるなど不可解な態度をとる子供たち …24. 無秩序型
* 養育者と一緒のときは親しむ一方，分離後の再会においては怒りや拒否的な態度を示す子供たち …25. アンビバレント（葛藤）型

second try	first try
年 月 日（ ）	年 月 日（ ）
： ～ ：	： ～ ：
（ ）	（ ）
am・pm ℃	am・pm ℃
1.	1.
2.	2.
3.	3.
4.	4.
5.	5.
6.	6.
7.	7.
8.	8.
9.	9.
10.	10.
11.	11.
12.	12.
13.	13.
14.	14.
15.	15.
16.	16.
17.	17.
18.	18.
19.	19.
20.	20.
21.	21.
22.	22.
23.	23.
24.	24.
25.	25.

プラスチェック！

［遺伝と環境－①］

□遺伝（生得）説…カエルの子はカエル。持って生まれた遺伝的素因が強く作用するという考え方。ゲゼル。

□環境（経験）説…氏より育ち。発達は環境からの外部的感化・影響に決定づけられる考え方。ワトソン。

□輻輳説…発達は遺伝と環境の和。シュテルン。

＊このページで覚えた知識を教師になってどう活かしたい？

＊あ！あれ何だっけ？　確認メモ！

発達の観点からも重要な時期である児童～青年期

教師は児童生徒の発達において大切な時期にかかわりをもつ。児童生徒理解に際しての，ヒトの発達の観点からはどういった状況であるかなど，学問的な裏づけとしても理解しておこう。

発達とは－②（児童期～老年期）

【児童期～老年期の発達の特徴】

	時期	特徴
児童期	6歳～11，12歳 （または中学校就学）	具体的状況での理論的な思考。数・空間・時間などが認識可能に。交友関係が広がり友人に左右されやすい時期。 前期（小学校低学年）／1. 集団生活 によって規則を守ることを覚える。家や座席の近さで仲間づくりをする。 中期（小学校中学年）／身体運動の発達。知識や経験も多くなり，自分なりの意見を持つようになる。2. ギャングエイジ （徒党時代）といわれ同世代からの影響が大きい。 後期（小学校高学年）／抽象的な思考が可能に。同性の友人を多くつくる。
青年期	約12歳前後 ～約25歳前後 （明確な基準はない）	生殖器官の発達とともに，胸部の発達・声変わり・陰毛の発生といった第二次性徴があらわれる。 子供から大人への移行期。その後の身体の急激な発達。 認知の発達，交友関係の拡大，自我の発見，親からの独立心，社会への反抗という第二反抗期を経て大人になっていく。 ＊ 3. 境界人 …子供と大人の世界の境界線上にいる。レヴィンが説く。 ＊ 4. 心理的離乳 …親からの精神的な乳離れ。ホリングワースが説く。 ＊第二反抗期…大人の社会の権威に対する反抗。 ＊ 5. 第二の誕生 …自己をもつ大人へと生まれ変わる時期。ルソー『エミール』。 ＊ 6. 疾風怒濤 の時代…反社会的な行動に出る者も現れる。ホールが説く。 ＊ 7. アイデンティティ （自我同一性）…自分の存在意義が確立していく。エリクソンが説く。 ＊青い鳥症候群…メーテルリンクの『青い鳥』にちなむ名称。小さい頃から親の引いたレールを歩き大人になりきれない。 ＊ 8. モラトリアム …大人として社会に出る前の，社会的な責任や義務を果たすことを猶予されている期間。 ほか，ピーターパン・シンドローム（子供のままでいたいという思い。社会的責任の回避，集団への帰属ができない），シンデレラコンプレックス（童話『シンデレラ』にちなむ名称。自立できない心理状態）
壮年期	約25歳前後 ～およそ60歳頃	学業を終え就職し，精神的・経済的に 9. 自立 して社会活動を営む。 多くは結婚し家族を形成する。
老年期	およそ60歳以降	心理的・身体諸機能の減退が始まり，やがて大きくなっていく。 仕事を退職し，健康に気遣いながら老後の生活を送る。配偶者との別れや社会的地位などの 10. 喪失 を迎える。 抽象的な思考や自我の統一は 11. 成熟 を持続するが，喪失や体力の衰えとともに徐々に 12. 衰退 する。

問われる傾向！ 過去問アレンジでポイント強化

●小学校中学年期は 13.ギャングエイジ ともいわれ，集団の規則を理解して集団活動に主体的に関わったり，遊びなどでは自分たちで決まりを作りルールを守るようになる一方， 14.閉鎖的 な子どもの仲間集団が発生し，仲間たちの意見や行動に流されやすい時期といわれる。

●青年は子供と大人の中間に位置して所属集団が明確でないことについて， 15.レヴィン は，境界人と呼んだ。 16.マージナル・マン もしくは 17.周辺人 ともいわれる。

● 18.ホリングワース は，親への依存から脱して精神的に自立することを心理的離乳とした。

●本来は経済学用語で，債務等の支払いの猶予もしくはその猶予期間を意味する 19.モラトリアム という用語について，エリクソンは，人格形成のために社会的な責任や義務を猶予される青年期を表すこととして用いた。

●アイデンティティは， 20.エリクソン が発達段階の青年期における中心的な課題として提唱した概念である。

●疾風怒濤は，精神的に不安定になり「希望と絶望」「優越感と劣等感」といった相反する感情が交互に現れることを指し， 21.青年期 の特徴を表した 22.ホール の言葉である。

●中学生の特に女子に顕著にみられる同質性，同一言語で結びついた排他的な関係のことを 23.チャム・グループ という。

•second try•	•first try•
年　月　日(　)	年　月　日(　)
：　～　：	：　～　：
(　　)	(　　)
am・pm　℃	am・pm　℃
1.	1.
2.	2.
3.	3.
4.	4.
5.	5.
6.	6.
7.	7.
8.	8.
9.	9.
10.	10.
11.	11.
12.	12.
13.	13.
14.	14.
15.	15.
16.	16.
17.	17.
18.	18.
19.	19.
20.	20.
21.	21.
22.	22.
23.	23.
24.	24.
25.	25.

プラスチェック！

[遺伝と環境－②]

□体制説…個体と環境の相互作用による体制変化。

□環境閾値説…遺伝と環境との組み合わせは，視覚，聴覚，味覚，嗅覚，触覚等のそれぞれごとの分析で発達を捉えるべきで，大雑把な分析は妥当ではない。ジェンセン。

＊このページで覚えた知識を教師になってどう活かしたい？

＊あ！あれ何だっけ？　確認メモ！

chapter 29 ヒトは生きて様々な経験をし発達していく

［教育心理］

ピアジェの環境への適応過程，フロイトのリビドー，スキャモンの発達曲線，道徳に関する発達のしかたなどについてよく理解しておこう。

発達の諸理論－①

【スキャモンの発達曲線】

生まれてから20歳までの発達具合のグラフ。

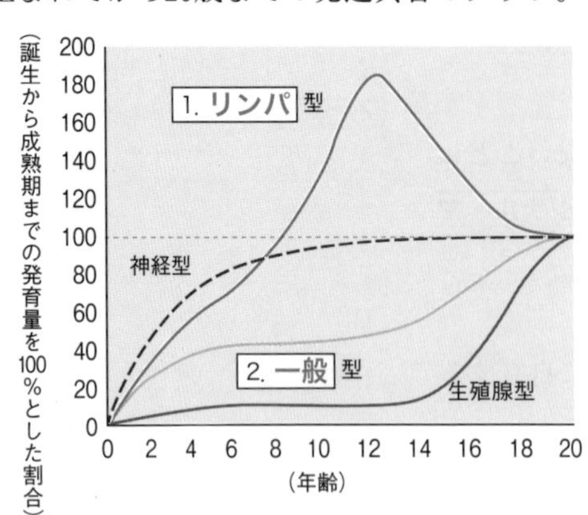

【サイモンズの養育態度】

親の養育態度における子供の性格形成への影響。

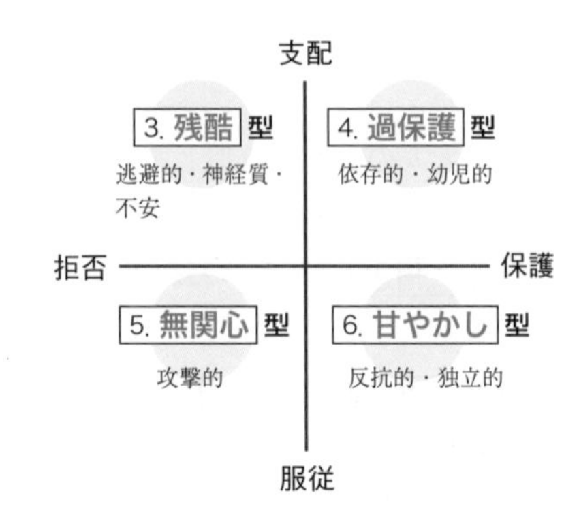

【ピアジェの発達理論】 …子供の発達を環境への適応過程として捉え，認知の発達の４段階を提唱。

時期	区分	内容
0～2歳	7. 感覚運動 期	運動や感覚を通し，外界への働きかけをする。手足を使い，目標物を得る。事物や人物の弁別ができる。言葉の使用で象徴的思考ができる。循環反応。
2～7歳	8. 前操作 期	言語活動が活発になる。自己を中心とした思考。ごっこ遊びをする。思考の保存概念は薄い。
7～12歳	9. 具体的操作 期	論理的思考の発達。思考の保存概念の取得。やや複雑な考えを理解できる。自己中心的な行動から社会的な行動へ。
12歳～	10. 形式的操作 期	抽象的な思考ができる。抽象的な概念の分析ができる。

【フロイトの発達理論】 …発達の源泉 11. リビドー （性的エネルギー）が向かう部位で発達段階を分類。

時期	区分	内容
0～1歳頃	12. 口唇 期	哺乳にかかわる口唇部にリビドーが集中。母親（乳房）との接触（甘えと受容）。
1～3歳頃	13. 肛門 期	肛門部にリビドーが集中。排泄「**トイレットトレーニング**」の時期（親からの躾の内在化）。食事や衣服の脱着など基本的生活習慣が身につく時期。
4～6歳頃	14. 男根 期	性器への関心が高まる時期。異性の親への関心が高まり，同性の親への反発が強まる「**エディプス・コンプレックス**」が生じ，性的な役割を形成する時期。
6～12歳頃	15. 潜伏 期	性欲動が抑圧され，社会的規範の学習や知的活動にエネルギーが注がれ，リビドーが無意識内に潜伏する時期。
思春期～	16. 性器 期	口唇期，肛門期，男根期の部分的欲動が統合され，性器性欲が優位となる第二次性徴が現れる。リビドーの全人的な統合がはかられる。

過去問アレンジでポイント強化

●ピアジェの発達理論

＊言語やイメージの機能が十分でなく，行動やそれに伴う感覚から外界を認識・理解しようとする。17.循環反応 や対象物の永続性などの認知機能を獲得する。…感覚運動期

＊抽象的な推理，論理的な思考が可能になり，仮設を立てて正しさを検証し，推理を行う…形式的操作期

＊記号的機能が獲得され，表象機能が明確になっていくことで，延滞模倣や描画などの活動が活発になる… 18.前操作 期

＊物をある次元にそって順番に並べる系列化や，集合間の階層関係を理解する集合の包含，推移律といった論理操作ができるようになっていく 19.脱中心 化。保存の概念を理解しはじめる。…具体的操作期

●ピアジェは，認知発達の４段階を経て子供は発達するとした。

また，周囲の環境について理解し適応していく認知の枠組みのことを 20.シェマ と呼び，外界の対象を自分のシェマに取り入れる 21.同化 と，外に適応させるために自分のシェマを変更していく 22.調節 の２つの 23.均衡化 によって発達が進むとした。

●道徳に関する発達段階

＊ 24.コールバーグ による**道徳性**の発達段階（６つの段階）

1　罰と服従が中心である段階
2　利己的判断が中心である段階（報酬と取引）
3　「よい子」で振るまうことが中心である段階（対人的同調）
4　法と秩序が中心である段階
5　社会契約的な考え方が中心である段階
6　普遍的な道徳原則が中心である段階

＊ 25.ピアジェ の道徳的判断

道徳性の発達を，**他律的**な大人からの拘束による道徳観から，**自律的**で仲間との協同による道徳観への変化，一方的尊敬から相互尊敬への変化として捉えた。

second try	first try
年　月　日(　)	年　月　日(　)
：　～　：	：　～　：
(　　)	(　　)
am・pm　℃	am・pm　℃
1.	1.
2.	2.
3.	3.
4.	4.
5.	5.
6.	6.
7.	7.
8.	8.
9.	9.
10.	10.
11.	11.
12.	12.
13.	13.
14.	14.
15.	15.
16.	16.
17.	17.
18.	18.
19.	19.
20.	20.
21.	21.
22.	22.
23.	23.
24.	24.
25.	25.

プラスチェック！

［コールバーグの道徳性発達の３水準６段階］

□(1)前慣習的水準…①罪と服従の段階，②報酬と取引の段階。　(2)慣習的水準…③対人的同調の段階，④法と秩序の段階。　(3)後慣習的水準…⑤社会契約と個人の権利の段階，⑥普遍的倫理原理の段階

＊このページで覚えた知識を教師になってどう活かしたい？

＊あ！あれ何だっけ？　確認メモ！

chapter 30 ［教育心理］

成長していく各過程の特色と課題とは？

教師は児童生徒の教育活動を担っていく。目の前の児童生徒は，人生においてどの発達過程にあるのか，その発達時期の特徴や課題とされる事項について理解しておくようにしよう。

発達の諸理論－②

【エリクソンの発達理論】

ドイツの心理学者エリクソンは，フロイトの理論を基に人間の一生を8段階に分類した。

時期	区分	内容
0～1歳頃	乳児期	基本的 1. 信頼 ― 基本的不信　→自分や他者に信頼をもつ。
1～3歳頃	幼児前期	2. 自律 性 ― 恥，疑惑　→自分の意思で物事を行い自律性，満足感を得る。
3～6歳頃	幼児後期	自発性 ― 3. 罪悪 感　→目的を持って行動し，将来の可能性を探る。
6～12歳頃	児童期	4. 勤勉 性 ― 5. 劣等 感 多様な課題に取り組み仕事の喜びを得る ↔ 失敗経験が多いと劣等感が強くなる
12～20歳頃	青年期	6. 同一性 ― 7. 同一性拡散 →第二反抗期でアイデンティティの獲得を目指す。
20～30歳頃	成人前期	親密性 ― 8. 孤独 →配偶者を選び，関係を維持する，継続性を得る。
30～65歳頃	成人後期	生殖性 ― 9. 停滞 性 社会や家族を次世代へ引き継ぐ ↔ 一方体力の衰えや人生の有限性に直面
65歳頃～	老年期	10. 統合 ― 絶望 これまでの生き方を受け入れる ↔ 取り返しがつかないと絶望する

【ハヴィガーストの発達理論】

アメリカの教育学者ハヴィガーストは，人間が健全で幸福な発達をとげるために6つの発達段階があり，次の発達段階へとスムーズに移行するために，それぞれの発達段階で習得しておくべき課題があるとした。（下表は0～18歳頃までの3段階。続いて壮年期，中年期，老年期がある。）

時期（抜粋）	区分	内容
0～6歳頃	乳幼児期	歩行，食べること，話すこと，排泄，性差と性的つつしみの学習。生理的な安定の達成。社会的・物理的な現実の単純な概念の学習。両親・きょうだいとの人間関係の学習。11. 善悪 の区別・良心の学習。
6～12歳頃	児童期	遊びを通じて必要な身体的技能，遊び仲間とうまくつき合う学習。男女の適切な社会的役割の学習。自己に対する健康な態度の形成。基礎能力（読み・書き・計算），日常生活に必要な概念，良心・道徳性・価値観，12. 社会集団 や制度に対する態度の発達。13. 個人的独立 の達成。
12～18歳頃	青年期	両性の友人との成熟した人間関係。男女の社会的役割の達成。自分の身体的変化を受け入れ身体を有効に使う。大人からの 14. 情緒的 独立の達成。15. 経済的 独立のめやすを立てる。職業の選択・準備。結婚・家庭生活への準備。市民として必要な知的技能と概念の発達。社会人としての責任ある行動。行動を導く価値観や倫理体系の形成。

□
□

過去問アレンジでポイント強化

●エリクソンは心理社会的観点から発達段階を８段階に分けた理論を提唱した。これによれば，各発達段階において克服すべき課題があるとするもので，青年期における課題として 16. 自我同一性 の確立をあげた。

● 17. ハヴィガースト は，発達段階を６つに分類した。それぞれの発達段階にはその時期に達成することが期待される課題があるとし，「児童期」には，読み・書き・計算の基礎的な知識技能を獲得することなどをあげている。

●エリクソンは個人の成長発達をライフ・サイクルと捉え，乳幼児から成熟に至るまでの各段階の葛藤の克服を通して発達するとした。さらにその各段階には，次の段階に移行できるかどうかの分岐点という意味で， 18. 心理社会的危機 が存在すると考えた。

●ヴィゴツキーは，子供の発達は他者との共同から次第に自分一人でというような筋道をたどると考え，子供がある課題を一人で解ける発達の水準と大人の指導や自分より能力が高い者と共同して解ける発達の水準の隔たりのことを発達の 19. 最近接領域 に関する理論として説いた。

•second try•	•first try•
年　月　日(　)	年　月　日(　)
：　～　：	：　～　：
(　　)	(　　)
am・pm　℃	am・pm　℃
1.	1.
2.	2.
3.	3.
4.	4.
5.	5.
6.	6.
7.	7.
8.	8.
9.	9.
10.	10.
11.	11.
12.	12.
13.	13.
14.	14.
15.	15.
16.	16.
17.	17.
18.	18.
19.	19.
20.	20.
21.	21.
22.	22.
23.	23.
24.	24.
25.	25.

プラスチェック！

□マーシャは自我同一性地位について，同一性達成，同一性拡散，モラトリアム，早期完了の４段階に分類した。

＊このページで覚えた知識を教師になってどう活かしたい？

＊あ！あれ何だっけ？　確認メモ！

chapter 31 ［教育心理］

「学習」はどのように成立していく？

学習の成立過程とそれらの理論について整理して把握しておこう。教師となり授業の指導案を作成する際にも，効果的な指導方法を考えるに当たっての裏づけ知識ともなる。

学習理論－①

【学習とは？】

同一あるいは類似の経験が繰り返された結果が生じる，永続性のある行動の変容

【レディネスとは？】

ある学習の際に，学習者自身が身体的・精神的にその学習にふさわしい準備状態が備わっていること

【連合理論（S-R説）】

外界の［1.刺激］（S：stimulus）と人や動物の［2.反応］（R：response）の間にある連合あるいは結合によって学習が成立するという考え方。

人物	学習	内容
［3.パブロフ］	［4.レスポンデント］条件づけ（古典的条件づけ）	犬に餌を与えるときに音を聞かせ，それを繰り返すと音が鳴っただけで唾液分泌が生じたという。学習を［5.条件反射］で説明。
［6.ソーンダイク］	試行錯誤説	［7.猫］による問題箱の実験から，学習は試行錯誤により効果の法則，練習の法則，準備の法則があるとした。
ハル	［8.動因低減］説	効果の法則，さらに強化の法則を提唱し，学習とは刺激と反応の連合が動因の低減によって強められるとした。
ワトソン	［9.行動主義］理論	客観的な刺激（S）とその反応行動（R）を観察し，刺激を知って反応を予測したり，逆に反応を知って刺激を予想する心理の科学的法則化を試みた。
［10.スキナー］	［11.オペラント］条件づけ	実験箱に入れられたネズミがレバーを押すと餌を得られる実験を繰り返し，餌を得るためには［12.自発］的にレバーを押すようになる。学習を自発行動の条件づけによって説明した。 E…出入口　W…吸水口　L…レバー Lt…照明　F…食物皿　S…スクリーン
ガスリー	［13.S-R接近］説	刺激と反応の結合は，時間的・空間的に接近することにより強まるとした。

過去問アレンジでポイント強化

●スキナーの 14.オペラント条件 づけの考えを基にして開発された教授法に 15.プログラム学習 がある。「問題提示→反応→フィードバック」を繰り返すことにより学習を高めていく。

●スキナーは，自ら装置を考案し，その装置の中でテコ押しを学習するネズミの行動の研究を行うなど，環境条件が生物の行動を決定するという考えに基づく 16.オペラント行動 の研究を行った。また，この研究から得た原理を， 17.ティーチング・マシン による教育に用いた。

● 18.スキナー は，学習者の自発的・随意的な行動（オペラント行動）に関する学習過程を研究し，自身の名前がつけられた実験器具がある。

●パブロフは，犬にエサを与える直前にベルの音を聞かせることを試みた。何度かこのような操作を繰り返すうちに，犬はベルの音を聞いただけで唾液を分泌するようになった。このような形で条件 19.刺激 （ここではベルの音）に対して条件 20.反応 （ここでは唾液分泌）を示すような一連の手続きを 21.レスポンデント条件づけ という。このような条件づけは私たちの日常生活にもみられる。

●ソーンダイクは，空腹の猫を問題箱の中に入れ，箱の外にエサを置いて誘惑し箱を開けて出てくるまでの時間を測定する研究などを行い，学習の 22.試行錯誤説 を唱えた。また，学習の原理として， 23.効果 の法則， 24.練習 の法則， 25.準備 の法則を挙げた。

•second try•	•first try•
年　月　日(　)	年　月　日(　)
：　～　：	：　～　：
(　　)	(　　)
am・pm　℃	am・pm　℃
1.	1.
2.	2.
3.	3.
4.	4.
5.	5.
6.	6.
7.	7.
8.	8.
9.	9.
10.	10.
11.	11.
12.	12.
13.	13.
14.	14.
15.	15.
16.	16.
17.	17.
18.	18.
19.	19.
20.	20.
21.	21.
22.	22.
23.	23.
24.	24.
25.	25.

プラスチェック！

□反応（行動）が起こる頻度を高める刺激を「強化」という。強化が得られなくなり，反応が起こらなくなることを「消去」という。

□正の強化…好ましい刺激により頻度が増える。

□負の強化…嫌な刺激により頻度が増える。

＊このページで覚えた知識を教師になってどう活かしたい？

＊あ！あれ何だっけ？　確認メモ！

chapter 32 [教育心理]

学校の指導において活用しやすい理論は？

バンデューラのモデリングは学校の指導でよく用いられている。「学ぶ」の語源は「まねる」といわれ，世界の多くの言語で学習は真似る（模倣）に関連づけられた意味を持つとされる。

学習理論－②

【認知理論（S-S説）】

学習による行動の変容は，1. 刺激 による新しい認知で形成される。1つの事象・記号（S：sign）と学習者の意味のある目標対象（S：significate）とによって学習が成立するという考え方。

人物	学習	内容
ケーラー	2. 洞察説	檻の中のチンパンジーが，棒を使ってバナナを取ることから，その場の構造の洞察が大切であるとした。
3. レヴィン	場の理論	行動（*B*）は，個人（*P*）と環境（*E*）の相互作用に依存しているとし，4. $B = f(P \cdot E)$ の式をたてた。
5. トールマン	サイン・ゲシュタルト説	学習は，特定の記号（サイン）について，手段－目的関係が認知されることであるとした。
6. バンデューラ	モデリング（観察学習）	モデルの行動やその結果を観察することにより，観察者自身の行動に変化が生じてくることを提唱。

【学習曲線（ラーニング・カーブ）】

➤学習によって得られた特性（成果）が学習の 7. 継続 とともにどのように変化するか，縦軸に学習到達度，横軸に練習時間や回数を設定しグラフにしたもの。

➤学習（練習）開始とともに一定の成果が上がった後，いくら学習（練習）しても成果が上がらない状態が続くことを 9. プラトー現象 という。

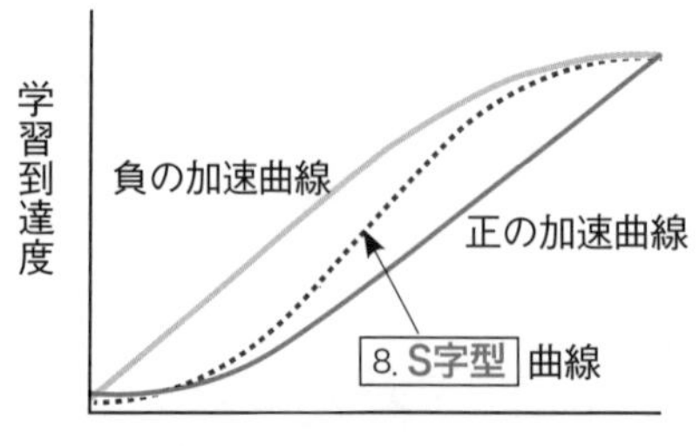

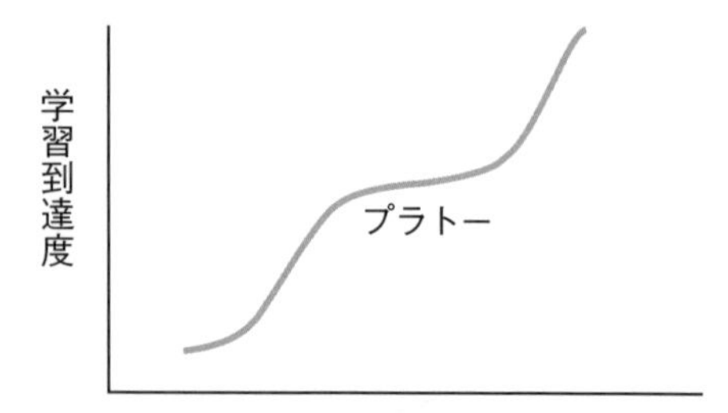

【学習の転移】

学習の転移とは，10. 先行 した学習が，あとの学習に影響を与えることを指す。

正の転移	先行の学習の結果，その後の学習に**プラス**に働く場合。
負の転移	先行の学習の結果，その後の学習に**マイナス**に働く場合。
11. 0 の転移	先行の学習の結果，その後の学習に何らの影響も与えない場合。

□

□

過去問アレンジでポイント強化

●バンデューラは，自分にはある行動をうまくやり遂げることができるだろう，という感覚について 12. 自己効力感 と呼んだ。

●バンデューラは，模倣，同一視等を代理的観察学習とみなし 13. モデリング と命名した。 14. 社会的学習理論 を大きく発展させた。

● 15. バンデューラ は，他者の行動を観察して新しい行動を習得する観察学習に関する研究を行い，攻撃等の社会的行動の学習が，単なるモデルの観察による模倣によって容易に形成されることを見いだした。

●ゲシュタルト心理学派のレヴィンは 16. 場の理論 で $B=f(P \cdot E)$ という公式を提唱した。ある行動が生起するためには，背景に必ず関係する状況が存在することを示したものである。ここで，B は行動，f は関数，P は人間，E は 17. 環境 を表している。

●トールマンは，問題自体の認知を学習にとってもっとも必要な条件であるとした。学習の目標を「意味体」と呼び，それを達成する手段になる対象を「記号」とし，この両者の間の「手段－目的関係」を 18. サイン・ゲシュタルト と呼び，学習とは経験を積むことによって「何をどうすればどうなるか」という形での環境についての認識が獲得されると考えた。

●以前に学習したことがその後の学習を促進したり，あるいは阻害したりするような影響を及ぼすことを心理学において 19. 学習の転移 という。

•second try•	•first try•
年　月　日(　)	年　月　日(　)
：　～　：	：　～　：
(　)	(　)
am・pm　℃	am・pm　℃
1.	1.
2.	2.
3.	3.
4.	4.
5.	5.
6.	6.
7.	7.
8.	8.
9.	9.
10.	10.
11.	11.
12.	12.
13.	13.
14.	14.
15.	15.
16.	16.
17.	17.
18.	18.
19.	19.
20.	20.
21.	21.
22.	22.
23.	23.
24.	24.
25.	25.

プラスチェック！

□学習曲線において，学習（練習）開始とともにその成果は上昇するものの，途中で停滞し，その後再び上昇する型をS字型曲線という。

□教育現場でも，学習曲線やプラトー現象，正・負の転移などがみられる。

＊このページで覚えた知識を教師になってどう活かしたい？

＊あ！あれ何だっけ？　確認メモ！

chapter 33 [教育心理]

記憶には，いくつかの種類がある

覚えていられる時間やその内容，記憶と忘却の関係を含め，記憶のしくみについて理解しよう。学習の進め方や指導の際にどう応用できるかも考えてみよう。

記憶と忘却

【記憶とは？】

経験したことを一定期間保存し，後にそれを再現して活用する機能

【記憶のしくみ】

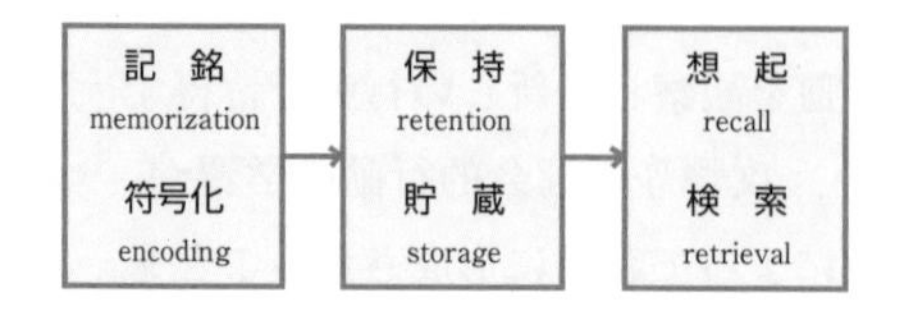

【記憶の分類】

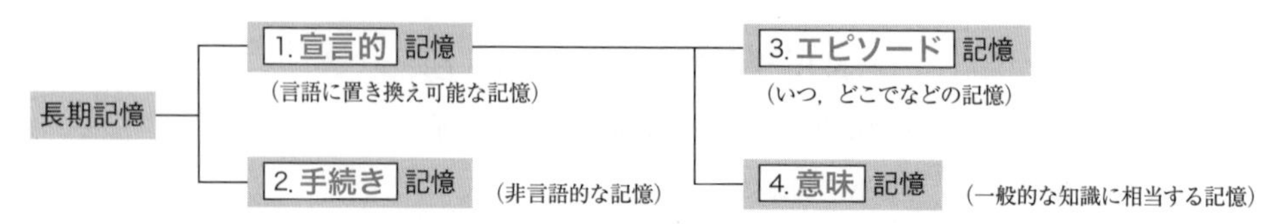

- 5. 感覚 記憶…… 外界からの刺激による，ごく短期間の感覚レベルの記憶
- 6. 短期 記憶……外界からの刺激に対し，その一部が数十秒間持続する記憶
- 7. 長期 記憶……外界からの刺激に対し，その一部が長期に持続する記憶
- 8. エピソード 記憶……いつ，どこで，どのようなことがあったか明らかな記憶
- 9. 意味 記憶……時間的，空間的に規定できない記憶

【忘却とは？】

記銘された情報が一時的または永続的に減退・喪失し再生できなくなること

【エビングハウスの忘却曲線】

- エビングハウスは，中期記憶（長期記憶）に対する時間の経過と記憶の関係について曲線で表した。
- 一度記憶した知識を 10. 再び学習 するときに節約できる時間の割合（節約率）を示した。
- 節約率が高いほど，学習内容の覚え直しは 11. 簡単 であるといえる。

$$節約率 = \frac{原学習完成までの所要時間 - 再学習までの所要時間}{原学習までの所要時間} \times 100$$

【レミニセンス】

- 心理学的に，記憶した事柄についてある程度時間を 12. 経た ほうが，かえって明確に想起される場合を指す。記銘後しばらくの間に記憶内容が整理されるからとされる。

問われる傾向

過去問アレンジでポイント強化

●記憶とは，保持時間の長さによって3つに区分される。そのうち［13. 感覚］記憶は外界からの様々な情報が最初に取り込まれ，非常に短い時間保持されるものである。［14. 長期］記憶は，手続き記憶と宣言的記憶に分類される。手続き記憶は運動技能や習慣を指す。宣言的記憶はさらに意味記憶とエピソード記憶に分類される。意味記憶は一般的な知識や概念などを指す。エピソード記憶はいつどこで何があったかなどを伴う個人の［15. 体験］に基づいた記憶を指す。

●記憶に関する実験を行う際に，記憶の成績に記憶材料の提示順序が影響を及ぼすとされる。これを［16. 系列位置効果］といい，提示順序の最初の方の再生率が高くなることを［17. 初頭］効果，最後の方の再生率が高くなることを［18. 新近性］効果という。

●会話や読書などの認知活動を行うために，必要な情報を一時的に記憶して処理する能力を［19. ワーキングメモリ］または［20. 作業記憶］という。

●アイコニック・メモリは視覚情報の感覚記憶で，持続時間は1秒以内とされる。聴覚情報の感覚記憶は［21. エコイック・メモリ］といい，アイコニック・メモリよりもは持続時間は長い。

●情報を忘れないように繰り返し声に出したり暗唱したりすることによって記憶を保持しようとすることを［22. リハーサル］と呼ぶ。ワーキングメモリの中で情報を保持しておくほかに，［23. 長期記憶］への転送機能であるとされる。

●［24. タルヴィング］は，人間の記憶にエピソード記憶という特別な記憶があることを提唱した心理学者である。

●他とは明らかに異なるものは記憶に残りやすいという現象を［25. レストルフ効果］もしくは孤立効果という。

second try	first try
年　月　日(　)	年　月　日(　)
:　〜　:	:　〜　:
(　)	(　)
am・pm　℃	am・pm　℃
1.	1.
2.	2.
3.	3.
4.	4.
5.	5.
6.	6.
7.	7.
8.	8.
9.	9.
10.	10.
11.	11.
12.	12.
13.	13.
14.	14.
15.	15.
16.	16.
17.	17.
18.	18.
19.	19.
20.	20.
21.	21.
22.	22.
23.	23.
24.	24.
25.	25.

プラスチェック！

□エビングハウスの忘却曲線は，人は時間が経つほど忘れてしまうことを示し，右下がりの曲線を描く。

□節約率を加味し反復学習することは，記憶の定着にかかる時間を節約し，記憶の時間を早めることができるといえる。

＊このページで覚えた知識を教師になってどう活かしたい？

＊あ！あれ何だっけ？　確認メモ！

chapter 34 ［教育心理］

動機づけをすることで学習効果を高める

朝礼など児童生徒に講話をする際や，授業における導入部など，児童生徒に対しての動機づけを行うことは，指導や学習効果を高めるためにたいへん有効であり活用したい。

動機づけ，欲求

【動機づけ（モチベーション）とは？】

人（生物）を行動に駆り立て目標に向かわせる内的な過程

【認知に基づく動機づけ】

➤外発的，内発的に分けられる。

外発的動機づけ	内発的動機づけ
＊賞罰や叱責，報酬や罰，競争といった外的要因によって行動を引き起こさせる方法。 ＊ 1.導入 がしやすい。	＊興味や関心，知的好奇心など内的な要因に基づいて行動を引き起こさせる方法。 ＊より 2.高い効果 が得られる。

3.エンハンシング 効果／内発的動機づけに基づく自発的な行動に対して，賞賛などの褒め言葉（言語報酬）などの 4.外的要因 を与えると，一層効果がある。

5.アンダーマイニング 効果／内発的動機づけに基づく自発的な行動に対して，外的報酬を与えると内的動機づけが低下し，報酬がないと 6.行動 が低下する。

➤**デシ**と**ライアン**は，外発的から内発的へ継続して捉える 7.自己決定理論 を提唱した。

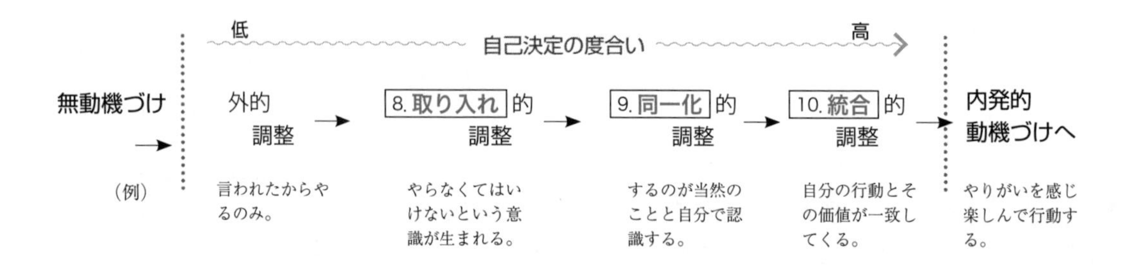

【欲求とは？】

人を行動に取り立てて，方向づける動機（動因）

過去問アレンジでポイント強化

●マズローの5段階欲求階層説

マズローは，人間の欲求を５段階の階層で理論化した。

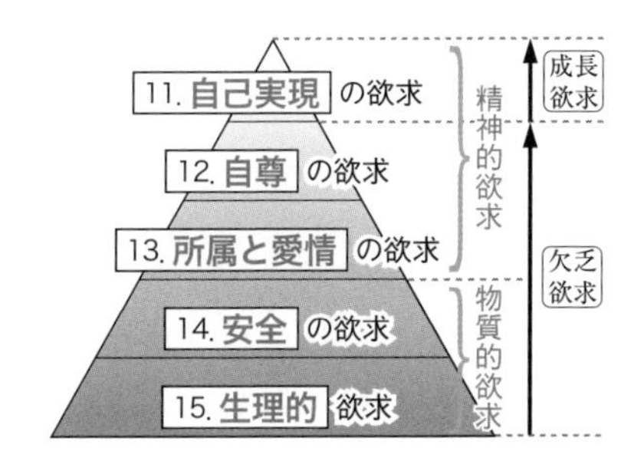

●アメリカの心理学者マズローは，著書『16. 人間性の心理学』において，人間の基本的欲求の出発点を生理的欲求とし，これが比較的よく満足されると，安全の欲求が出現すると述べている。次にその両方が十分に満たされると所属と愛の欲求が現れ，次いで承認の欲求，最後に自己実現の欲求が出現するとした。

＊自己実現の欲求は 17. 成長動機 と呼ばれることがある。

＊心理的発達が 18. 成熟 すると，下位の欲求が満たされない場合でも，下位の欲求よりも上位の欲求のほうが優位になることもあるといわれる。

●ある小学生が好きな教科の勉強を頑張ったところ，テストで満点が取れた。親は高得点が取れた時に褒美として小遣いをたくさん与えていたが，本人の好きな教科への興味が失せてしまった。これは，19. 内発的動機づけ に 20. 外発的動機づけ が加わることで，報酬を得ることに力点が置かれてしまい，当初本人が持っていた意欲が薄れてしまった現象といえる。これを 21. アンダーマイニング効果 という。

second try	first try
年 月 日( )	年 月 日( )
: ～ :	: ～ :
( )	( )
am・pm ℃	am・pm ℃
1.	1.
2.	2.
3.	3.
4.	4.
5.	5.
6.	6.
7.	7.
8.	8.
9.	9.
10.	10.
11.	11.
12.	12.
13.	13.
14.	14.
15.	15.
16.	16.
17.	17.
18.	18.
19.	19.
20.	20.
21.	21.
22.	22.
23.	23.
24.	24.
25.	25.

プラスチェック！

□２つの欲求が同じ強さで同時にある場合，どちらを選んだらよいのか迷って行動できなくなる状態をコンフリクト（葛藤）という。

＊このページで覚えた知識を教師になってどう活かしたい？

＊あ！あれ何だっけ？　確認メモ！

chapter 35 ［教育心理］

パーソナリティの特性と検査法について把握しよう

学級には様々な個性を持つ児童生徒が在籍している。各類型論における性格の捉え方や，各パーソナリティ検査でわかること，その種類・提唱者について押さえておこう。

人格，パーソナリティ検査

❶ 人格

【類型論】

➤クレッチマーの類型論

細長型	肥満型	1. 闘士 型
分裂気質	躁うつ気質	粘着気質
非社交的 臆病	社交的 柔和	几帳面 固執的

➤シェルドンの類型論

内胚葉型 （内臓緊張型）	2. 中胚葉 型 （身体緊張型）	外胚葉型 （頭脳緊張型）
肥満型	がっしり型	やせ型
社交的 安楽志向	活動的 自己主張	抑圧的 過敏

➤ユングの向性論

3. 外向 型	4. 内向 型
興味関心が他人や外的傾向	興味関心が自分自身の傾向

【特性論】

5. オルポート	6. キャッテル	7. アイゼンク	8. ギルフォード
初めて人格特性論を提唱。人間の特性を示すと考えられる言葉を抽出し，個人の特性を把握。心誌（サイコグラフ）を作成。	因子分析法に基づき，ほとんどの人間にみられる共通特性と，心理生物学的要因に基づく個別特性に大別した。	人格を類型・特性・習慣的反応・特殊反応の４層構造で示した。MPI（モーズレイ性格検査）のもとに。	行動特性から13の性格特性を見いだした。YG性格検査（矢田部ギルフォード性格検査）のもとに。

❷ パーソナリティ検査

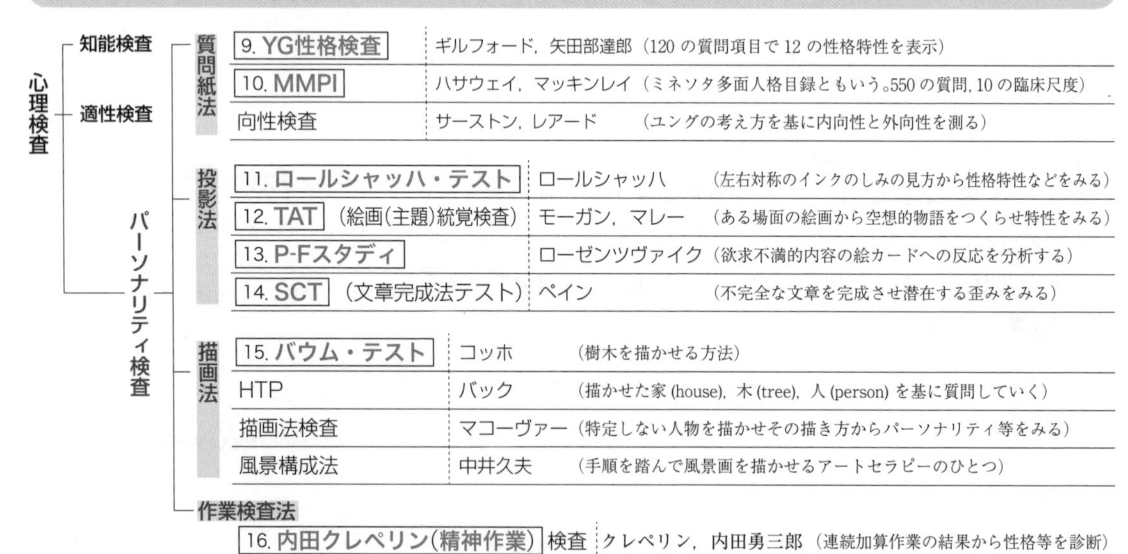

過去問アレンジでポイント強化

●ギルフォードの人格目録をモデルとして，因子分析の手法で抽出された12の性格特性の質問項目を用いて行う，個人の性格の全体構造を把握する質問紙法検査は［17. YG性格検査］である。

●［18. P-Fスタディ］は，日常経験するような欲求不満場面を描いた絵に対する反応様式により，自我防衛水準での反応の背景に潜む人格の独自性を明らかにしようとする投影法検査である。絵画欲求不満テストとも。

●隣り合わせの２つの数字を［19. 加算］する作業を一定時間行わせることで，作業量の推移や正確さとの関係から，仕事ぶりや性格の特徴を診断する作業検査法は内田クレペリン検査である。

●ロールシャッハ・テストは，左右対称のインクのしみがどのように見えるかといった問いに対する反応をもとに，形態水準，平凡反応という側面から評価を行うことにより，人格の特性を明らかにする［20. 投影］法検査である。インクブロットテストともいう。

●［21. 妥当性］尺度，［22. 臨床］尺度，［23. 追加］尺度により構成された550の質問項目に対し，自分に当てはまるか当てはまらないかによる反応から，人格・行動特徴を明らかにする質問紙法検査はMMPIである。

●SCTとは，「私の母は…」というような，未完成の文章の後半を，［24. 連想］による自由記述で文章を完成させることで，性格特性を検査するものである。

●ゴールドバーグは特性論に基づくパーソナリティの構造に関する研究から，人間のパーソナリティは大きく分けると５つに集約できるという［25. ビッグ・ファイブ］の考え方を提唱した。神経症傾向，外向性，誠実性，開放性，協調性があげられる。

•second try•	•first try•
年　月　日(　)	年　月　日(　)
：　～　：	：　～　：
(　　)	(　　)
am・pm　℃	am・pm　℃
1.	1.
2.	2.
3.	3.
4.	4.
5.	5.
6.	6.
7.	7.
8.	8.
9.	9.
10.	10.
11.	11.
12.	12.
13.	13.
14.	14.
15.	15.
16.	16.
17.	17.
18.	18.
19.	19.
20.	20.
21.	21.
22.	22.
23.	23.
24.	24.
25.	25.

プラスチェック！

□人格(personality)…ペルソナが語源。取り巻く環境へのその人独自の思考や行動を決定するもの。

□性格(character)…その人特有の永続的な内面的な特性。

□シュプランガーの価値類型…文化に対する関わり方／理論型・経済型・審美型・宗教型・政治型・社会型

＊このページで覚えた知識を教師になってどう活かしたい？

＊あ！あれ何だっけ？　確認メモ！

chapter 36 [教育心理]

適応機制は日常で生じている

学校の様々な場面で児童生徒の適応機制による言動はみられる。発言の違いを明確に把握しておこう。実際の言動に接したときなど，児童生徒理解の際の参考にもなると考えられる。

適応機制(防衛機制)

➤人が社会的環境にあうように身体や行動を調和させることを 1. 適応 という。
➤社会的環境に 2. 不適応 であると，心理的に不安定な状態になる。

【適応機制（防衛機制）】

欲求不満による心の緊張・いら立ち・不安などに対し，無意識のうちに心の安定を図ろうとする働きを適応機制という。

3. 合理化	自覚していない自己の矛盾や不満を，自我を傷つけないような説明で正当化する。	いいわけ
4. 抑圧 （抑制）	罪の意識や不安を呼びおこす衝動・経験・感情などを，意識化しないよう無意識に抑えてしまう。	臭いものには蓋
5. 同一化 （同一視）	他人の一部や全部を自己のものとして取り込み，その人と同化しようとする。	虎の威を借る狐
6. 投影 （投射）	自己の欠点や不快なことに目を向けないため，それを他人へ転嫁する。	（本当は自分が相手を嫌っているのに）あの人は私を嫌っているに違いない
7. 昇華	受け入れにくい欲求を，社会的に承認される高次元の活動に方向づける。	子供と離れ離れになった親が，心の痛みを仕事に託し慈善事業家になる
8. 転換	抑圧された欲求から逃避する働きとして，各種の身体症状としてあらわれる（疾病逃避）。	ヒステリー
9. 反動形成	自覚すると自我が傷つくような衝動が抑圧され，代理として正反対の態度や行動をとる。	好きなくせに意地悪をする
10. 置き換え	衝動を本来の対象からは別の対象に換えること。	子供のいない夫婦がペットを可愛がる
11. 補償	自己の欠陥や劣等感を解消するための，積極的・消極的な努力によってなされる行動の意識の働き。	貧困に苦しんでいた人が「今にみていろ」と努力して大富豪になる
12. 退行	現在の発達段階にふさわしい適応をせず，より未熟な段階の適応をすることで安易な解決をはかる。	赤ちゃんがえり
白昼夢	夢をみているようにイメージすることだけで満足し，現実から逃げる。	現実逃避
解離	心理的な過程が意識から分離して独立的・自動的に働くことにより，自我の責任・苦痛・努力が回避される。	つらい記憶をなくす
攻撃	攻撃的な言動などで，脅威を与えるものに対して緊張緩和を試みる。	攻撃は最大の防御

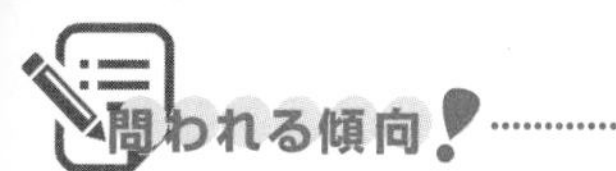

問われる傾向！

過去問アレンジでポイント強化

●人の欲求が様々な原因で阻止された状態（欲求阻止）や，それによって生じる内的に満たされない状態にあることを 13.フラストレーション （欲求不満：frustration）という。

●P-Fスタディを開発したローゼンツヴァイクは，欲求不満に耐える力を 14.欲求不満耐性 （フラストレーション・トレランス）として提唱した。

●自己の攻撃的感情を抑圧して，相手が自分を攻撃していると思い込むなど，自分にとって認めたくない内的な感情や欲求，考えを無意識的に他者がもっているかのように反応する防衛機制は 15.投射 （投影）にあたる。

●学芸会の主役になれなかった生徒が，劇の主役になると勉強する時間がなくなると言いふらすなど，自分の行動や態度の本当の動機を隠して，もっともらしい理由を意識的に考えて自らを正当化しようとする防衛機制は 16.合理化 にあたる。

●好意を抱いている相手に対してそっけない態度をとるように，自分の願望とは異なる態度や行動をとる防衛機制は 17.反動形成 にあたる。

●失恋の経験をきっかけに芸術創作活動に打ち込むように，抑圧された欲求や衝動を社会的に認められる行動に変えて発現する防衛機制は 18.昇華 にあたる。

●危険な考えや不都合な感情を意識にのぼらないように防ぎ，無意識に閉じ込める防衛機制は 19.抑圧 にあたる。

●他者のもっている優れた特徴が，あたかも自分に備わっているかのようにみなし，阻止されている要求を充足させようとする防衛機制は 20.同一化 にあたる。

second try	first try
年　月　日(　)	年　月　日(　)
：　〜　：	：　〜　：
(　)	(　)
am · pm　℃	am · pm　℃
1.	1.
2.	2.
3.	3.
4.	4.
5.	5.
6.	6.
7.	7.
8.	8.
9.	9.
10.	10.
11.	11.
12.	12.
13.	13.
14.	14.
15.	15.
16.	16.
17.	17.
18.	18.
19.	19.
20.	20.
21.	21.
22.	22.
23.	23.
24.	24.
25.	25.

プラスチェック！

□強いストレスに直面してもうまく適応する能力，心理的な回復力をレジリエンス（resilience）と呼ぶ。

□学校教育においては，自殺等の未然防止の観点などからも，児童生徒のレジリエンスの育成が求められている。

＊このページで覚えた知識を教師になってどう活かしたい？

＊あ！あれ何だっけ？　確認メモ！

chapter 37 ［教育心理］

大切なのは児童生徒に寄り添う気持ち

社会の変化・価値観の多様化への不安などから自分の中に引きこもってしまう児童生徒も多い。カウンセリングの知識や技能を活用しながら，教師として心をときほぐしていきたい。

カウンセリング，心理療法－①

❶ カウンセリング

- カウンセリングは，人間の心理や発達の理論に基づく対人援助活動であり，個人の成長を促進し，対人関係の［1. 改善］や社会的適応性を向上させる。
- 相談者自身が，自分自身のことを振り返り，［2. 自己理解］を深め，問題解決に［3. 主体的］に取り組み，［4. 自己成長］へと向かう内的変化を促進することが，カウンセリングの本質ともいえる。
- カウンセリングにおける考え方や心構え，カウンセラーが備えるべき資質を［5. カウンセリングマインド］という。一般的には，受容・共感などがあげられる。
- 来談者の言葉に耳を傾ける［6. 傾聴］の姿勢が大切である。
- カウンセリングにおいて，カウンセラーとクライエントに信頼関係があり，心の通い合った状態にあることを［7. ラポール］という。

［8. 指示的カウンセリング］	非指示的カウンセリング
ウィリアムソン	［10. ロジャーズ］
当初は臨床的カウンセリングと呼ばれた。カウンセラーは来談者の言動を科学的に分析し，来談者の自己範囲の中で不足している部分を見つけ，どう補えばよいのかを［9. 指示］する。	来談者中心療法，人間中心カウンセリングとも呼ばれる。カウンセラーは診断や分析を行わず，来談者自身の治癒力を信じ，自発的な言動・その人自身の自己変革の力を引き出し［11. 援助］していく。

［カウンセリングの基本的な態度・手法］

＊傾聴……来談者の言葉に耳を傾ける。
＊［12. 受容］……来談者の状況や言動をありのままに受け入れる。
＊繰返し……来談者が何度も話す重要な語句を繰り返す。
＊［13. 反射］……来談者が話していることを鏡のように反射させる。

スクールカウンセラー（SC）	児童生徒に対する相談・助言をはじめ，［14. 保護者］や教職員に対する相談（カウンセリング，コンサルテーション），相談者への心理的な見立てや対応，ストレスマネジメント等の［15. 予防的対応］，事件等の緊急対応における被害児童生徒の心のケアなど，業務は多岐にわたる。
スクールソーシャルワーカー（SS）	［16. 社会福祉］の専門的な知識，技術を活用し，問題を抱えた児童生徒を取り巻く環境に働きかけ，家庭，学校，地域の関係機関をつなぎ，児童生徒の悩みや抱えている問題の［17. 解決］に向けて支援する専門家。

過去問アレンジでポイント強化

●教育相談でも活用できる手法・技法

＊ 18. グループエンカウンター …人間関係作りや相互理解，協力して問題解決する力などが育成される。集団の持つプラスの力を最大限に引き出す方法。

＊ 19. ピア・サポート活動 …「ピア」とは児童生徒「同士」という意味。児童生徒の社会的スキルを段階的に育て，児童生徒同士が互いに支えあう関係を作るためのプログラム。

＊ 20. ソーシャルスキルトレーニング …リバーマンが考案した様々な社会的技能をトレーニングにより育てる方法。現在は学校で一般児童生徒，発達障害の児童生徒の社会性獲得にも活用されている。

＊ 21. アサーショントレーニング …主張訓練。対人場面で自分の伝えたいことをしっかり伝えるためのトレーニング。断る，要求する，感謝するなど，他者との関わりをより円滑にする社会的行動の獲得を目指す。

＊ 22. アンガーマネジメント …自分の中に生じた怒りの対処法を段階的に学ぶ方法。呼吸法，動作法などリラックスする方法を学ぶことも含む。

＊ 23. ストレスマネジメント教育 …様々なストレスに対する対処法を学ぶ手法。ストレス知識，リラクゼーション，コーピング（対処法）について学習する。

＊ 24. ライフスキルトレーニング …自分の心身・命を守り健康に生きるためのトレーニング。セルフエスティーム（自尊心）の維持，意思決定スキル，自己主張コミュニケーション，目標設定スキルなどの獲得を目指す。

second try	first try
年 月 日( )	年 月 日( )
: ～ :	: ～ :
( )	( )
am · pm ℃	am · pm ℃
1.	1.
2.	2.
3.	3.
4.	4.
5.	5.
6.	6.
7.	7.
8.	8.
9.	9.
10.	10.
11.	11.
12.	12.
13.	13.
14.	14.
15.	15.
16.	16.
17.	17.
18.	18.
19.	19.
20.	20.
21.	21.
22.	22.
23.	23.
24.	24.
25.	25.

プラスチェック！

□2001年より公立学校に臨床心理士をはじめとする専門家が派遣され，スクールカウンセラーとして問題の対応に当たっている。

＊このページで覚えた知識を教師になってどう活かしたい？

＊あ！あれ何だっけ？　確認メモ！

様々な心理療法について整理把握しよう

学校では対人関係困難，学校不適応，不登校傾向，いじめ，ひきこもりなどの問題に対して臨床心理学的援助がなされている。教師になったらチーム学校の一員としてどう尽力する？

カウンセリング，心理療法－②

❷ 心理療法

心理療法は，心の問題について改善・回復や維持，予防をするために働きかける療法を意味する。

1. 来談者中心療法	**ロジャーズ**が創始した療法。非指示的であり，無条件の肯定的受容･共感･カウンセラーの 2. 自己一致 を掲げている。パーソンセンタード・アプローチとも。
3. 精神分析療法	**フロイト**の精神分析論に基づく。クライエントの無意識下に抑圧された内容を，意識化させ治療していく療法。
4. ゲシュタルト療法	**パールズ**らが創始。未完結な問題や悩みに対して，「 5. 今ここで 」の体験と欲求との関係の全体性（ゲシュタルト）に着目し，自己の在り方や感情の「気づき」を得る療法。
6. 行動療法	ウォルピらが提唱。クライエントの不安や恐怖などは，それらに 7. 拮抗 する新しい反応を学習させることで不安などをなくそうとする療法。
8. プレイセラピー（遊戯療法）	ヘルムートが最初に提唱。遊具のある部屋で遊びをさせることで自分の感情や抱えている問題を治療させる療法。
9. 箱庭療法	**ローエンフェルド**が創始，カルフが発展させた。砂を敷いた木箱に来談者が家，人，動植物，岩，橋などのミニチュアを自由に配置して自分の好きな風景をつくりだす。配置のしかたに心の在り様があらわれる。
10. 家族療法	個人的な心理の問題を家族全体の問題として考え，その家族の 11. システム の中で個人の問題を解決していく療法。
12. サイコドラマ（心理劇）	**モレノ**が創始。即興劇を自由に演じさせ，自己への洞察を深めていく集団療法。脚本がない自発的な役割を演じることで，心の内を洞察し問題解決していく。
13. 森田療法	森田正馬が創始した**神経症**に対する日本独自の心理療法。対人恐怖に効果的。症状（気分）は「**あるがまま**」に受け入れ，こうあるべき等のとらわれから解放し，やるべきことを指示して行動本位に実行させる。
14. 内観療法	**吉本伊信**が開発した，精神修養法をもとにした療法。人生を振り返らせ肯定的な認知を促す。
15. 論理療法	**エリス**が創始。ABC 理論（A: 出来事，B: 信念，C: 結果）という考えに基づく。不合理な信念（**イラショナル・ビリーフ**）を論理的に変化させていく療法。

＊よみがな…森田正馬（もりたまさたけ）

□
□

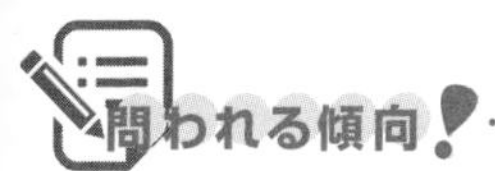

過去問アレンジでポイント強化

●行動療法では，学習理論を理論的基盤とする 16.行動変容 の技法を提唱する。

●ベックにより創始された 17.認知療法 では，来談者と支援者が一緒に来談者の認知の在り方を検証するという共同経験主義が重視される。

●バーンが開発した 18.交流分析 は，互いに反応し合っている人々の間で行われている交流を分析する心理療法で，ゲーム分析や脚本分析が行われる。

●遊戯療法には様々な理論的立場があるが， 19.アクスライン の提唱した「８つの原理」が，理論的立場を横断した基本原則とされる。

●行動療法とは，学習理論を基礎として，クライエントの適切な行動の形成と不適切な行動の除去や変容を目指す心理療法である。技法の例として，ウォルピの 20.系統的脱感作法 があげられる。何かが不安や恐怖を引き起こしているとき，それらを強度順などで「不安階層表」に整理した上で，弛緩を拮抗作用として利用しながら段階的に不安や恐怖を除去していく技法である。

● 21.自律訓練法 は心身安定のためのセルフコントロール方法で，四肢の弛緩を中心に言語公式（決まった言葉を唱える）によって段階的に生体機能の調整を図る練習など，体系的な練習段階を進めて身体感覚への受動的注意集中等を行うことで， 22.自我 の休息と機能回復，四肢の 23.筋緊張 の低下や血管の弛緩を得るものである。

●適切な行動が自発的にできたら報酬を与えることを反復して，行動の自己コントロール力を高めることを目指す技法を 24.トークン・エコノミー という。

•second try•
年　月　日(　)
：　～　：
(　　)
am・pm　℃

1.
2.
3.
4.
5.
6.
7.
8.
9.
10.
11.
12.
13.
14.
15.
16.
17.
18.
19.
20.
21.
22.
23.
24.
25.

•first try•
年　月　日(　)
：　～　：
(　　)
am・pm　℃

1.
2.
3.
4.
5.
6.
7.
8.
9.
10.
11.
12.
13.
14.
15.
16.
17.
18.
19.
20.
21.
22.
23.
24.
25.

プラスチェック！

□行動療法に，ものの捉え方といった「認知」の要素を組み込んだものを認知行動療法という。

□例えば否定的な考えにとらわれて悩む児童生徒に対し，捉え方の変容への支援を意識した教育相談などで活用できる考え方であり手法である。

＊このページで覚えた知識を教師になってどう活かしたい？

＊あ！あれ何だっけ？　確認メモ！

chapter 39 ［教育心理］

発達障害のある児童生徒への指導・支援とは？

インクルーシブ教育の理念からも，自閉症やADHD，学習障害などの児童生徒はいわゆる普通学級に在籍する。教師として特性を正しく理解し指導・支援に当たりたい。

発達障害，心因反応

【発達障害とは？（発達障害者支援法 第2条①の定義）】

自閉症，アスペルガー症候群その他の広汎性発達障害，学習障害，注意欠陥多動性障害その他これに類する脳機能の障害であってその症状が通常低年齢において発現するものとして政令で定めるもの

【心因反応とは？】

親しい人の死や大きな事故・災害など心理的に大きなダメージを受けて起こる一時的な心理的反応

1. 学習障害 （2. LD）	カークが提唱。基本的に全般的な 3. 知的発達 には問題がないが，聞く，話す，読む，書く，計算する又は推論する能力のうち特定のものの習得と使用に著しい困難を示す。 中枢神経系に何らかの機能障害があると推定される。読みの困難については，女性より男性が数倍多いと報告されている。 読み書きに困難をきたす障害を 4. ディスレクシア ，算数の計算などに困難をきたす障害を 5. ディスカリキュア という。
6. 注意欠陥・多動性障害 （7. ADHD）	年齢あるいは発達に不釣り合いな注意力，及び・又は衝動性，多動性を特徴とする行動の障害で，社会的な活動や学業の機能に支障をきたす。 8. 7 歳以前に現れてその状態が継続し，中枢神経系に何らかの要因による機能不全があると推定される。
9. 自閉症	カナーによって報告。 10. 3 歳頃までに発現し，多くは知的発達の遅れを伴う。知的発達の遅れを伴わない（IQ71 以上）タイプを 11. 高機能自閉症 という。 相互的な対人関係の困難，言葉の発達の遅れと偏り，活動や興味の範囲の狭さ（こだわり）の３つの特徴が現れる。
12. アスペルガー症候群	アスペルガーによって報告。知的障害を伴わない自閉症。言葉の遅れはない。 高機能自閉症と共通している特徴として，１人遊びを好む，思ったことをそのまま言葉にしてしまう，相手の反応や状況を察することができない，発言が一方的，言葉の裏の意味や曖昧な表現がわからない，慣れているものを好む，難しい言葉の知識はあっても上手く使えない，などが挙げられる。
13. 心的外傷後ストレス障害 （PTSD）	震災などの自然災害，火事，事故，暴力や犯罪被害など強烈なショック体験，強い精神的ストレスが心のダメージとなり，時間が経ってからも，その経験に対して強い恐怖を感じる。突然恐怖体験を思い出す，不安や緊張が続く，めまいや頭痛がある，不眠といった症状が現れる。

問われる傾向！ 過去問アレンジでポイント強化

●文科省「発達障害を含む障害のある幼児児童生徒に対する教育支援体制整備ガイドライン」(2017)（［通常の学級の担任・教科担任用］より）

＊通常の学級に在籍する教育上特別の支援を必要とする児童等に対して，適切な指導や必要な支援を行うためには，基盤となる環境や 14. 人間関係 を整える必要があります。

＊特に支援が必要な児童等も含めた学級全員が，互いの良さを認め合い，大切にする温かい 15. 学級経営 を心がけることが重要です。

＊障害への偏見や差別を解消する教育（障害者理解教育）を推進することを通して，教員自身が，支援の必要な児童等への 16. 関わり方の見本 を示しながら，周囲の児童等の理解を促していくことが大切です。

＊発達障害をはじめとする 17. 見えにくい 障害については，通常の学級に在籍する 18. 教育上特別の支援を必要 とする児童等のつまずきや困難な状況を 19. 早期 に発見するため，児童等が示す様々な**サイン**に気付くことや，そのサインを見逃さないことが大切です。

＊教育上特別の支援を必要とする児童等については，学校生活だけでなく家庭生活や地域での生活も含め， 20. 長期的な視点 に立って 21. 幼児期 から 22. 学校卒業後 までの**一貫した支援**を行うことが重要であり，その際，家庭や医療・保健・福祉・労働等の関係機関と連携し，様々な側面からの取組を示した**個別の教育支援計画**を作成・活用しつつ，必要な支援を行うことが有効です。

＊特別な支援を必要とする子供に対して提供されている「 23. 合理的配慮 」の内容については，「個別の教育支援計画」に明記し， 24. 引き継ぐ ことが重要です。

＊教育上特別の支援を必要とする児童等の適切な指導及び必要な支援に当たっては，個別の教育支援計画における一人一人の 25. 教育的ニーズ や支援内容等を踏まえ，当該児童等に関わる教職員が協力して，各教科等における指導の目標や内容，配慮事項等を示した**個別の指導計画**を作成しつつ，必要な支援を行うことが有効です。

second try	first try
年　月　日(　)	年　月　日(　)
：　～　：	：　～　：
(　　)	(　　)
am・pm　℃	am・pm　℃
1.	1.
2.	2.
3.	3.
4.	4.
5.	5.
6.	6.
7.	7.
8.	8.
9.	9.
10.	10.
11.	11.
12.	12.
13.	13.
14.	14.
15.	15.
16.	16.
17.	17.
18.	18.
19.	19.
20.	20.
21.	21.
22.	22.
23.	23.
24.	24.
25.	25.

プラスチェック！

□高機能自閉症やアスペルガー症候群は，広汎性発達障害に分類される。
□チック…意思に関係なく体の一部が動く。
□選択性緘黙…特定の場所や状態で話せなくなる。
□アパシー…無気力・無関心になる状態。

＊このページで覚えた知識を教師になってどう活かしたい？

＊あ！あれ何だっけ？　確認メモ！

chapter 40
［教育心理］

知能検査はどのようなときに用いられる?

学習障害と思われる児童生徒の保護者にスクールカウンセラー等が助言し，WISC検査実施等方針を話し合うことも多い。教師の立場として対応することも想定し学習しておこう。

知能とその測定

【知能の測定法】

ビネー・シモン式 知能検査	ビネーとシモンが開発した最初の知能検査。今日の知能検査の原型をなす。 全員入学の学校制度が普及するにつれ，先天的に学力などで同年齢児に追いつけない児童の存在が問題となった。 学業不振児童を判別するため，簡単な問題から段階的に配列された判断力や推理力を要する 30 問の検査。［1.精神年齢］の指標になる。
スタンフォード・ビネー式 知能検査	ビネー・シモン式知能検査を［2.ターマン］が改良し，アメリカ人用に標準化。 初めてシュテルンが提唱した［3.知能指数］（IQ）という結果の表示方法が用いられた。
ウェクスラー式 知能検査	ウェクスラーが考案。 年齢に応じて児童用の［4.WISC］，成人用の［5.WAIS］，幼児用の［6.WPPSI］がある。 WISC における特定の認知領域の知的機能を表す主要指標は，言語理解（VCI），視空間（VSI），流動性推理（FRI），ワーキングメモリー（WMI），処理速度（PSI）。
［7.ITPA言語学習能力］ 診断検査	カークらが開発。［8.コミュニケーション］に関する言語学習能力を，回路，過程，水準の 3 つの次元で捉える。 ［9.学習障害］や言葉の発達に遅れのある子供の診断・治療教育に用いられる。

【知能検査の利用】

MA （［10.精神年齢］）	［11.ビネー］が提唱。ある年齢集団の 75% が正答できる問題を基準とし，徐々に難易度が高くなる問題系列を配列。どこまで解けるかで判断する。暦年齢にかかわらず，問題の合格基準に達したか否かで判定する。月単位で算出できる。
IQ （［12.知能指数］）	知能指数はシュテルンが提唱し，ターマンがスタンフォード・ビネー式知能検査において導入した。 精神年齢（MA），生活年齢・暦年齢（CA）であらわす。 $\text{知能指数（IQ）} = \dfrac{\text{精神年齢（MA）}}{\text{生活年齢（CA）}} \times 100$
ISS （［13.知能偏差値］）	ある個人の属する同一年齢集団のなかで，個人の知能検査の得点がその平均点と比較することで評価する。知能偏差値の平均は 50 で示される。知能偏差値が 60 の場合，平均より優れた成績であることを表す。 $\text{知能偏差値（ISS）} = \dfrac{10(X-M)}{SD} + 50$ X …個人の得点 M …集団の平均点 SD…集団の標準偏差

問われる傾向　…………　過去問アレンジでポイント強化

●おもな知能検査関連と開発者

* ＊ 14. 知能測定尺度 （ビネー・シモン法）　…ビネーとシモンら
* ＊「知能指数」を提唱　… 15. シュテルン
* ＊実際的・個別的智能測定法（鈴木ビネー知能検査）　…鈴木治太郎
* ＊「田中ビネー知能検査」　…田中寛一
* ＊「WISC」 16. 児童 向け知能検査　…ウェクスラー
* ＊「WAIS」 17. 成人 向け知能検査　…ウェクスラー
* ＊「WPPSI」幼児向け知能検査　…ウェクスラー
* ＊「スタンフォード・ビネー知能尺度第４版」　…ソーンダイクら

●アメリカのウェクスラーによって開発された児童向けの知能検査をWISCという。日本では第５版が刊行されており，その対象年齢は５歳０か月～ 18. 16 歳11か月。

全体的知的水準を示す 19. 知能指数 に加え，領域別の得意・不得意など知能の個人内差を把握でき， 20. 知的障害 や発達障害などがある個人の能力特性を把握し，心理的・教育的支援に役立てることができる。

●偏差知能指数（DIQ）は，同年齢集団の中で個人の位置を基準とした標準得点を示し， 21. ウェクスラー 式知能検査で導入されている。

$$\left\{15 \times \frac{(個人の得点(X) - 集団の得点(M))}{集団の標準偏差(SD)}\right\} + 100$$

•second try•	•first try•
年　月　日(　)	年　月　日(　)
：　～　：	：　～　：
（　　）	（　　）
am・pm　℃	am・pm　℃
1.	1.
2.	2.
3.	3.
4.	4.
5.	5.
6.	6.
7.	7.
8.	8.
9.	9.
10.	10.
11.	11.
12.	12.
13.	13.
14.	14.
15.	15.
16.	16.
17.	17.
18.	18.
19.	19.
20.	20.
21.	21.
22.	22.
23.	23.
24.	24.
25.	25.

プラスチェック！

［発達指数（DQ）］

□乳幼児の発達の程度を標準と比較して表した指標。

□低年齢層ではIQよりも発達指数でみることが多い。

□発達指数（DQ）＝ $\frac{発達年齢（DA）}{生活年齢（CA）} \times 100$

＊このページで覚えた知識を教師になってどう活かしたい？

＊あ！あれ何だっけ？　確認メモ！

chapter 41
[教育心理]

学級内の状況や人間関係をどう把握する?

集団に関する知識は，学級経営や児童生徒の関係性などの把握にも活用できる。教師としてのリーダーシップ，児童生徒に育みたいリーダーシップなど，具体的な想定からも捉えよう。

集団(測定，リーダーシップ)

- 集団は，複数の人間の集まり。目標のある集団の構成員には役割・規範，仲間意識や一体感がある。
- 集団の全ての構成員によって形成・維持される思考・感情・意志などを指し 1. **集団心理** という。
- 集団の中で個人が多数派に 2. **同調** し，合理的な思考力や判断力が抑えられてしまうと，集団が極端な行動を引き起こすことがある（集団心理）。

【集団の測定】

① ソシオメトリー

「好き」好感と「嫌い」反発といった感情的な人間関係の構造を客観的にみる方法として 3. **モレノ** が開発。

4. **ソシオメトリック**・テスト	6. **ソシオグラム**
「クラスの中で一緒に遊びたい人は誰か」「席替えで一緒の班になりたい人は誰か」といった集団の中での選択基準を示し回答させる。選択・排斥・孤立などの人間関係を知ることができる。 テストの結果を点数化し，回答を一覧にしたものを 5. **ソシオマトリックス** という。	左記のテストで， 選択・排斥・孤立などの 関係を視覚的に表現した図。 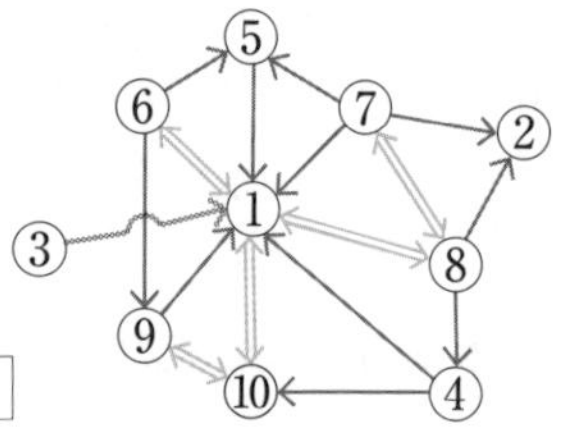 →選択 ⤳拒否 ⟺相互選択

② 7. **ゲス・フー・テスト**

「学級内で一番信頼されている人は誰か」「優しい人は誰か」など行動や態度に関する質問をして回答させる集団構成員同士の人格評定。ハーツホーンらが考案。

【リーダーシップ】

集団の目的を達成させるため，集団の活動を方向づける指導者（リーダー）により発揮される影響力を指す。

- リーダーシップのタイプ

型	方針決定	特徴
8. **民主** 型	成員が話し合いで方針決定	友好的で集団意識が高い。役割分担が明確。生産性が最も高い
9. **専制** 型	リーダーが決定	リーダーに依存。攻撃的または服従的。成員間でいじめが起こりやすい
10. **放任** 型	成員が決定しリーダーが無関心	成員がバラバラに行動し作業の失敗・挫折が多い。生産性が最も低い

- PM理論

三隅二不二（みすみじふじ）は，リーダーシップを 11. **目標達成機能**（P）と 12. **集団維持機能**（M）に分け，その強弱の組み合わせで4類型に分類した（P：performance，M：Maintenance）。

問われる傾向！ 過去問アレンジでポイント強化

●PM理論の４類型について

＊PM理論とは，13. 三隅二不二 が提唱したリーダーシップに関する理論である。

＊リーダーシップを，集団の責任に関するM機能と，目標設定に関するP機能の２つの視点から捉えている。

＊P機能とM機能の 14. 組み合わせ により，リーダーシップを４類型に分類した（PM，pm，Pm，pM）。

＊PM型リーダーシップを発揮する教師のもとでは，児童生徒の 15. 学習意欲 が最も高くなる。

P：目標達成 ＼ M：集団維持	（低）	（高）
（高）	**Pm** 16. 成果 はあげるが人望がなく集団をまとめる力が弱い	**PM** 成果をあげられ，集団をまとめる力もある
（低）	**pm** 成果をあげる力も，集団をまとめる力も弱い	**pM** 17. 人望 はあるが，成果をあげる力が弱い

●学級集団の特徴を考えると，まず，クラスは意図的に構成されたものであるから 18. フォーマル ・グループといえる。また，クラスの成員は全て毎日教室で顔を合わせるので，これは 19. 第一次 集団である。成員間の対人的意識は，学級集団の発展にともなって，ゲマインシャフトから 20. ゲゼルシャフト へ，サイキグループから 21. ソシオグループ へと変化していく。

●ソシオグラムで表した学級の仲間関係

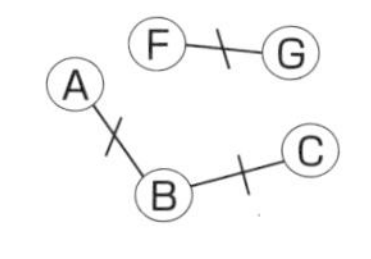

＊好ましくない人間関係が含まれており，学級としての 22. まとまり に欠け，崩壊しやすい構造である。

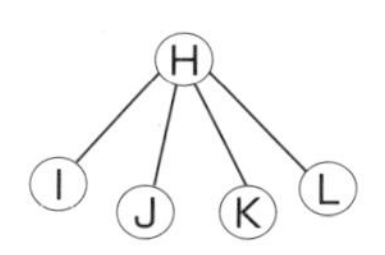

＊Hはリーダー的存在として役割が明確であるが，Hの信頼がなくなると 23. 一気 に関係性が崩壊する恐れがあると考えられる。

―― 友好的関係
―/― 排斥・反目関係

•second try•	•first try•
年　月　日（　）	年　月　日（　）
：　～　：	：　～　：
（　）	（　）
am・pm　℃	am・pm　℃
1.	1.
2.	2.
3.	3.
4.	4.
5.	5.
6.	6.
7.	7.
8.	8.
9.	9.
10.	10.
11.	11.
12.	12.
13.	13.
14.	14.
15.	15.
16.	16.
17.	17.
18.	18.
19.	19.
20.	20.
21.	21.
22.	22.
23.	23.
24.	24.
25.	25.

プラスチェック！

□第一次集団…密接な関係，強い連帯感・一体感
　第二次集団…目的等で意図的に構成
□フォーマル・グループ…社会組織に人為的に構成
　インフォーマル・グループ…自然発生的にできる
□ゲマインシャフト…共同体組織
　ゲゼルシャフト…機能体組織

＊このページで覚えた知識を教師になってどう活かしたい？

＊あ！あれ何だっけ？　確認メモ！

chapter 42 [教育心理]

なぜ評価をするのか?

現在学校の通知表等では絶対評価が一般的。教育評価は，教師の指導と児童生徒たちの学習活動の改善を目指すことが目的といえる。各評価基準の考え方について把握しておこう。

教育評価, 評価の阻害要因－①

❶ 教育評価

【ブルームによる教育評価の３分類】 ……**完全習得学習（マスタリー・ラーニング）**で活用

1. 診断 的評価（学習指導前）	3. 形成 的評価（学習指導途中）	5. 総括 的評価（単元終了，学期末等）
学習指導前に行われる 2. レディネス 把握のための評価。効率的（学習指導前）な学習指導計画立案のため，学習者の知能・性格・適性・体力・健康・学力等の特性診断・把握が目的。	学習指導の途中に行われる評価。学習進行状況や学習者の理解（学習指導途中）度を点検する目的で行われる。 4. 指導計画 や指導法を検討する資料として活用。ブルームが最も重視した。	単元の終わりや学期末・学年末などにおいて，学習成果を判定するための評価。

【評価規準（成長の姿）と評価基準（習得状況指標）の関係】

➤「評価規準」は，評価観点から示された子供につけたい力について，より具体的な子供の成長の姿として文章で表記したもの。

➤「評価基準＝ 6. 判断基準 」は，評価規準で示したつけたい力をどの程度まで習得しているかについて，あらかじめより具体的に示したもの。

➤文部科学省は用語「判断基準」を公式に用いている。

【評価基準による分類】

7. 相対 評価	評価基準は 8. 集団 が決定する。学習者が所属する集団内における位置づけによる評価。集団内基準，結果の基準。 ＊長所／客観的で 9. 信頼性 が高い。 ＊短所／教育目標の達成度・努力・意欲は評価しにくい。学習者の 10. 学習到達 の度合いがわかりにくい。小集団の場合には正規分布が期待しにくい。
11. 絶対 評価 （ 12. 到達度 評価）	評価基準が学習者の集団ではなく，指導目標に照らし到達度をある基準において評価する。集団外基準，期待の基準。 ＊長所／学習者の到達度がわかりやすい。個に応じた指導計画を立てやすい。 ＊短所／教師が評価基準を設定するのが相当困難。評価が 13. 主観的 になりがち。
14. 個人内 評価	評価基準が評価対象者の個人内で決定され，学習者の学習以前の状態と比較する評価。 ＊長所／学習者の進捗状況，学習状況がわかりやすい。学習者の意欲や努力の評価が可能。 ＊短所／評価基準の設定が難しい。独善的な評価に陥りやすい。
15. ポートフォリオ 評価	個人内評価の一手法。学習者が特定の目的に沿って学習し，その学習過程や学習シート，ワークシート，レポートなど様々な資料を用いて学習効果について評価する。 16. 数値化 が困難な質的側面の評価方法として有効である。

問われる傾向！ 過去問アレンジでポイント強化

●［17. 5段階相対］評価に対しては，どんなに指導しようとも「1」や「2」をつける子供が存在することや，排他的な競争が常態化するという批判がある。

●［18. 個人内］評価とは，心身の特性の個人差を他人との比較ではなく，個人としてその特徴を捉えるものであり，例えば時間経過を追って個人のある特性についての進歩の状況，発達変容を明らかにする方法などがある。

●学習指導場面で実際の指導に先立って，前提となる既習事項の理解や技能の定着など，児童生徒の現況や実態を確かめ，最適な指導方法等を準備するために行われる評価を［19. 診断的］評価という。

●［20. ルーブリック］とは，学習者のパフォーマンスの質を評価するために用いられる評価基準のことで，成功の度合いを示す数レベル程度の尺度と，それぞれのレベルに対応するパフォーマンスの特徴を記した記述語からなる。

●［21. 形成的］評価とは，授業中・授業後・小単元終了時など，ある単元の授業を進める過程で途中の学習状況を教師及び学習者に［22. フィードバック］し，学習者の学力形成に利用する目的で行う評価である。

●資質・能力のバランスのとれた学習評価を行っていくためには，指導と評価の一体化を図る中で，論述やレポートの作成，発表，グループでの話し合いといった多様な活動に取り組ませる［23. パフォーマンス］評価などを取り入れ，ペーパーテストの結果にとどまらない，多面的・多角的な評価を行っていくことが必要である。

さらには，総括的な評価のみならず，学習の過程における形成的な評価を行い，子供たちの資質・能力がどのように伸びているかを，日々の記録や［24. ポートフォリオ］などを通じるなどして，子供たち自身が把握できるようにしていくことも考えられる。

second try	first try
年 月 日( )	年 月 日( )
: ～ :	: ～ :
( )	( )
am・pm ℃	am・pm ℃
1.	1.
2.	2.
3.	3.
4.	4.
5.	5.
6.	6.
7.	7.
8.	8.
9.	9.
10.	10.
11.	11.
12.	12.
13.	13.
14.	14.
15.	15.
16.	16.
17.	17.
18.	18.
19.	19.
20.	20.
21.	21.
22.	22.
23.	23.
24.	24.
25.	25.

プラスチェック！

[学習と指導の改善に必要な教育評価]

- □目標の到達度や学習の進捗状況の診断。
- □教師が指導法の改善に役立てる。
- □児童生徒が自らの学習活動の適否を反省し，学習法の改善に役立てる。
- □教師による学級編制やグループ分けに役立てる。

＊このページで覚えた知識を教師になってどう活かしたい？

＊あ！あれ何だっけ？ 確認メモ！

chapter 43 ［教育心理］

評価を正しく行うために注意すべき要因は？

思い込みや先入観などは，人が人を評価する際に誤ってしまう要因になる。適切な評価をするためには，こうした阻害要因の特質を認識・注意した上で行うことが大切である。

教育評価，評価の阻害要因－②

【学力テストの表示法】

EQ（1. 教育指数）	ビネー式の知能指数と同様の考えで算出されるもの。 $EQ = \frac{教育年齢（EA）}{生活年齢（CA）} \times 100$ 100 以下…年齢に比べ学力が低い 100　　…平均 100 以上…年齢に比べ学力が高い
SS（2. 学力偏差値）	標準学力テストの一般的な表示法。50 が平均。 $SS = \frac{10（X-M）}{SD} + 50$ X …個人の得点 M …集団の平均点 SD…集団の標準偏差

❷ 評価の阻害要因

【要因の種類】

3. ハロー効果	後光効果・光背効果ともいう。ある一つのよい（悪い）印象を持つと，他の面までよい（悪い）と思い込む現象。ソーンダイクが実証実験。㋓字を綺麗に書ける学習者は成績もいい。
4. ピグマリオン効果	5. 教師期待 効果ともいう。教師が成績が上がることを期待した学習者の成績が実際に向上する現象。ローゼンタールらが報告。逆に，教師が期待しないことで成績が下がる現象を 6. ゴーレム 効果という。㋓今度の期末考査，期待しているから。
7. 寛大（寛容）化	自分がよく知る他者を評価する際，好ましい特性が強調され，好ましくない特性は寛大に評価されやすい現象。㋓担任しているクラスの教科の評価が，他のクラスよりもよくなる。
8. 中心化傾向	評価者が「非常によい」「非常に悪い」と評価するのをためらい，どちらにも偏らない 9. 平均的 な評価を行いやすい現象。㋓5 段階評定で 1 や 5 を避け 3 を多くしてしまう。
10. 論理錯誤	論理的に関係がありそうだと判断した要素から推論して他の要素も評価をしてしまう現象。㋓遅刻が多い子供は何事にもルーズである。
11. 逆算化傾向	学習者の全体的な印象等で先に総合評価をし，後からその評価に 12. 合致 するように評価をしてしまう現象。㋓テストの点数から評定してしまい，その後から観点別評価をする。
13. 対比効果	絶対基準ではなく，評価者が自分か誰かを基準にして学習者を評価してしまう現象。㋓自分が几帳面だと他者がそのレベルでないと「がさつ」と評価する。
14. 期末誤差	評価する 15. 直近 の出来事の印象が強く，それが影響してしまう現象。㋓ずっとリードしてきた人の発言より，最終段階でそれまで発言しなかった人の発言が高評価となる。

問われる傾向！

過去問アレンジでポイント強化

●教師が児童生徒を評価する場合，成績の良い児童生徒は性格面や行動面でも肯定的に評価されがちであるのに対し，成績の悪い児童生徒はあらゆる面において問題があるかのように評価されがちになる。このように，他者がある側面で望ましい（または望ましくない）特徴を有していると，その評価を当該人物に対する全体的評価にまで広げてしまう傾向は，16. ハロー効果 と呼ばれる。

●他人から期待をもって関わられることで，学業やスポーツの成績などが向上することは，17. ピグマリオン効果 について表している。

●自分が若いときはこのくらいで当たり前だったなど，自分自身と比べて評価することは，18. 対比誤差 について表している。

●本来2つの特性はお互いに関連性はないが，個人の過去の経験によって2つの特性を結びつけて評価する傾向を，19. 論理的誤差 という。

●授業の前提となる基礎学力の確認や，学習困難の発見とその原因を見極めるためには 20. 診断的評価 を行うとよい。

● 21. 形成的評価 は，学習活動の途中で，児童生徒がどこまで学習の目標を達成し，どの点で不十分であったり誤っていたりしているかを示して，学習の向上を図る目的で実施される。

●ブルームによる評価類系のうち，単元終了時や学期末等，比較的長期間の学習成果や目標達成状況を明らかにする教育評価は 22. 総括的評価 である。

● 23. ポートフォリオ評価 は，自己の思考を追跡し評価して改善するメタ認知的反省力を育てるうえで効果的であるといわれる。「24. 総合的な学習の時間」における学習評価技法としても注目されている。

•second try•

年 月 日( )

: ～ :

am・pm ℃

1.
2.
3.
4.
5.
6.
7.
8.
9.
10.
11.
12.
13.
14.
15.
16.
17.
18.
19.
20.
21.
22.
23.
24.
25.

•first try•

年 月 日( )

: ～ :

am・pm ℃

1.
2.
3.
4.
5.
6.
7.
8.
9.
10.
11.
12.
13.
14.
15.
16.
17.
18.
19.
20.
21.
22.
23.
24.
25.

プラスチェック！

□学力試験の問題があまりに容易な場合に，多くの人が満点を取ってしまい，学力が優れているものを識別できなくなる現象を天井効果という。

□学習者が教育を受け，各自の持っている能力に相応しい学力が獲得できているかの成就度を測るための指標を成就指数（AQ）という。

＊このページで覚えた知識を教師になってどう活かしたい？

＊あ！あれ何だっけ？　確認メモ！

chapter 44 ［人権尊重の教育］

同和問題は日本社会の人権問題

同和問題の歴史的過程を正しく理解しよう。学校においては教育活動全体を通し，児童生徒の発達段階に応じた人権教育・教職員の研修等が必要とされる。

同和問題

【同和問題関連史】

(年)	
1591	豊臣秀吉，身分統制令発令
1649	慶安の御触書
1856	1. 渋染一揆，岡山藩内53の被差別部落民が蜂起
1871	身分 2. 解放令 (**太政官布告**第448号)
1872	3. 壬申戸籍 編製
1906	島崎藤村『4. 破戒』出版
1914	帝国公道会，大江卓らが創立
1918	米騒動
1919	第1回同胞融和大会開催，帝国公道会が主催
1922	5. 全国水平社 創立(京都岡崎公会堂)
1923	中央融和事業協会，民間融和団体を統合し結成
1945	敗戦。GHQによる同和地区への特別行政施策禁止
1946	部落解放全国委員会結成。日本国憲法公布
1951	6. オール・ロマンス 事件
1955	部落解放全国委員会を 7. 部落解放同盟 と改称
1958	内閣に同和問題閣僚懇談会を設置
1960	全日本同和会結成。第35回臨時国会同和対策審議会設置法可決
1965	8. 同和対策審議会 答申
1968	法務省，壬申戸籍の閲覧禁止通達
1969	同和対策事業特別措置法 ←10年間の時限立法，後3年間延長
1975	『9. 地名総鑑』事件
1982	地域改善対策特別措置法 ←5年間の時限立法
1984	地域改善対策協議会，意見答申
1987	地域改善対策特定事業に係る国の財政上の特別措置に関する法律 ↑5年間の時限立法だったが，5年間延長。さらに5年間延長し2002年まで
1994	「10. 人権教育のための国連10年」を決議
1996	人権擁護施策推進法 ←5年間の時限立法
1997	「人権教育のための国連10年」に関する国内行動計画
2000	人権教育及び人権啓発の推進に関する法律
2002	「人権教育・啓発に関する基本計画」策定
2016	部落差別の解消の推進に関する法律

＊左記穴うめ箇所の抜粋解説

2. 江戸時代から続く封建的な身分上の差別を解消し蔑称を廃止。しかし現実には差別と貧困は変わらなく続いた。

3. わが国最初の近代的・全国的な戸籍。身分差別が残存し戦後大きく問題となった。

5. 部落解放運動の全国組織。太平洋戦争下に消滅したが，第二次大戦後，部落解放全国委員会として復活。西光万吉が起草した全国水平社の結成大会宣言文は日本最初の人権宣言といわれる。

［水平運動］戦前全国水平社を中心とする被差別者の自主的な身分差別解放運動。社会改造を目指す無産階級運動の一つとなった。太平洋戦争前，弾圧が強まり運動は停滞。

6. カストリ誌「オール・ロマンス」に同和地区の切実な生活面を描いた小説を掲載。部落解放全国委員会京都府連が内容状況を放置していた行政責任を追及。

7. 部落解放全国委員会を引き継いで発足。1957年には自民党，社会党，民社党などに呼びかけ同和対策審議会の設立を達成。

9. 全国の被差別部落の新旧の地名を記述した地名総鑑が作成・販売された。差別問題を商売にした人権を侵害した事件。

問われる傾向！ 過去問アレンジでポイント強化

●同和対策審議会答申（1965年）

いわゆる同和問題とは，日本社会の 11.歴史的発展 の過程において形成された身分階層構造に基づく差別により，日本国民の一部の集団が経済的・社会的・文化的に低位の状態におかれ，現代社会においても，なおいちじるしく 12.基本的人権 を侵害され，とくに，近代社会の原理として何人にも保障されている 13.市民的権利 と自由を完全に保障されていないという，もっとも深刻にして重大な社会問題である。（略）この「未解放部落」または「同和関係地区」（以下単に「同和地区」という。）の起源や沿革については，人種的起源説，宗教的起源説，職業的起源説，政治的起源説などの諸説がある。しかし，本審議会は，これら同和地区の起源を学問的に究明することを任務とするものではない。ただ，世人の偏見を打破するためにはっきり断言しておかなければならないのは，同和地区の住民は異人種でも異民族でもなく，疑いもなく 14.日本民族， 15.日本国民 である，ということである。すなわち，同和問題は， 16.日本民族， 17.日本国民 のなかの身分的差別をうける少数集団の問題である。同和地区は，中世末期ないしは近世初期において，封建社会の政治的，経済的，社会的諸条件に規制せられ，一定地域に定着して居住することにより形成された集落である。（略）

実に部落差別は，半封建的な身分的差別であり，わが国の社会に潜在的または顕在的に厳存し，多種多様の形態で発現する。それを分類すれば， 18.心理的差別 と 19.実態的差別 とにこれを分けることができる。 20.心理的差別 とは，人々の観念や意識のうちに潜在する差別であるが，それは言語や文字や行為を媒介として顕在化する。たとえば，言葉や文字で封建的身分の賎称をあらわして侮蔑する差別，非合理な偏見や嫌悪の感情によって交際を拒み，婚約を破棄するなどの行動にあらわれる差別である。 21.実態的差別 とは，同和地区住民の生活実態に具現されている差別のことである。たとえば，就職・教育の 22.機会均等 が実質的に保障されず政治に参与する権利が選挙などの機会に阻害され，一般行政諸施設がその対象から疎外されるなどの差別であり，このような劣悪な生活環境，特殊で低位の職業構成，平均値の数倍にのぼる高率の生活保護率，きわだって低い教育文化水準など同和地区の特徴として指摘される諸現象は，すべて差別の具象化であるとする見方である。（略）

•second try•

年　月　日(　)

：　～　：

am・pm　℃

1.
2.
3.
4.
5.
6.
7.
8.
9.
10.
11.
12.
13.
14.
15.
16.
17.
18.
19.
20.
21.
22.
23.
24.
25.

•first try•

年　月　日(　)

：　～　：

am・pm　℃

1.
2.
3.
4.
5.
6.
7.
8.
9.
10.
11.
12.
13.
14.
15.
16.
17.
18.
19.
20.
21.
22.
23.
24.
25.

＋プラスチェック！

［差別解消に関する３法（2016年公布・施行）］

□「障害を理由とする差別の解消の推進に関する法律（障害者差別解消法）」「本邦外出身者に対する不当な差別的言動の解消に向けた取組の推進に関する法律（ヘイトスピーチ解消法）」「部落差別の解消の推進に関する法律（部落差別解消推進法）」

＊このページで覚えた知識を教師になってどう活かしたい？

＊あ！あれ何だっけ？　確認メモ！

今日の人権課題にはどのようなものがあるか

今後の社会における様々な人権課題解決に向け，実践的な態度を培っていくことが望まれる。児童生徒の人権意識をどう育てればよいか？　自身の研鑽方法と併せて考えてみよう。

人権教育の基本理念と人権課題

今日の人権課題には，女性，子供，高齢者，先住民，外国人に対するヘイトスピーチ・住宅賃貸拒否・入店拒否・就労差別，HIV感染者・ハンセン病患者等，犯罪被害者やその家族，インターネットによる人権侵害，北朝鮮による拉致問題，災害に伴う人権侵害，ハラスメント，性的マイノリティ〔LGBT（Lesbian, Gay, Bisexual, Transgender）等〕，路上生活者，といった様々な課題がある。

【人権とは（人権擁護推進審議会答申（1999年）の定義）**】**

人々が生存と自由を確保し，それぞれの幸福を追求する権利

【人権教育を通じて育てたい資質・能力】 …文科省「人権教育の指導方法等の在り方について［第三次とりまとめ］」（2008年）より

➤人権教育　……人権に関する 1. 知的理解 と 2. 人権感覚 の涵養を基盤として，意識，態度，実践的な行動力など様々な資質や能力を育成し，発展させることを目指す総合的な教育をいう。

➤人権感覚　……人権の価値やその重要性にかんがみ，人権が擁護され，実現されている状態を感知して，これを 3. 望ましい ものと感じ，反対に，これが 4. 侵害 されている状態を感知して，それを許せないとするような，価値志向的な感覚をいう。

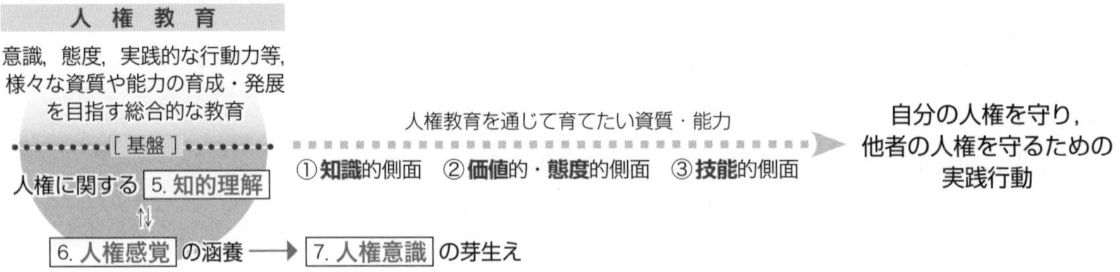

人 権 教 育

意識，態度，実践的な行動力等，様々な資質や能力の育成・発展を目指す総合的な教育

［基盤］

人権に関する 5. 知的理解

⇅

6. 人権感覚 の涵養 ⟶ 7. 人権意識 の芽生え

人権教育を通じて育てたい資質・能力

①**知識**的側面　②**価値**的・**態度**的側面　③**技能**的側面

⟶ 自分の人権を守り，他者の人権を守るための実践行動

➤児童生徒の人権感覚の育成には，体系的に整備された正規の教育課程と並び「 8. 隠れたカリキュラム 」が重要といわれる。教育する側が意図するしないに関わらず，学校生活の中で児童生徒自らが学びとっていくすべての事柄を指す。教職員が一体となった組織づくり，場の雰囲気づくりが重要である。

【国際社会の動向】 …上記文科省［第三次とりまとめ］策定以降の補足資料（2022年）より

➤2015年には，国連サミットで「持続可能な開発のための**2030**アジェンダ」が採択されている。これは，「 9. 誰一人取り残さない 」持続可能で**多様性と包摂性**のある社会の実現を目指すものである。

➤本文では「我々は，人権，人の尊厳，法の支配，正義，平等及び差別のないことに対して 10. 普遍的 な尊重がなされる世界を思い描く」，「我々は， 11. 世界人権宣言 及びその他人権に関する国際文書並びに国際法の重要性を確認する」など，人権に関する様々な内容が盛り込まれている。

問われる傾向！

過去問アレンジでポイント強化

●人権教育における指導方法の基本原理

…文科省「人権教育の指導方法等の在り方について［第三次とりまとめ］」（抜粋）

＊自分の人権を守り，他者の人権を守ろうとする意識・意欲・態度を促進するためには，人権に関する 12.知的理解 を深めるとともに， 13.人権感覚 を育成することが必要である。

＊知的理解を深めるための指導を行う際にも，人権についての知識を単に一方的に教え込んだり，個々に学習させたりするだけでは十分でなく，児童生徒ができるだけ 14.主体的 に，他の児童生徒とも協力し合うような方法で学習に取り組めるよう工夫することが求められる。

＊人権感覚を育成する基礎となる 15.価値的・態度的側面 や技能的側面の資質・能力に関しては，なおさらのこと，言葉で説明して教えるというような指導方法で育てることは到底できない。

＊例えば，自分の人権を大切にし，他の人の人権も同じように大切にする，人権を弁護したり，自分とちがう考えや行動様式に対しても寛容であったり，それを尊重するといった価値・態度や，コミュニケーション技能， 16.批判的 な思考技能などのような技能は，ことばで教えることができるものではなく，児童生徒が自らの経験を通してはじめて学習できるものである。つまり，児童生徒が自ら主体的に，しかも学級の他の児童生徒たちとともに学習活動に参加し，協力的に活動し，体験することを通してはじめて身に付くといえる。 17.民主的な価値 ，尊敬及び寛容の精神などは，それらの価値自体を尊重し，その促進を図ろうとする学習環境の中で，またその学習過程を通じて，はじめて有効に学習されるのである。

＊したがって，このような能力や資質を育成するためには，児童生徒が自分で「 18.感じ ， 19.考え ， 20.行動する 」こと，つまり，自分自身の心と頭脳と体を使って，主体的，実践的に学習に取り組むことが不可欠なのである。

＊このように見たとき，人権教育の指導方法の基本原理として，児童生徒の「 21.協力 」，「 22.参加 」，「 23.体験 」を中核に置くことの意義が理解される。

•second try•	•first try•
年　月　日(　)	年　月　日(　)
：　～　：	：　～　：
(　　)	(　　)
am・pm　℃	am・pm　℃
1.	1.
2.	2.
3.	3.
4.	4.
5.	5.
6.	6.
7.	7.
8.	8.
9.	9.
10.	10.
11.	11.
12.	12.
13.	13.
14.	14.
15.	15.
16.	16.
17.	17.
18.	18.
19.	19.
20.	20.
21.	21.
22.	22.
23.	23.
24.	24.
25.	25.

プラスチェック！

［性同一性障害，性的マイノリティへの支援］

□いかなる理由でもいじめや差別を許さない人権教育。
□まずは不安や悩みを聴く姿勢を示す。
□指導生徒が秘匿しておきたい場合への留意。
□教師自身心ない言動や一方的な否定・揶揄をしない。
□教職員間の情報共有に関し保護者への理解働きかけ。

＊このページで覚えた知識を教師になってどう活かしたい？

＊あ！あれ何だっけ？　確認メモ！

chapter 46 ［人権尊重の教育］

一人一人の教育的ニーズに応える指導とは？

特別支援教育は，共生社会の形成に向けてインクルーシブ教育システム構築のためにも必要不可欠である。個別の教育的ニーズ，交流及び共同学習，合理的配慮等について理解しよう。

特別支援教育－①

【特別支援教育の理念】 …文科省通知「特別支援教育の推進について」(2007)（抜粋）

特別支援教育は，障害のある幼児児童生徒の自立や社会参加に向けた主体的な取組を支援するという視点に立ち，幼児児童生徒一人一人の教育的ニーズを把握し，その持てる力を高め，生活や学習上の［1. 困難］を改善又は克服するため，適切な指導及び必要な支援を行うものである。

【特別支援教育のおもなあゆみ】

(年)	
1871	山尾庸三が盲学校・聾学校の設立の具体策を上申　←障害児教育の最初の提唱
1890	改正小学校令により，盲唖教育が法的に認められる
1932	東京市立光明学校が設立　←最初の肢体不自由学校
1940	大阪市立思斉学校が設立　←最初の精神薄弱学校
1947	教育基本法，学校教育法制定　←都道府県に盲学校，聾学校及び養護学校の設立･就学の義務
1979	特殊教育諸学校の義務制施行　←精神薄弱児，肢体不自由児，病弱児の養護学校の義務化

※　精神薄弱者(児)は1998年，「知的障害者(児)」に改められた。

1994	サラマンカ宣言　←〝教育は障害児を含むすべての子供たちの基本的権利である〟
1996	人権擁護施策推進法が制定
2004	障害者基本法改正 (旧心身障害者対策基本法)
2005	［2. 発達障害者支援法］施行
2006	［3. 障害者自立支援法］施行。　←2013年，障害者総合支援法に改正
2007	盲・聾・養護学校から「［4. 特別支援学校］」へ。「障害者の権利に関する条約」に政府が署名
2016	「障害者差別解消法」施行　←2021年改正，2024年4月から事業者による合理的配慮の提供義務化

【特別支援学校】 …対象となる障害（学校教育法施行令 第22の３より）

特別支援学校は，対象児童生徒に対し，各校種に準ずる教育を施すとともに，障害による学習上または生活上の［5. 困難］を克服し，［6. 自立］を図るために必要な［7. 知識技能］を授けることを目的としている。

8. 視覚障害者	9. 聴覚障害者	10. 知的障害者	11. 肢体不自由者	12. 病弱者
両眼の視力がおおむね0.3未満のもの又は視力以外の視機能障害が高度のもののうち，拡大鏡等の使用によっても通常の文字，図形等の視覚による認識が不可能又は著しく困難な程度のもの	両耳の聴力レベルがおおむね60デシベル以上のもののうち，補聴器等の使用によっても通常の話声を解することが不可能又は著しく困難な程度のもの	1　知的発達の遅滞があり，他人との意思疎通が困難で日常生活を営むのに頻繁に援助を必要とする程度のもの 2　知的発達の遅滞の程度が前号に掲げる程度に達しないもののうち，社会生活への適応が著しく困難なもの	1　肢体不自由の状態が補装具の使用によっても歩行，筆記等日常生活における基本的な動作が不可能又は困難な程度のもの 2　肢体不自由の状態が前号に掲げる程度に達しないもののうち，常時の医学的観察指導を必要とする程度のもの	1　慢性の呼吸器疾患，腎臓疾患及び神経疾患，悪性新生物その他の疾患の状態が継続して医療又は生活規制を必要とする程度のもの 2　身体虚弱の状態が継続して生活規制を必要とする程度のもの

過去問アレンジでポイント強化

●学校教育法 第72条

13. 特別支援学校 は，視覚障害者，聴覚障害者，知的障害者，肢体不自由者又は病弱者（身体虚弱者を含む）に対して，幼稚園，小学校，中学校又は高等学校に準ずる教育を施すとともに，障害による学習上又は生活上の困難を克服し自立を図るために必要な知識技能を授けることを目的とする。

●学校教育法 第74条 …特別支援学校のセンター的機能

特別支援学校においては，第72条に規定する目的を実現するための教育を行うほか，幼稚園，小学校，中学校，義務教育学校，高等学校又は中等教育学校の 14. 要請 に応じて，第81条第１項に規定する幼児，児童又は生徒の教育に関し必要な 15. 助言 又は 16. 援助 を行うよう努めるものとする。

●交流及び共同学習の意義・目的 …文科省「交流及び共同学習ガイド」（2019改訂）（抜粋）

我が国は，障害の有無にかかわらず，誰もが相互に人格と個性を尊重し合える 17. 共生社会 の実現を目指しています。幼稚園，小学校，中学校，義務教育学校，高等学校，中等教育学校及び特別支援学校等が行う，障害のある子供と障害のない子供，あるいは地域の障害のある人とが触れ合い，共に活動する交流及び共同学習は，障害のある子供にとっても，障害のない子供にとっても， 18. 経験 を深め，社会性を養い，豊かな人間性を育むとともに，お互いを尊重し合う大切さを学ぶ機会となるなど，大きな意義を有するものです。

また，このような交流及び共同学習は，学校卒業後においても，障害のある子供にとっては，様々な人々と共に助け合って生きていく力となり，積極的な 19. 社会参加 につながるとともに，障害のない子供にとっては，障害のある人に自然に言葉をかけて手助けをしたり，積極的に支援を行ったりする行動や，人々の多様な 20. 在り方 を理解し，障害のある人と共に支え合う 21. 意識 の醸成につながると考えます。（略）交流及び共同学習は，相互の触れ合いを通じて豊かな人間性を育むことを目的とする 22. 交流 の側面と， 23. 教科 等のねらいの達成を目的とする 24. 共同学習 の側面があり，この二つの側面を分かちがたいものとして捉え，推進していく必要があります。（略）

•second try•	•first try•
年 月 日( )	年 月 日( )
: 〜 :	: 〜 :
( )	( )
am · pm ℃	am · pm ℃
1.	1.
2.	2.
3.	3.
4.	4.
5.	5.
6.	6.
7.	7.
8.	8.
9.	9.
10.	10.
11.	11.
12.	12.
13.	13.
14.	14.
15.	15.
16.	16.
17.	17.
18.	18.
19.	19.
20.	20.
21.	21.
22.	22.
23.	23.
24.	24.
25.	25.

プラスチェック！

［合理的配慮］…障害者の権利に関する条約 第２条

□障害者が他の者と平等にすべての人権及び基本的自由を享有し，又は行使することを確保するための必要かつ適当な変更及び調整であって，特定の場合において必要とされるものであり，かつ，均衡を失した又は過度の負担を課さないものをいう。

＊このページで覚えた知識を教師になってどう活かしたい？

＊あ！あれ何だっけ？ 確認メモ！

chapter 47 ［人権尊重の教育］

教育はすべての子供たちの基本的人権

学級においては多様性に留意し，例えばただ単に落ち着きのない子供とは捉えず，特別支援的なアプローチも考慮することが必要である。教師としてどのような対応が考えられる？

特別支援教育－②

【特別支援学級】

小学校，中学校，高等学校等において，対象児童生徒に対し，障害による学習上または生活上の困難を克服するために設置される［1. 学級］。

【通級による指導】

➤小学校，中学校，高等学校等において，［2. 通常］の学級に在籍し，通常の学級での学習におおむね参加でき，一部特別な指導を必要とする児童生徒に対して，障害に応じた特別の指導を行う指導形態。

➤特別の教育課程としてのその授業に加えて，または一部の授業に替える形で，障害による学習面や生活面の困難を克服するための指導（［3. 通級指導］）を受けることができる。

➤在籍校で受ける場合と他校で受ける場合がある。

➤担当している児童生徒を丁寧に見て，指導や支援を工夫することは通常学級と同様である。

＊障害による学習面や生活面における困難の改善・克服に向けた指導が基本。

＊一人一人の状況や［4. 願い］に応じた指導を心がける。

＊子供の［5. 自信］や［6. 意欲］につながる指導を心がける。

＊困ったら相談し，管理職や［7. 特別支援教育コーディネーター］ほかチームとして協力する。

【インクルーシブ教育システムの構築】 …文科省「障害のある子供の教育支援の手引」（2021）（抜粋）

➤インクルーシブ教育システムの構築のためには，障害のある子供と障害のない子供が，可能な限り同じ場で共に学ぶことを目指すべきであり，その際には，それぞれの子供が，授業内容を理解し，学習活動に参加している［8. 実感・達成感］をもちながら，充実した時間を過ごしつつ，［9. 生きる力］を身に付けていけるかどうかという最も本質的な視点に立つことが重要である。

➤そのための環境整備として，子供一人一人の［10. 自立と社会参加］を見据えて，その時点での教育的ニーズに最も的確に応える指導を提供できる，多様で柔軟な仕組みを整備することが重要である。このため，小中学校等における通常の学級，通級による指導，特別支援学級や，特別支援学校といった，［11. 連続性］のある「多様な学びの場」を用意していくことが必要である。

➤教育的ニーズを整理するには，三つの観点（①障害の状態等，②特別な指導内容，③教育上の［12. 合理的配慮］を含む必要な支援の内容）を踏まえることが大切である。

➤本人及び保護者の意見，教育学，医学，心理学等専門的見地からの意見，学校や地域の状況等を踏まえた総合的な観点から，就学先の学校や［13. 学びの場］を判断することが必要である。

問われる傾向！ 過去問アレンジでポイント強化

●学校教育法 第81条 …特別支援学級の法的根拠

① 幼稚園，小学校，中学校，義務教育学校，高等学校及び中等教育学校においては，次項各号のいずれかに該当する幼児，児童及び生徒その他教育上特別の支援を必要とする幼児，児童及び生徒に対し，文部科学大臣の定めるところにより，障害による 14. 学習上又は生活上 の困難を克服するための教育を行うものとする。

② 小学校，中学校，義務教育学校，高等学校及び中等教育学校には，次の各号のいずれかに該当する児童及び生徒のために，15. 特別支援学級 を置くことができる。

一 16. 知的障害者　二 17. 肢体不自由者
三 18. 身体虚弱者　四 弱視者　五 難聴者
六 その他障害のある者で，特別支援学級において教育を行うことが適当なもの

③ 前項に規定する学校においては，疾病により療養中の児童及び生徒に対して，特別支援学級を設け，又は教員を 19. 派遣 して，教育を行うことができる。

●学校教育法施行規則 第140条 … 20. 通級指導 の法的根拠

小学校，中学校，義務教育学校，高等学校又は中等教育学校において，次の各号のいずれかに該当する児童又は生徒（特別支援学級の児童及び生徒を除く）のうち当該障害に応じた特別の指導を行う必要があるものを教育する場合には，文部科学大臣が別に定めるところにより，(略) 特別の教育課程によることができる。

一 21. 言語障害者　二 22. 自閉症者
三 23. 情緒障害者　四 弱視者　五 難聴者
六 24. 学習障害者　七 25. 注意欠陥多動性障害者
八 その他障害のある者で，この条の規定により特別の教育課程による教育を行うことが適当なもの

•second try•	•first try•
年 月 日( )	年 月 日( )
: 〜 :	: 〜 :
( )	( )
am · pm ℃	am · pm ℃
1.	1.
2.	2.
3.	3.
4.	4.
5.	5.
6.	6.
7.	7.
8.	8.
9.	9.
10.	10.
11.	11.
12.	12.
13.	13.
14.	14.
15.	15.
16.	16.
17.	17.
18.	18.
19.	19.
20.	20.
21.	21.
22.	22.
23.	23.
24.	24.
25.	25.

プラスチェック！

［ギフテッド教育］

□学校においては，特異な才能のある児童生徒も含め，個別最適な学びを通じて個々の資質・能力を育成するとともに，協働的な学びという視点も重視し，児童生徒同士がお互いの違いを認め合い，学び合いながら相乗効果を生み出す教育が重要である。

＊このページで覚えた知識を教師になってどう活かしたい？

＊あ！あれ何だっけ？　確認メモ！

chapter 48 [人権尊重の教育]

虐待が疑われたら，すみやかに通告

虐待は深刻な問題だ。未然防止の取組をはじめ，被害児童生徒の自立を支援することまでが対応の目的となる。児童虐待のサインについても確認しておこう。

児童虐待

児童の親権を行う者は，児童のしつけに際して児童の人格を尊重し，1.体罰 その他心身の健全な発達に有害な影響を及ぼす**言動**をしてはならない。また，親権者であることを理由に，児童虐待に係る暴行罪，傷害罪等の罪を免れ得ない。…児童虐待防止法 第14条（要旨）

【虐待の種類】

具体例	虐待の種類	児童虐待防止法による虐待の定義（第2条抜粋）
打撲傷，あざ（内出血），骨折，刺傷，やけど	2.身体的虐待	児童の身体に外傷が生じ，又は生じるおそれのある暴行を加えること。
性的行為，性的行為を見せる，性器を触る触らせる	3.性的虐待	児童にわいせつな行為をすること又は児童をしてわいせつな行為をさせること。
家に閉じ込める，食事を与えない，ひどく不潔にする，病院に連れて行かない	4.ネグレクト	児童の心身の正常な 5.発達 を妨げるような著しい減食又は長時間の放置，保護者以外の同居人による前２号又は次号に掲げる行為と同様の行為の放置その他の保護者としての 6.監護 を著しく怠ること。
言葉による脅し，きょうだい間での差別的扱い，ドメスティック・バイオレンス（DV）	7.心理的虐待	児童に対する著しい暴言又は著しく拒絶的な対応，児童が同居する家庭における配偶者に対する暴力（配偶者（略）の身体に対する不法な攻撃であって生命又は身体に危害を及ぼすもの及びこれに準ずる心身に有害な影響を及ぼす言動をいう）その他の児童に著しい 8.心理的外傷 を与える言動を行うこと。

【学校・教職員等の役割，責務　…児童虐待防止法における規定】

内容	区分	条文
虐待を受けたと思われる児童について福祉事務所もしくは児童相談所へ通告	9.義務	第6条
虐待の早期発見	10.努力義務	第5条①
虐待の予防・防止や，虐待を受けた子供の保護・自立支援に関し，施策への協力		第5条②
児童・保護者に対する虐待防止のための教育や啓発		第5条⑤

※　学校等及びその設置者は，11.保護者 から情報元（虐待を認知するに至った端緒や経緯）に関する開示の求めがあった場合は，情報元を 12.伝えない こととし，児童相談所等と連携しながら対応する必要がある。…文科省「児童虐待防止対策に係る学校等及びその設置者と市町村・児童相談所との連携の強化について」（2019年）より

問われる傾向！ 過去問アレンジでポイント強化

●児童虐待防止法 第３条

何人も，児童に対し，13. 虐待 をしてはならない。

●児童虐待防止法 第５条

① 学校，児童福祉施設，病院，都道府県警察，女性相談支援センター，教育委員会，配偶者暴力相談支援センターその他児童の福祉に業務上関係のある団体及び学校の 14. 教職員，児童福祉施設の職員，医師，歯科医師，保健師，助産師，看護師，弁護士，警察官，女性相談支援員その他児童の福祉に職務上関係のある者は，児童虐待を発見しやすい立場にあることを 15. 自覚 し，児童虐待の 16. 早期発見 に努めなければならない。

② 前項に規定する者は，児童虐待の予防その他の児童虐待の防止並びに児童虐待を受けた児童の保護及び 17. 自立 の支援に関する国及び地方公共団体の施策に協力するよう 18. 努め なければならない。

③ 第１項に規定する者は，正当な理由がなく，その職務に関して知り得た児童虐待を受けたと思われる児童に関する 19. 秘密 を漏らしてはならない。

④ 前項の規定その他の守秘義務に関する法律の規定は，第２項の規定による国及び地方公共団体の施策に協力するように努める義務の遵守を妨げるものと解釈してはならない。

⑤ 学校及び児童福祉施設は，児童及び保護者に対して，児童虐待の防止のための教育又は 20. 啓発 に努めなければならない。

●児童虐待防止法 第６条①

児童虐待を受けたと思われる児童を発見した者は，速やかに，これを市町村，都道府県の設置する 21. 福祉事務所 若しくは 22. 児童相談所 又は児童委員を介して市町村，都道府県の設置する福祉事務所若しくは児童相談所に 23. 通告 しなければならない。

●児童福祉法 第２条

② 児童の保護者は，児童を心身ともに健やかに育成することについて 24. 第一義的責任 を負う。

•second try•	•first try•
年　月　日(　)	年　月　日(　)
：　〜　：	：　〜　：
(　　)	(　　)
am · pm　℃	am · pm　℃
1.	1.
2.	2.
3.	3.
4.	4.
5.	5.
6.	6.
7.	7.
8.	8.
9.	9.
10.	10.
11.	11.
12.	12.
13.	13.
14.	14.
15.	15.
16.	16.
17.	17.
18.	18.
19.	19.
20.	20.
21.	21.
22.	22.
23.	23.
24.	24.
25.	25.

プラスチェック！

□学校等は，保護者が児童虐待の通告や児童相談所による一時保護や継続指導等に関して不服があり威圧的な要求や暴力の行使等が予想される場合には，市町村・児童相談所・警察等の関係機関や弁護士等の専門家と情報共有・連携して対応する必要がある。

＊このページで覚えた知識を教師になってどう活かしたい？

＊あ！あれ何だっけ？　確認メモ！

chapter 49 [学習指導要領]

戦後試案であった学習指導要領は1958年から告示に

社会の変化とともに学習指導要領は改訂されている。経緯をたどると教育課程の変遷を知ることができる。社会情勢と併せて，今求められている教育や指導について把握しよう。

学習指導要領改訂の変遷

発表	概要
1947 年発行 試案	▶教育課程は，日本国憲法，教育基本法に込められている社会文化の要求，児童・青年の生活の 2 軸で構成。 ▶従来の修身・公民・地理が消えて 1. **社会科** を新設。さらに小学校で**家庭科**（男女共修），自由研究を新設。中学校に職業科を設置。 ▶年間標準授業時数・週数の規定をしたため，あえて年間授業日数の規定をしなかった。
1951 年発行 試案	▶**自由研究**を教科以外の活動（小学校），特別教育活動（中学校）に発展解消。 ▶それまでの「教科課程」という用語が「**教育課程**」に。 ▶全教科を 4 経験領域で構成。 ①学習の基礎技能の発達（国・算）。 ②社会や自然についての問題解決経験（社・理）。 ③創造的表現活動 (音・図工・家庭)。 ④健康の保持増進（体育）。
1958 年告示 小学校 58 年 中学校 58 年 高等学校 60 年	▶ 2. **告示** することに改め，教育課程の基準として一層明確になる。 ▶ 3. **道徳の時間** を特設。情操，国民の道徳性の形成を強調。 ▶基礎学力の充実。 ▶科学技術教育の向上。 ▶読み・書き・算（3R's）の重視。 ▶新教育課程を 4 領域（各教科，道徳，特別教育活動，学校行事等）で構成（小･中学校）。
1968 年告示 小学校 68 年 中学校 69 年 高等学校 70 年	▶各教科等の授業時数を最低時数から**標準時数**に（小学校）。 ▶教育内容の**現代化**。 ▶時代の進展と児童・生徒の発達段階に即応する（能力・個性・特性）。 ▶基本的事項の重視。 ▶歴史学習に神話導入で論議が盛ん。
1977 年告示 小学校 77 年 中学校 77 年 高等学校 78 年	▶ゆとりのある，しかも充実した学校生活が送れるようにするための時間を設ける。 ▶授業時数のおもいきった削減。 ▶人間性豊かな児童・生徒の育成。
1989 年告示 小学校 89 年 中学校 89 年 高等学校 89 年	▶ 4. **心** の教育の充実。 ▶自然との触れ合いや奉仕などの体験の重視。 ▶基礎・基本の重視と個性教育の推進。 ▶ 5. **個** に応じた指導の充実。 ▶自己教育力の育成。 ▶ 6. **体験** 的学習や 7. **問題解決** 的学習の充実。 ▶文化と伝統の重視と国際理解の推進。 ▶小学校低学年で，社会科と理科を統合した 8. **生活科** を新設。
1998 年告示 小学校 98 年 中学校 98 年 高等学校 99 年	▶豊かな人間性や社会性，国際社会に生きる日本人としての自覚の育成。 ▶ 9. **ゆとり** のある教育活動の展開。 （＊「ゆとり教育」は 2002 年度から全面実施。） ▶基礎・基本の確実な定着。 ▶自ら学び，自ら考える力の育成。 ▶個性を生かす教育。 各学校が創意工夫を生かした特色のある学校づくり。 ▶ 10. **総合的な学習(探究)の時間** の新設。

2008年告示 小学校08年 中学校08年 高等学校09年	▶改正 11. 教育基本法 等を踏まえた改訂。 ▶「12. 生きる力」という理念の共有。 ▶基礎的・基本的な知識・技能の習得。 ▶思考力・判断力・表現力等の育成。 ▶確かな学力を確立するために必要な授業時数確保。 ▶学習意欲の向上や学習習慣の確立。 ▶豊かな心や健やかな体の育成のための指導の充実。 ▶小学校高学年で 13. 外国語活動 の導入。 ▶中学校の 14. 選択教科 廃止，総合的な学習の時間の縮小。 ▶授業時数の 15. 増加。脱ゆとり教育。 ▶義務教育内容の確実な定着を図る。
2015年告示 一部改正	▶道徳が「16. 特別の教科 道徳（道徳科）」に。
2017年告示 小学校17年 中学校17年	▶社会に開かれた教育課程。 ▶小学校高学年で「17. 外国語」が正式な教科に。中学年から「外国語活動」を始める。 ▶小学校の 18. プログラミング教育 を必修化。 ▶道徳の特別教科化と充実。 ▶各教科で議論や討論を中心とした「主体的・対話的で深い学び（19. アクティブ・ラーニング）」の実現に向けた授業改善。 ▶各学校での 20. カリキュラム・マネジメント 確立。 ▶伝統や文化に関する教育の充実。 ▶ 21. 言語能力 の確実な育成。 ▶理数教育の充実。
高等学校18年	▶知識の理解の質を高め資質・能力を育む「主体的・対話的で深い学び」。 ▶各学校でのカリキュラム・マネジメントの確立。 ▶教科・科目の構成を改善。〔国語科の科目再編：「現代の国語」「言語文化」「論理国語」「文学国語」「国語表現」「古典探究」，地理歴史科で「歴史総合」「地理総合」新設，公民科で「公共」新設，共通教科「理数」の新設など〕。 ▶言語能力の確実な育成。 ▶理数教育の充実。 ▶伝統や文化に関する教育の充実。 ▶道徳教育の充実。 ▶外国語教育の充実。 ▶職業教育の充実。 ▶ 22. 主権者 教育，23. 消費者 教育，24. 防災・安全 教育の充実。 ▶情報教育（25. プログラミング教育 を含む）。

second try

年　月　日(　)

：　～　：

am・pm　℃

1.
2.
3.
4.
5.
6.
7.
8.
9.
10.
11.
12.
13.
14.
15.
16.
17.
18.
19.
20.
21.
22.
23.
24.
25.

first try

年　月　日(　)

：　～　：

am・pm　℃

1.
2.
3.
4.
5.
6.
7.
8.
9.
10.
11.
12.
13.
14.
15.
16.
17.
18.
19.
20.
21.
22.
23.
24.
25.

プラスチェック！

［幼稚園教育要領の改訂経緯］

□1948年／「保育要領ー幼児教育の手引きー」幼稚園・保育所・家庭の幼児教育手引として最初の作成。

□1956年／「幼稚園教育要領」

□1964年／改訂「幼稚園教育要領」これ以降文部省（文科省）告示となり教育課程の基準として明確化。

＊このページで覚えた知識を教師になってどう活かしたい？

＊あ！あれ何だっけ？　確認メモ！

chapter 50 ［学習指導要領］

社会に開かれた教育課程の実現

「何ができるようになるか」「何を学ぶか」「どのように学ぶか」「カリキュラム・マネジメント」「主体的・対話的で深い学び（アクティブ・ラーニング）」について確認しよう。

現行学習指導要領の趣旨

【前文】 小学校，中学校　※文中下線部は中学校では［ ］内となる。

● 教育は，教育基本法第１条に定めるとおり，1.人格の完成を目指し，平和で民主的な国家及び社会の形成者として必要な資質を備えた心身ともに健康な国民の育成を期すという目的のもと，同法第２条に掲げる次の目標（略：教育基本法 第２条→P.129参照）を達成するよう行われなければならない。

これからの学校には，こうした教育の目的及び目標の達成を目指しつつ，一人一人の児童［生徒］が，自分のよさや可能性を認識するとともに，あらゆる他者を価値のある存在として尊重し，多様な人々と2.協働しながら様々な社会的変化を乗り越え，豊かな人生を切り拓き，3.持続可能な社会の創り手となることができるようにすることが求められる。このために必要な教育の在り方を具体化するのが，各学校において教育の内容等を組織的かつ計画的に組み立てた教育課程である。

教育課程を通して，これからの時代に求められる教育を実現していくためには，よりよい学校教育を通してよりよい社会を創るという理念を学校と社会とが共有し，それぞれの学校において，必要な学習内容をどのように学び，どのような資質・能力を身に付けられるようにするのかを教育課程において明確にしながら，社会との連携及び協働によりその実現を図っていくという，4.社会に開かれた教育課程の実現が重要となる。

学習指導要領とは，こうした理念の実現に向けて必要となる**教育課程の基準**を5.大綱的に定めるものである。学習指導要領が果たす役割の一つは，公の性質を有する学校における教育水準を6.全国的に確保することである。また，各学校がその特色を生かして創意工夫を重ね，長年にわたり積み重ねられてきた教育実践や学術研究の蓄積を生かしながら，児童［生徒］や地域の現状や課題を捉え，7.家庭や8.地域社会と協力して，学習指導要領を踏まえた教育活動の更なる充実を図っていくことも重要である。

児童［生徒］が学ぶことの意義を実感できる環境を整え，一人一人の資質・能力を伸ばせるようにしていくことは，教職員をはじめとする学校関係者はもとより，家庭や地域の人々も含め，様々な立場から児童［生徒］や学校に関わる全ての大人に期待される役割である。幼児期の教育［幼児期の教育及び小学校教育］の基礎の上に，中学校［高等学校］以降の教育や9.生涯にわたる学習とのつながりを見通しながら，児童［生徒］の学習の在り方を展望していくために広く活用されるものとなることを期待して，ここに小学校学習指導要領［中学校学習指導要領］を定める。

□
□

【主旨・内容】

● 10. プログラミング 教育……コンピュータがプログラムによって動き，社会で活用されていることを体験し，学習する。

● 11. 外国語 教育……「聞くこと」「読むこと」「話すこと」「書くこと」の力を総合的に育む。

● 12. 道徳 教育……自分ごととして「考え，議論する」授業などを通じて道徳性を育む。

● 13. 言語能力 の育成……国語を要として，すべての教科等で子供たちの言葉の力を育む。

● 14. 理数 教育……観察，実験などにより科学的に探究する学習活動やデータを分析し，課題を解決するための統計教育を充実する。

● 15. 伝統や文化 に関する教育……我が国や郷土が育んできた日本の伝統や文化を学ぶ。

● 16. 主権者 教育……社会の中で自立し，他者と連携・協働して社会に参画する力を育む。

● 17. 消費者 教育……契約の重要性や消費者の権利と責任などについて学習し，自立した消費者として行動する力を育む。

● 18. 特別支援 教育……幼児期から高等学校段階まで，すべての学校で障害に応じた指導を行い，一人一人の能力や可能性を最大限に伸ばす。

●主体的・対話的で深い学び（19. アクティブ・ラーニング）の視点から，「何を学ぶか」だけでなく「どのように学ぶか」も重視して授業を改善する。

●「20. 何ができるようになるか」を明確化。「何のために学ぶのか」という学習の意義を共有し，すべての教科等で次の３つの柱に基づき子供たちの学びを後押しする。

○実際の社会や生活で生きて働く**知識及び技能**

○未知の状況にも対応できる**思考力，判断力，表現力等**

○学んだことを人生や社会に生かそうとする**学びに向かう力，人間性等**

● 21. カリキュラム・マネジメント の確立。

●学校教育の効果を常に 22. 検証 し改善。

●「23. 社会 に開かれた教育課程」の実現。

second try	first try
年　月　日(　)	年　月　日(　)
:　～　:	:　～　:
(　)	(　)
am・pm　℃	am・pm　℃
1.	1.
2.	2.
3.	3.
4.	4.
5.	5.
6.	6.
7.	7.
8.	8.
9.	9.
10.	10.
11.	11.
12.	12.
13.	13.
14.	14.
15.	15.
16.	16.
17.	17.
18.	18.
19.	19.
20.	20.
21.	21.
22.	22.
23.	23.
24.	24.
25.	25.

プラスチェック！

［カリキュラム・マネジメント３つの側面］

□目標の達成に必要な教育内容を組織的に配列。

□調査や各種データ等に基づき教育課程を編成して，PDCAサイクルを確立する。

□教育内容と教育活動に必要な人的・物的資源等を外部資源も含め活用し，効果的に組み合わせる。

＊このページで覚えた知識を教師になってどう活かしたい？

＊あ！あれ何だっけ？　確認メモ！

各学校で特色ある教育活動の展開と教育課程の実施

「主体的・対話的で深い学び」の実現に向けた授業改善による創意工夫を生かした特色ある教育活動を展開する中で，知・徳・体のバランスのとれた「生きる力」の育成が目指される。

学習指導要領：総則 小学校, 中学校 －①

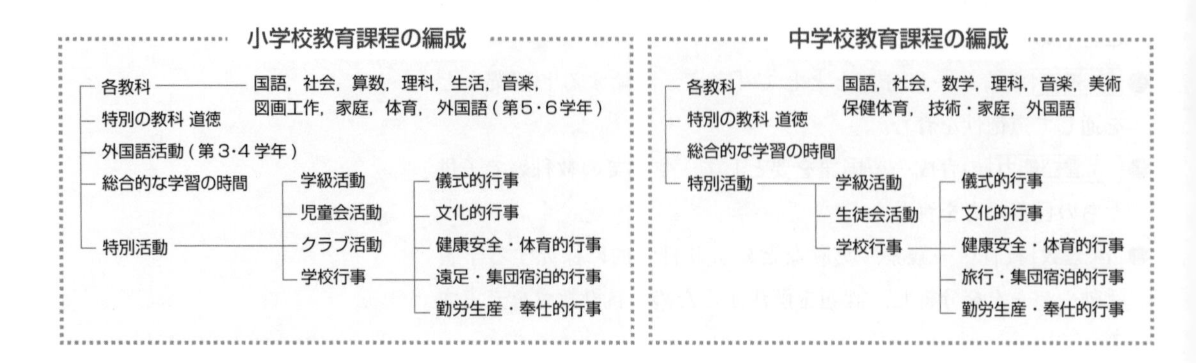

小学校教育［中学校教育］の基本と教育課程の役割

※文中下線部は中学校では［ ］内に，ほか＊のとおりとなる。

● 学校の教育活動を進めるに当たっては，各学校において，(略) 1.主体 的・ 2.対話 的で 3.深い 学びの実現に向けた授業改善を通して，創意工夫を生かした特色ある教育活動を展開する中で，次の(1)から(3)までに掲げる事項の実現を図り，児童［生徒］に 4.生きる力 を育むことを目指すものとする。

(1) 基礎的・基本的な知識及び技能を確実に習得させ，これらを活用して課題を解決するために必要な思考力，判断力，表現力等を育むとともに，主体的に学習に取り組む態度を養い，個性を生かし多様な人々との協働を促す教育の充実に努めること。その際，児童［生徒］の発達の段階を考慮して，児童［生徒］の 5.言語活動 など，学習の基盤をつくる活動を充実するとともに，家庭との連携を図りながら，児童［生徒］の学習習慣が確立するよう配慮すること。

(2) 道徳教育や 6.体験活動，多様な表現や鑑賞の活動等を通して，豊かな心や 7.創造性 の涵養を目指した教育の充実に努めること。

学校における道徳教育は，特別の教科である道徳（以下「道徳科」という）を要として学校の 8.教育活動全体 を通じて行うものであり，道徳科はもとより，各教科，外国語活動［＊小のみ］，総合的な学習の時間及び特別活動のそれぞれの特質に応じて，児童［生徒］の発達の段階を考慮して，適切な指導を行うこと。

道徳教育は，教育基本法及び 9.学校教育法 に定められた教育の根本精神に基づき，自己の［人間としての］生き方を考え， 10.主体的 な判断の下に行動し，自立した 11.人間 として他者と共によりよく生きるための基盤となる道徳性を養うことを目標とすること。

道徳教育を進めるに当たっては，人間尊重の精神と生命に対する 12.畏敬 の念を家庭，学校，その他社会における具体的な生活の中に生かし，豊かな心をもち，伝統と文化を尊重し，それらを育んできた我が国と郷土を愛し，個性豊かな文化の創造を図るとともに，平和で民主的な国家及び社会の形成者として， 13.公共の精神 を尊び，社会及び国家の発展に努め，他国を尊重し，国際社会の平和と発展や環境の保全に貢献し未来を拓く主体性のある 14.日本人 の育成に資することとなるよう特に留意すること。

(3) 学校における体育・健康に関する指導を，児童［生徒］の発達の段階を考慮して，学校の教育活動全体を通じて適切に行うことにより，健康で 15.安全 な生活と豊かな 16.スポーツライフ の実現を目指した教育の充実に努めること。

特に，学校における 17.食育 の推進並びに体力の向上に関する指導，安全に関する指導及び心身の健康の保持増進に関する指導については，体育科，家庭科［保健体育科，技術・家庭科］及び 18.特別活動 の時間はもとより，各教科，道徳科，外国語活動［＊小のみ］及び総合的な学習の時間などにおいてもそれぞれの特質に応じて適切に行うよう努めること。

また，それらの指導を通して，家庭や 19.地域社会 との連携を図りながら，日常生活において適切な体育・健康に関する活動の実践を促し，生涯を通じて健康・安全で活力ある生活を送るための基礎が培われるよう配慮すること。

● 各学校においては，児童［生徒］や学校，地域の実態を適切に把握し，教育の目的や目標の実現に必要な教育の内容等を教科等横断的な視点で組み立てていくこと，教育課程の実施状況を 20.評価 してその改善を図っていくこと，教育課程の実施に必要な人的又は物的な体制を確保するとともにその 21.改善 を図っていくことなどを通して，教育課程に基づき組織的かつ計画的に各学校の教育活動の質の向上を図っていくこと（以下「 22.カリキュラム・マネジメント 」という）に努めるものとする。

•second try•	•first try•
年　月　日(　)	年　月　日(　)
：　～　：	：　～　：
(　　)	(　　)
am・pm　℃	am・pm　℃
1.	1.
2.	2.
3.	3.
4.	4.
5.	5.
6.	6.
7.	7.
8.	8.
9.	9.
10.	10.
11.	11.
12.	12.
13.	13.
14.	14.
15.	15.
16.	16.
17.	17.
18.	18.
19.	19.
20.	20.
21.	21.
22.	22.
23.	23.
24.	24.
25.	25.

プラスチェック！

［教育活動の充実を図る際には，次の３つが偏りなく実現できるようにする（小・中・高共通）］

□知識及び技能が習得されるようにすること。
□思考力，判断力，表現力等を育成すること。
□学びに向かう力，人間性等を涵養すること。

＊このページで覚えた知識を教師になってどう活かしたい？

＊あ！あれ何だっけ？　確認メモ！

chapter 52 ［学習指導要領］

特別な配慮を必要とする指導には何がある？

子供たちの状況は多様化している。障害のある児童生徒，海外から帰国した児童生徒，外国人，不登校など，特別な配慮が必要な場合の指導内容や指導方法について理解しておこう。

学習指導要領：総則 小学校，中学校 －②

児童［生徒］の発達の支援

※文中の児童は中学校で「生徒」と読み替える。下線部は中学校では［　］内に，ほか＊のとおりとなる。

【児童の発達を支える指導の充実】

● 学習や生活の基盤として，教師と児童との信頼関係及び児童相互のよりよい人間関係を育てるため，日頃から 1.学級経営 の充実を図ること。また，主に集団の場面で必要な指導や援助を行う 2.ガイダンス と，個々の児童の多様な実態を踏まえ，一人一人が抱える課題に個別に対応した指導を行う 3.カウンセリング の双方により，児童の発達を支援すること。

あわせて，低・中・高学年の時期の特長を生かした指導の工夫を行うこと。［＊小のみ］

● 児童が，自己の存在感を実感しながら，よりよい人間関係を形成し，有意義で充実した学校生活を送る中で，現在及び将来における自己実現を図っていくことができるよう，児童理解を深め，学習指導と関連付けながら，生徒指導の充実を図ること。

● 児童が，学ぶことと自己の 4.将来 とのつながりを見通しながら，社会的・職業的自立に向けて必要な基盤となる資質・能力を身に付けていくことができるよう， 5.特別活動 を要としつつ各教科等の特質に応じて， 6.キャリア教育 の充実を図ること。

その中で，生徒が自らの生き方を考え主体的に進路を選択することができるよう，学校の教育活動全体を通じ，組織的かつ計画的な 7.進路指導 を行うこと。［＊中のみ］

● 児童が，基礎的・基本的な知識及び技能の習得も含め，学習内容を確実に身に付けることができるよう，児童や学校の実態に応じ，指導方法や指導体制の工夫改善により，個に応じた指導の充実を図ること。その際，情報手段や教材・教具の活用を図ること。

【特別な配慮を必要とする児童への指導】

(1) 障害のある児童などへの指導

○障害のある児童などについては， 8.特別支援学校 等の助言又は援助を活用しつつ，個々の児童の障害の状態等に応じた指導内容や指導方法の工夫を 9.組織 的かつ 10.計画 的に行うものとする。

○ 11.特別支援学級 における特別の教育課程では，特別支援学校小学部・中学部学習指導要領に示す 12.自立活動 を取り入れること。

下学年の各教科の目標や内容や， 13.知的障害者 である児童に対する教育を行う特別支援学校の各教科に替えるなど，実態に応じた教育課程を編成すること。

○ 14.通級 による指導を行い，特別の教育課程を編成する場合には，特別支援学校小学部・中学部学習指導要領に示す自立活動の内容を参考とし，具体的な目標や内容を定めて指導を行うものとする。各教科等と通級による指導との関連を図るなど，教師間の連携に努める。

○ 家庭，地域及び医療や福祉，保健，労働等の業務を行う関係機関との連携を図り，15.長期的 な視点で児童への教育的支援を行うために，16.個別の教育支援計画 を作成し活用することに努めるとともに，各教科等の指導に当たって，個々の児童の実態を的確に把握し，17.個別の指導計画 を作成し活用することに努める。

特に，特別支援学級や通級により指導を受ける児童については，個々の児童の実態を的確に把握し，それらを効果的に活用するものとする。

(2) 海外から帰国した児童など

○ 18.学校生活 への適応を図り，外国における生活経験を生かすなどの適切な指導を行う。

○ 19.日本語の習得 が困難な児童については，指導の工夫等を組織的かつ計画的に行う。特に 20.通級 での日本語指導については，教師間の連携や指導計画の個別作成などで効果的な指導に努める。

(3) 不登校児童への配慮

○ 保護者や関係機関と連携を図り，心理や福祉の専門家の助言又は援助を得ながら，21.社会的自立 を目指す観点から，個々の児童の実態に応じた情報の提供その他の必要な支援を行う。

○ 相当の期間小学校［中学校］を欠席し引き続き欠席すると認められる児童を対象として，文部科学大臣が認める特別の教育課程を編成する場合には，児童の実態に配慮した 22.教育課程 を編成し，個別学習やグループ別学習など指導方法や指導体制の工夫改善に努める。

•second try•

年 月 日( )
: ～ :
( )
am・pm ℃

1.
2.
3.
4.
5.
6.
7.
8.
9.
10.
11.
12.
13.
14.
15.
16.
17.
18.
19.
20.
21.
22.
23.
24.
25.

•first try•

年 月 日( )
: ～ :
( )
am・pm ℃

1.
2.
3.
4.
5.
6.
7.
8.
9.
10.
11.
12.
13.
14.
15.
16.
17.
18.
19.
20.
21.
22.
23.
24.
25.

プラスチェック！

□指導充実のための学習活動例…個別学習，グループ別学習，繰り返し学習，学習内容の習熟の程度に応じた学習，児童の興味・関心等に応じた課題学習，補充的な学習，発展的な学習等。

□日本語指導が必要な児童生徒は増加している。外国籍ではポルトガル語を母国語とする者が最も多い。

＊このページで覚えた知識を教師になってどう活かしたい？

＊あ！あれ何だっけ？ 確認メモ！

chapter 53 [学習指導要領]

授業改善はどのように取り組む?

改善の視点として,習得・活用・探究という学びの過程で各教科等の特質に応じた「見方・考え方」を働かせ「深い学び」が実現できているか,といったことなどが挙げられる。

学習指導要領:総則 小学校,中学校 ―③

主体的・対話的で深い学びの実現に向けた授業改善

※文中の児童は中学校で「生徒」と読み替える。下線部は中学校では[ ]内に,ほか*のとおりとなる。

● 「知識及び技能が習得されるようにすること」「思考力,判断力,表現力等を育成すること」「学びに向かう力,人間性等を涵養すること」が偏りなく実現されるよう,単元や題材など内容や時間のまとまりを見通しながら,児童の主体的・対話的で深い学びの実現に向けた 1. 授業改善 を行うこと。

特に,各教科等において身に付けた知識及び技能を活用したり,思考力,判断力,表現力等や学びに向かう力,人間性等を発揮させたりして,学習の対象となる物事を捉え思考することにより,各教科等の特質に応じた物事を捉える視点や考え方(以下「見方・考え方」という)が鍛えられていくことに留意し,児童が各教科等の特質に応じた見方・考え方を働かせながら,知識を相互に関連付けてより深く理解したり,情報を精査して考えを形成したり,問題を見いだして解決策を考えたり,思いや考えを基に創造したりすることに向かう過程を重視した学習の充実を図ること。

● 2. 言語能力 の育成を図るため,各学校において必要な言語環境を整えるとともに,国語科を要としつつ各教科等の特質に応じて,児童の言語活動を充実すること。あわせて, 3. 読書活動 を充実すること。

● 4. 情報活用能力 の育成を図るため,各学校において,コンピュータや情報通信ネットワークなどの情報手段を活用するために必要な 5. 環境 を整え,これらを適切に活用した学習活動の充実を図ること。また,各種の統計資料や新聞,視聴覚教材や教育機器などの教材・教具の適切な活用を図ること。
あわせて,各教科等の特質に応じて,次の学習活動を計画的に実施すること。[*小のみ]

・児童がコンピュータで文字を入力するなどの学習の基盤として必要となる情報手段の基本的な 6. 操作 を習得するための学習活動[*小のみ]

・児童が 7. プログラミング を体験しながら,コンピュータに意図した処理を行わせるために必要な 8. 論理的思考力 を身に付けるための学習活動 [*小のみ]

● 児童が学習の見通しを立てたり学習したことを振り返ったりする活動を, 9. 計画的 に取り入れるように工夫すること。

● 児童が 10. 生命 の有限性や自然の大切さ,主体的に挑戦してみることや多様な他者と協働することの重要性などを実感しながら理解することができるよう,各教科等の特質に応じた 11. 体験活動 を重視し,家庭や地域社会と連携しつつ体系的・継続的に実施できるよう工夫すること。

● 児童が自ら学習課題や学習活動を選択する機会を設けるなど，児童の興味・関心を生かした自主的，12.自発的 な学習が促されるよう工夫すること。

● 13.学校図書館 を計画的に利用しその機能の活用を図り，児童の主体的・対話的で深い学びの実現に向けた授業改善に生かすとともに，児童の自主的，自発的な学習活動や読書活動を充実すること。

また，地域の図書館や博物館，美術館，劇場，音楽堂等の施設の活用を積極的に図り，資料を活用した情報の収集や鑑賞等の学習活動を充実すること。

学習評価の充実

● 児童のよい点や進歩の状況などを積極的に 14.評価 し，学習したことの意義や価値を 15.実感 できるようにすること。

また，各教科等の目標の実現に向けた学習状況を把握する観点から，単元や題材など内容や時間のまとまりを見通しながら評価の場面や方法を工夫して，学習の過程や成果を評価し，指導の改善や学習意欲の向上を図り，資質・能力の 16.育成 に生かすようにすること。

● 創意工夫の中で学習評価の 17.妥当性 や 18.信頼性 が高められるよう，組織的かつ計画的な取組を推進するとともに，学年や学校段階を越えて児童の学習の成果が 19.円滑 に接続されるように工夫すること。

道徳教育に関する配慮事項

学校や学級内の人間関係や環境を整えるとともに，集団宿泊活動［職場体験活動］や 20.ボランティア活動，自然体験活動，地域の行事への参加などの豊かな体験を充実すること。また，道徳教育の指導内容が，児童の日常生活に生かされるようにすること。その際，21.いじめ の防止や 22.安全 の確保等にも資することとなるよう留意すること。

•second try•

年 月 日( )
: ～ :
( )
am・pm ℃

1.
2.
3.
4.
5.
6.
7.
8.
9.
10.
11.
12.
13.
14.
15.
16.
17.
18.
19.
20.
21.
22.
23.
24.
25.

•first try•

年 月 日( )
: ～ :
( )
am・pm ℃

1.
2.
3.
4.
5.
6.
7.
8.
9.
10.
11.
12.
13.
14.
15.
16.
17.
18.
19.
20.
21.
22.
23.
24.
25.

プラスチェック！

□各教科等の授業は，年間35週（小学校の第１学年については34週）以上にわたって行うよう計画し，週当たりの授業時数が児童生徒の負担過重にならないようにするものとする。

＊このページで覚えた知識を教師になってどう活かしたい？

＊あ！あれ何だっけ？ 確認メモ！

卒業までに履修すべき単位数の合計は74単位以上

学校は卒業までに修得させる単位数を定め，校長は単位数の修得者で特別活動の成果がその目標からみて満足できると認められるものについて，高等学校の全課程の修了を認定する。

学習指導要領：総則 高等学校 −①

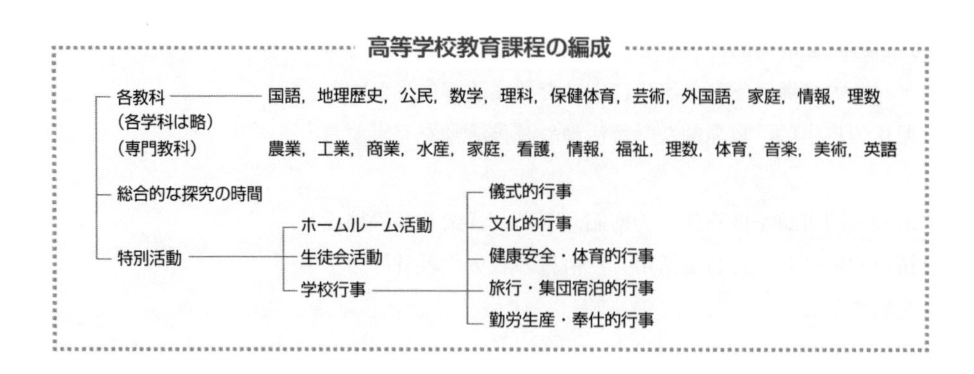

高等学校教育の基本と教育課程の役割

基礎的・基本的な知識及び技能を確実に習得させ，これらを活用して 1. 課題 を解決するために必要な 2. 思考力 ， 3. 判断力 ， 4. 表現力 等を育むとともに，主体的に学習に取り組む態度を養い，個性を生かし多様な人々との 5. 協働 を促す教育の充実に努めること。その際，生徒の発達の段階を考慮して，生徒の言語活動など，学習の基盤をつくる活動を充実するとともに，家庭との連携を図りながら，生徒の学習習慣が確立するよう配慮すること。

● 学校における 6. 道徳教育 は，人間としての在り方生き方に関する教育を学校の教育活動全体を通じて行うことによりその充実を図るものとし，各教科に属する科目， 7. 総合的な探究の時間 及び 8. 特別活動 のそれぞれの特質に応じて，適切な指導を行うこと。

道徳教育は，教育基本法及び学校教育法に定められた教育の根本精神に基づき，生徒が自己探求と 9. 自己実現 に努め国家・社会の一員としての自覚に基づき行為しうる発達の段階にあることを考慮し，人間としての 10. 在り方生き方 を考え，主体的な判断の下に行動し，自立した人間として他者と共によりよく生きるための基盤となる 11. 道徳性 を養うことを目標とすること。

● 学校においては，地域や学校の実態等に応じて， 12. 就業 やボランティアに関わる 13. 体験的な学習 の指導を適切に行うようにし，勤労の尊さや創造することの喜びを 14. 体得 させ，望ましい勤労観，職業観の育成や 15. 社会奉仕 の精神の涵養に資するものとする。

教科等横断的な視点に立った資質・能力の育成

各学校においては，生徒や学校，地域の実態及び生徒の発達の段階を考慮し，豊かな人生の実現や災害等を乗り越えて次代の社会を形成することに向けた 16. 現代的な諸課題 に対応して求められる資質・

能力を，17. 教科等横断的 な視点で育成していくことができるよう，各学校の特色を生かした教育課程の編成を図るものとする。

各教科・科目等の授業時数等

全日制の課程における各教科・科目及びホームルーム活動の授業は，年間 18. 35 週行うことを標準とし，必要がある場合には，各教科・科目の授業を特定の学期又は特定の期間に行うことができる。

全日制の課程の週当たりの授業時数は，19. 30 単位時間を標準とする。ただし必要がある場合には増加することができる。

選択履修の趣旨を生かした適切な教育課程の編成

教育課程の編成に当たっては，生徒の特性，進路等に応じた適切な各教科・科目の履修ができるようにし，このため，多様な各教科・科目を設け生徒が自由に 20. 選択履修 することのできるよう配慮するものとする。

また，教育課程の類型を設け，そのいずれかの類型を選択して履修させる場合においても，その類型において履修させることになっている各教科・科目以外の各教科・科目を履修させたり，生徒が自由に選択履修することのできる各教科・科目を設けたりするものとする。

学校段階等間の接続

現行の中学校学習指導要領を踏まえ，中学校教育までの学習の成果が高等学校教育に円滑に 21. 接続 され，高等学校教育段階の終わりまでに育成することを目指す資質・能力を，生徒が確実に身に付けることができるよう工夫すること。特に，中等教育学校，連携型高等学校及び併設型高等学校においては，中等教育6年間を見通した計画的かつ継続的な教育課程を編成すること。

second try 年 月 日( ) : ～ : am・pm ℃

1.
2.
3.
4.
5.
6.
7.
8.
9.
10.
11.
12.
13.
14.
15.
16.
17.
18.
19.
20.
21.
22.
23.
24.
25.

first try 年 月 日( ) : ～ : am・pm ℃

1.
2.
3.
4.
5.
6.
7.
8.
9.
10.
11.
12.
13.
14.
15.
16.
17.
18.
19.
20.
21.
22.
23.
24.
25.

プラスチェック！

[総合高等学校]

- □高等学校には総合高等学校がある。
- □総合学科（普通科＋専門学科）を設置している。
- □普通科（高度な普通教育）と専門学科（専門教育）の授業を履修しながら，進路を選択・決定していくことができる。

＊このページで覚えた知識を教師になってどう活かしたい？

＊あ！あれ何だっけ？　確認メモ！

高等学校段階の生徒は，人間としての在り方生き方を模索し価値観を形成する時期である。将来の社会生活の中で自己実現を果たすことができる能力や態度の育成が目指される。

学習指導要領：総則 高等学校 －②

生徒の発達の支援

【生徒の発達を支える指導の充実】

● 学習や生活の基盤として，教師と生徒との信頼関係及び生徒相互のよりよい人間関係を育てるため，日頃から 1. ホームルーム経営 の充実を図ること。また，主に集団の場面で必要な指導や援助を行う 2. ガイダンス と，個々の生徒の多様な実態を踏まえ，一人一人が抱える課題に個別に対応した指導を行う 3. カウンセリング の双方により，生徒の発達を支援すること。

● 生徒が，学ぶことと自己の将来とのつながりを見通しながら，社会的・ 4. 職業 的自立に向けて必要な基盤となる資質・能力を身に付けていくことができるよう，特別活動を要としつつ各教科・科目等の特質に応じて， 5. キャリア教育 の充実を図ること。その中で，生徒が 6. 自己の在り方生き方 を考え主体的に進路を選択することができるよう，学校の教育活動全体を通じ，組織的かつ計画的な進路指導を行うこと。

● 学校の 7. 教育活動全体 を通じて，個々の生徒の特性等の的確な把握に努め，その 8. 伸長 を図ること。また，生徒が適切な各教科・科目や類型を選択し学校やホームルームでの生活によりよく適応するとともに，現在及び 9. 将来 の生き方を考え行動する態度や能力を育成することができるようにすること。

● 10. 学習の遅れがち な生徒などについては，各教科・科目等の選択，その内容の取扱いなどについて必要な 11. 配慮 を行い，生徒の実態に応じ，例えば義務教育段階の学習内容の確実な定着を図るための指導を適宜取り入れるなど，指導内容や指導方法を工夫すること。

【特別な配慮を必要とする生徒への指導／障害のある生徒などへの指導】

● 障害のある生徒に対して，学校教育法施行規則第140条の規定に基づき，特別の教育課程を編成し，障害に応じた特別の指導（以下「 12. 通級 による指導」という）を行う場合には，学校教育法施行規則第129条の規定により定める現行の特別支援学校高等部学習指導要領第６章に示す 13. 自立活動 の内容を参考とし，具体的な目標や内容を定め，指導を行うものとする。その際，通級による指導が効果的に行われるよう，各教科・科目等と通級による指導との関連を図るなど，教師間の 14. 連携 に努めるものとする。

なお，通級による指導における単位の修得の認定については，次のとおりとする。

○　学校においては，生徒が学校の定める 15.個別の指導計画 に従って通級による指導を履修し，その成果が個別に設定された指導目標からみて満足できると認められる場合には，当該学校の単位を修得したことを 16.認定 しなければならない。

○　学校においては，生徒が通級による指導を 17.２ 以上の年次にわたって履修したときは，各年次ごとに当該学校の単位を修得したことを認定することを原則とする。ただし，年度途中から通級による指導を開始するなど，特定の年度における授業時数が，１単位として計算する標準の単位時間に満たない場合は，次年度以降に通級による指導の時間を設定し，２以上の年次にわたる授業時数を 18.合算 して単位の修得の認定を行うことができる。また，単位の修得の認定を学期の区分ごとに行うことができる。

●　障害のある生徒などについては，家庭，地域及び医療や福祉，保健，労働等の業務を行う関係機関との連携を図り， 19.長期的 な視点で生徒への教育的支援を行うために， 20.個別の教育支援計画 を作成し活用することに努めるとともに，各教科・科目等の指導に当たって，個々の生徒の実態を的確に把握し， 21.個別の指導計画 を作成し活用することに努めるものとする。

特に， 22.通級 による指導を受ける生徒については，個々の生徒の 23.障害 の状態等の実態を的確に把握し，個別の教育支援計画や個別の指導計画を作成し，効果的に活用するものとする。

道徳教育に関する配慮事項

学校やホームルーム内の 24.人間関係 や環境を整えるとともに， 25.就業体験活動 やボランティア活動，自然体験活動，地域の行事への参加などの豊かな体験を充実すること。

また，道徳教育の指導が，生徒の日常生活に生かされるようにすること。その際，いじめの防止や安全の確保等にも資することとなるように留意すること。

•second try•

年　月　日(　)
：　～　：
(　)
am・pm　℃

1.
2.
3.
4.
5.
6.
7.
8.
9.
10.
11.
12.
13.
14.
15.
16.
17.
18.
19.
20.
21.
22.
23.
24.
25.

•first try•

年　月　日(　)
：　～　：
(　)
am・pm　℃

1.
2.
3.
4.
5.
6.
7.
8.
9.
10.
11.
12.
13.
14.
15.
16.
17.
18.
19.
20.
21.
22.
23.
24.
25.

プラスチェック！

□2022年３月に「高等学校学習指導要領及び高等特別支援学校高等部学習指導要領の一部を改正する告示」が公布された。(⇒p.182参照)

□日本語の習得に困難のある生徒に対して，通級による指導を行う場合の効果的な指導・単位修得の認定についてが示された（2023年４月１日施行）。

＊このページで覚えた知識を教師になってどう活かしたい？

＊あ！あれ何だっけ？　確認メモ！

chapter 56 ［学習指導要領］

特別支援学校における教育目標は？

各学校種における教育と同一の目標を掲げていることに加え，障害による学習上・生活上の困難を改善・克服し，自立を図るために必要な知識・技能を授けることが示されている。

特別支援学校学習指導要領－①

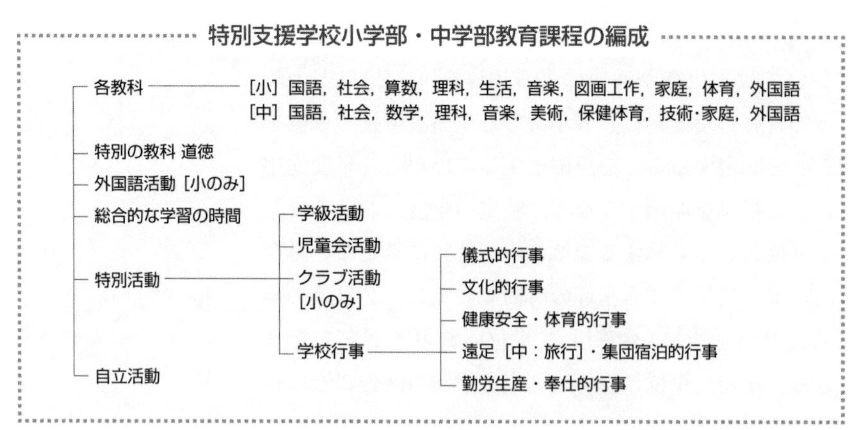

＊　知的障害者である児童生徒を教育する場合は，生活，国語，算数，音楽，図画工作及び体育の各教科，特別の教科である道徳，特別活動，自立活動［中：国語，社会，数学，理科，音楽，美術，保健体育，職業･家庭の各教科，特別の教科である道徳，総合的な学習の時間，特別活動,自立活動］によって教育課程を編成。必要がある場合には，外国語活動［中：外国語科］を加えることができる。

教育目標

● 小学部及び中学部における教育については，学校教育法第72条に定める目的を実現するために，児童及び生徒の障害の状態や特性及び心身の発達の段階等を十分考慮して，次に掲げる目標の達成に努めなければならない。

1　小学部においては，学校教育法第30条第１項に規定する［1. 小学校教育］の目標

2　中学部においては，学校教育法第46条に規定する［2. 中学校教育］の目標

3　小学部及び中学部を通じ，児童及び生徒の障害による学習上又は生活上の困難を改善・克服し［3. 自立］を図るために必要な知識，技能，態度及び［4. 習慣］を養うこと。

小学部及び中学部における教育の基本と教育課程の役割

● 学校における自立活動の指導は，障害による学習上又は生活上の困難を［5. 改善・克服］し，自立し［6. 社会参加］する資質を養うため，自立活動の時間はもとより，学校の教育活動全体を通じて適切に行うものとする。

特に，［7. 自立活動］の時間における指導は，各教科，道徳科，外国語活動，総合的な学習の時間及び特別活動と密接な関連を保ち，個々の児童又は生徒の障害の状態や特性及び心身の発達の段階等を的確に把握して，適切な指導計画の下に行うよう配慮すること。

□
□

● 豊かな 8. 創造性 を備え持続可能な社会の創り手となることが期待される児童又は生徒に，9. 生きる力 を育むことを目指すに当たっては，学校教育全体並びに各教科，道徳科，外国語活動，総合的な学習の時間，特別活動及び自立活動の指導を通してどのような資質・能力の育成を目指すのかを明確にしながら，教育活動の充実を図るものとする。

その際，児童又は生徒の障害の状態や特性及び心身の発達の段階等を踏まえつつ，次に掲げることが偏りなく実現できるようにするものとする。

(1) 知識及び技能が習得されるようにすること。
(2) 思考力，判断力，表現力等を育成すること。
(3) 学びに向かう力，人間性等を涵養すること。

● 各学校においては，児童又は生徒や学校，地域の実態を適切に把握し，教育の目的や目標の実現に必要な教育の内容等を教科等横断的な視点で組み立てていくこと，教育課程の実施状況を評価してその改善を図っていくこと，教育課程の実施に必要な 10. 人 的又は 11. 物 的な体制を確保するとともにその 12. 改善 を図っていくことなどを通して，教育課程に基づき組織的かつ計画的に各学校の教育活動の質の向上を図っていくこと（「カリキュラム・マネジメント」）に努めるものとする。

その際，児童又は生徒に何が身に付いたかという学習の成果を的確に捉え，13. 個別の指導計画 の実施状況の評価と改善を，14. 教育課程 の評価と改善につなげていくよう工夫すること。

教育課程の編成

各学校においては，児童又は生徒や学校，地域の実態並びに児童又は生徒の 15. 障害 の状態や 16. 特性 及び心身の発達の段階等を考慮し，豊かな人生の実現や災害等を乗り越えて次代の 17. 社会 を形成することに向けた 18. 現代的な諸課題 に対応して求められる資質・能力を，19. 教科等横断的 な視点で育成していくことができるよう，各学校の特色を生かした教育課程の編成を図るものとする。

•second try•	•first try•
年 月 日( )	年 月 日( )
: 〜 :	: 〜 :
( )	( )
am · pm ℃	am · pm ℃
1.	1.
2.	2.
3.	3.
4.	4.
5.	5.
6.	6.
7.	7.
8.	8.
9.	9.
10.	10.
11.	11.
12.	12.
13.	13.
14.	14.
15.	15.
16.	16.
17.	17.
18.	18.
19.	19.
20.	20.
21.	21.
22.	22.
23.	23.
24.	24.
25.	25.

プラスチェック！

□特別支援学校の高等部の教育課程は，各教科に属する科目，総合的な探究の時間，特別活動，自立活動によって編成するものとする。

□各学科に共通する各教科…国語，地理歴史，公民，数学，理科，保健体育，芸術，外国語，家庭，情報，理数。

＊このページで覚えた知識を教師になってどう活かしたい？

＊あ！あれ何だっけ？ 確認メモ！

chapter 57 ［学習指導要領］

卒業後へ続く，自立活動はとても重要

特別支援学校の教育では，人間形成を図る上で障害による学習上また生活上の困難を改善・克服し，自立を図るために必要な知識，技能，態度及び習慣を養わせることが大切である。

特別支援学校学習指導要領－②

児童又は生徒の調和的な発達の支援

※文中の「児童又は生徒」は高等部で「生徒」と読み替える。下線部は高等部で［ ］内に，ほか＊のとおりとなる。

● 学習や生活の基盤として，教師と児童又は生徒との 1.信頼関係 及び児童又は生徒相互のよりよい 2.人間関係 を育てるため，日頃から学級［ホームルーム］経営の充実を図ること。

また，主に 3.集団 の場面で必要な指導や援助を行うガイダンスと，個々の児童又は生徒の多様な実態を踏まえ，一人一人が抱える課題に個別に対応した指導を行うカウンセリングの双方により，児童又は生徒の発達を支援すること。あわせて，小学部は低学年，中学年，高学年の学年の 4.時期の特長 を生かした指導の工夫を行うこと。

● 児童又は生徒が，自己の存在感を実感しながら，よりよい人間関係を形成し，有意義で充実した学校生活を送る中で，現在及び将来における 5.自己実現 を図っていくことができるよう，児童理解又は生徒理解を深め， 6.学習指導 と関連付けながら，生徒指導の充実を図ること。

● 児童又は生徒が，学ぶことと自己の将来とのつながりを見通しながら，社会的・職業的自立に向けて必要な基盤となる資質・能力を身に付けていくことができるよう，特別活動を要としつつ各教科等の特質に応じて，キャリア教育の充実を図ること。その中で，中学部においては，［＊中学部のみ］生徒が自らの［自己の在り方］ 7.生き方 を考え主体的に進路を選択することができるよう，学校の教育活動全体を通じ，組織的かつ計画的な進路指導を行うこと。その際，家庭及び地域や福祉，労働等の業務を行う関係機関との連携を十分に図ること。［＊高等部のみ］

● 児童又は生徒が，学校教育を通じて身に付けた知識及び技能を活用し，もてる能力を最大限伸ばすことができるよう， 8.生涯学習 への意欲を高めるとともに，社会教育その他様々な学習機会に関する情報の 9.提供 に努めること。

● 家庭及び地域並びに医療，福祉，保健，労働等の業務を行う関係機関との連携を図り，長期的な視点で児童又は生徒への教育的支援を行うために， 10.個別の教育支援計画 を作成すること。

● 複数の種類の障害を併せ有する児童又は生徒（「重複障害者」）については，専門的な知識，技能を有する教師や特別支援学校間の協力の下に指導を行ったり，必要に応じて専門の医師やその他の専門家の指導・助言を求めたりするなどして，学習効果を一層高めるようにすること。

学校医等との連絡を密にし，児童又は生徒の障害の状態等に応じた保健及び 11.安全 に十分留意すること。

□

□

特別の教科 道徳

- 児童又は生徒の障害による学習上又は生活上の困難を改善・克服して，12. 強く生きよう とする意欲を高め，明るい生活態度を養うとともに，健全な 13. 人生観 の育成を図る必要があること。［＊小・中学部のみ］

- 14. 知的障害者 である児童又は生徒に対する教育を行う特別支援学校において，内容の指導に当たっては，個々の児童又は生徒の知的障害の状態，15. 生活年齢，学習状況及び経験等に応じて，適切に指導の重点を定め，指導内容を具体化し，体験的な活動を取り入れるなどの工夫を行うこと。

特別活動

- 学級活動においては，適宜他の学級や学年と合同で行うなどして，［指導計画の作成に当たっては，生徒の］少人数からくる種々の制約を解消し，活発［積極的］な 16. 集団活動 が行われるように［配慮］する必要があること。

- 児童又は生徒の経験を広めて積極的な態度を養い，社会性や豊かな人間性を育むために，集団活動を通して小学校の児童又は中学校［高等学校］の生徒などと 17. 交流 及び 18. 共同学習 を行ったり，地域の人々などと活動を共にしたりする機会を積極的に設ける必要があること。その際，児童又は生徒の障害の状態や特性等を考慮して，活動の種類や 19. 時期，実施方法等を適切に定めること。

自立活動

- 自立活動は，個々の児童又は生徒が自立を目指し，障害による学習上又は生活上の 20. 困難 を 21. 主体的 に改善・克服するために必要な知識，技能，態度及び習慣を養い，もって 22. 心身 の調和的発達の基盤を培うことを目標とする。

- 自立活動の指導に当たっては，個々の児童又は生徒の障害の状態や特性及び心身の発達の段階等の的確な把握に基づき，指導すべき 23. 課題 を明確にすることによって，指導目標及び指導内容を設定し，24. 個別の指導計画 を作成するものとする。

•second try•	•first try•
年 月 日( )	年 月 日( )
: ～ :	: ～ :
( )	( )
am・pm ℃	am・pm ℃
1.	1.
2.	2.
3.	3.
4.	4.
5.	5.
6.	6.
7.	7.
8.	8.
9.	9.
10.	10.
11.	11.
12.	12.
13.	13.
14.	14.
15.	15.
16.	16.
17.	17.
18.	18.
19.	19.
20.	20.
21.	21.
22.	22.
23.	23.
24.	24.
25.	25.

プラスチェック！

［自立活動の指導内容設定時の留意点］

□興味をもって主体的に取り組み成就感・自己肯定感が得られる，改善・克服の意欲が高められる，発達の進んでいる側面を更に伸ばせる，自ら環境を整えたり支援を求められる，思考・判断・表現する力が高められる，といった内容を取り上げるようにする。

＊このページで覚えた知識を教師になってどう活かしたい？

＊あ！あれ何だっけ？ 確認メモ！

chapter 58 道徳科は文章で評価評定

[学習指導要領]

答えが一つではない課題に子供たちが道徳的に向き合い，考え，議論する道徳教育により，児童生徒の道徳性を育んでいくことが求められる。道徳的諸価値をどのように指導する？

特別の教科 道徳

【道徳教育のおもなあゆみ】

(年)	
1872	「学制」発布 修身
1945	GHQの教育の民主化政策。修身，日本歴史，地理授業停止
1947	「教育基本法」「学校教育法」公布。社会科創設
1951	文部省「道徳教育のための手引き書要綱」
1953	教育課程審議会答申にて，社会科の中での道徳教育の役割を強調
1958	小学校，中学校の「学習指導要領道徳編」告示。1.道徳の時間 を特設
2014	中教審答申「道徳に係る教育課程の改善等について」
2015	小学校，中学校学習指導要領の一部改正により「2.特別の教科 道徳」として位置づけ ↑小学校2018年度，中学校2019年度より全面実施。検定教科書を導入。 多様で効果的な道徳教育の指導方法へと改善
2017	学習指導要領全面改訂

「特別の教科 道徳」の目標

小学校	中学校
道徳教育の目標に基づき，よりよく生きるための基盤となる道徳性を養うため，道徳的諸価値についての理解を基に，自己を見つめ，物事を多面的・多角的に考え，3. 自己 の生き方についての考えを深める学習を通して，道徳的な 4. 判断力，5. 心情，実践意欲と態度を育てる。	道徳教育の目標に基づき，よりよく生きるための基盤となる道徳性を養うため，道徳的諸価値についての理解を基に，自己を見つめ，物事を広い視野から多面的・多角的に考え，6. 人間として の生き方についての考えを深める学習を通して，道徳的な判断力，心情，7. 実践意欲 と 8. 態度 を育てる。

内容の取扱い

※文中の児童は中学校で「生徒」と読み替える。下線部は中学校では［ ］内に，ほか＊のとおりとなる。

● 指導に当たっては，9.学級担任 の教師が行うことを原則とするが，［＊中のみ］校長や教頭などの参加，他の教師との協力的な指導などについて工夫し，10.道徳教育推進教師 を中心とした指導体制を充実すること。

● 道徳科が学校の教育活動全体を通じて行う 11.道徳教育 の要としての役割を果たすことができるよう，計画的・発展的な指導を行うこと。

● 児童が自ら道徳性を養う中で，自らを振り返って成長を実感したり，これからの課題や目標を見付けたりすることができるよう工夫すること。その際，道徳性を養うことの 12.意義 について，児童自らが考え，理解し，主体的に学習に取り組むことができるようにすること。

□
□

また，発達の段階を考慮し，人間としての 13.弱さ を認めながら，それを乗り越えてよりよく生きようとすることのよさについて，教師が生徒と 14.共に考える 姿勢を大切にすること。[＊中のみ]

● 児童が多様な感じ方や考え方に接する中で，考えを深め，判断し，表現する力などを育むことができるよう，自分の考えを基に話し合ったり［討論したり］書いたりするなどの 15.言語活動 を充実すること。

その際，様々な 16.価値観 について多面的・多角的な視点から振り返って考える機会を設けるとともに，生徒が多様な見方や考え方に接しながら，更に 17.新しい 見方や考え方を生み出していくことができるよう留意すること。[＊中のみ]

● 18.問題解決的 な学習，道徳的行為に関する 19.体験的な学習 等を適切に取り入れるなど，指導方法を工夫し，学んだ内容の意義などについて考えられるようにすること。特別活動等における実践活動や体験活動も道徳科の授業に生かすようにすること。

● 児童の発達の段階や特性等を考慮し，(略) 20.情報モラル に関する指導を充実すること。また，(略) 21.現代的な課題 の取扱いにも留意し，身近な社会的課題を自分との関係において考え，それらの解決に寄与しようとする［その解決に向けて取り組もうとする］意欲や態度を育てるよう努めること。なお，多様な見方や考え方のできる事柄について，特定の見方や考え方に 22.偏った指導 を行うことのないようにすること。

● 道徳科の授業を公開したり，授業の実施や地域教材の開発や活用などに家庭や地域の人々，各分野の専門家等の積極的な参加や協力を得たりするなど，家庭や地域社会との 23.共通理解 を深め，相互の連携を図ること。

● 児童の学習状況や道徳性に係る成長の様子を継続的に把握し，指導に生かすよう努める。 24.数値 などによる評価は行わない。

•second try•	•first try•
年 月 日( )	年 月 日( )
: ～ :	: ～ :
( )	( )
am・pm ℃	am・pm ℃
1.	1.
2.	2.
3.	3.
4.	4.
5.	5.
6.	6.
7.	7.
8.	8.
9.	9.
10.	10.
11.	11.
12.	12.
13.	13.
14.	14.
15.	15.
16.	16.
17.	17.
18.	18.
19.	19.
20.	20.
21.	21.
22.	22.
23.	23.
24.	24.
25.	25.

プラスチェック！

［道徳科の教材開発・活用の視点］
□ねらいを達成するのにふさわしいもの。
□現代的な課題等を題材とし，問題意識をもって多面的・多角的に考えたり感動を覚えたりするようなもの。
□人間尊重の精神にかなうもの。
□特定の見方や考え方に偏った取扱いでないもの。

＊このページで覚えた知識を教師になってどう活かしたい？

＊あ！あれ何だっけ？　確認メモ！

chapter 59 ［学習指導要領］

小・中は総合的な「学習」の，高は「探究」の時間

「総合的な学習（探究）の時間」は教科横断的な連携における，まさに「主体的・対話的で深い学び」実践の機会でもある。児童生徒の興味・関心に基づいたどんな課題が考えられる？

総合的な学習（探究）の時間

探究的な学習とは・・・

❶［課題の設定］体験活動などを通して，課題を設定し課題意識をもつ。
❷［情報の収集］必要な情報を取り出したり収集したりする。
❸［整理・分析］収集した情報を，整理したり分析したりして 1. 思考 する。
❹［まとめ・表現］気づきや発見，自分の考えなどをまとめ，判断し，表現する。

協働的な学習とは・・・

❶多様な情報を活用して協働的に学ぶ。
❷異なる視点から考え協働的に学ぶ。
❸力を合わせたり交流したりして協働的に学ぶ。

課題と児童生徒の関係イメージ

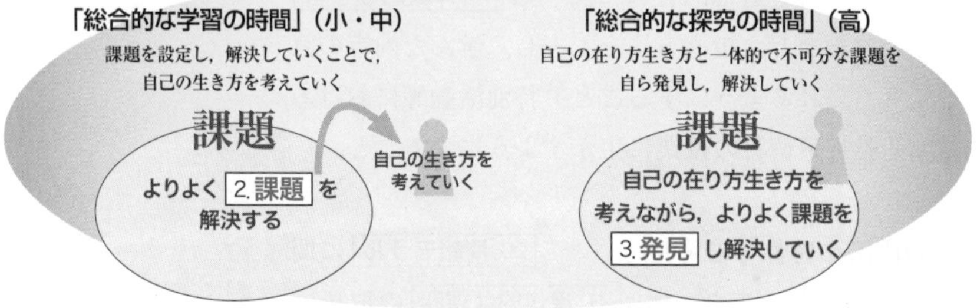

「総合的な学習の時間」（小・中）
課題を設定し，解決していくことで，自己の生き方を考えていく
課題
よりよく 2. 課題 を解決する
自己の生き方を考えていく

「総合的な探究の時間」（高）
自己の在り方生き方と一体的で不可分な課題を自ら発見し，解決していく
課題
自己の在り方生き方を考えながら，よりよく課題を 3. 発見 し解決していく

目標

「総合的な 4. 学習 の時間」の目標 小学校，中学校	「総合的な 11. 探究 の時間」の目標 高等学校
探究的な見方・考え方を働かせ，横断的・総合的な学習を行うことを通して，よりよく課題を 5. 解決 し，自己の 6. 生き方 を考えていくための資質・能力を次のとおり育成することを目指す。 (1) 7. 探究的な学習 の過程において，課題の解決に必要な知識及び技能を身に付け，課題に関わる概念を形成し， 8. 探究的な学習 のよさを理解するようにする。 (2) 実社会や実生活の中から問いを見いだし，自分で課題を立て，情報を集め，整理・分析して，まとめ・表現することができるようにする。 (3) 9. 探究的な学習 に主体的・協働的に取り組むとともに，互いのよさを生かしながら，積極的に社会に 10. 参画 しようとする態度を養う。	探究の見方・考え方を働かせ，横断的・総合的な学習を行うことを通して，自己の 12. 在り方生き方 を考えながら，よりよく課題を 13. 発見 し解決していくための資質・能力を次のとおり育成することを目指す。 (1) 探究の過程において，課題の発見と解決に必要な知識及び技能を身に付け，課題に関わる概念を形成し，探究の意義や価値を理解するようにする。 (2) 実社会や実生活と自己との関わりから問いを見いだし，自分で課題を立て，情報を集め，整理・分析して，まとめ・表現することができるようにする。 (3) 探究に主体的・協働的に取り組むとともに，互いのよさを生かしながら，新たな 14. 価値 を創造し，よりよい社会を 15. 実現 しようとする態度を養う。

各学校において定める目標及び内容の取扱い

【総合的な学習の時間における探究課題】

※文中下線部は中学校では［ ］内となる。

目標を実現するにふさわしい探究課題については，学校の実態に応じて，例えば，国際理解，情報，環境，福祉・健康などの現代的な諸課題に対応する 16.横断 的・ 17.総合 的な課題，地域の人々の暮らし，伝統と文化など地域や学校の特色に応じた課題，児童の興味・関心に基づく課題［地域や学校の特色に応じた課題，生徒の興味・関心に基づく課題，職業や 18.自己の将来 に関する課題］などを踏まえて設定すること。

【総合的な探究の時間における探究課題】

目標を実現するにふさわしい探究課題については，地域や学校の実態，生徒の特性等に応じて，例えば，国際理解，情報，環境，福祉・健康などの現代的な諸課題に対応する横断的・総合的な課題，地域や学校の特色に応じた課題，生徒の興味・関心に基づく課題，職業や 19.自己の進路 に関する課題などを踏まえて設定すること。

【探究課題の解決を通して育成を目指す資質・能力の配慮事項】

※文中下線部は高等学校では［ ］内となる。

○ 知識及び技能については，他教科等及び総合的な学習［探究］の時間で習得する知識及び技能が相互に関連付けられ，社会の中で生きて働くものとして形成されるようにすること。

○ 思考力，判断力，表現力等については，課題の設定，情報の収集，整理・分析，まとめ・表現などの探究的な学習の過程［探究の過程］において発揮され，20.未知 の状況において 21.活用 できるものとして身に付けられるようにすること。

○ 学びに向かう力，人間性等については，自分自身に関すること及び他者や社会との関わりに関することの両方の 22.視点 を踏まえること。

•second try•	•first try•
年 月 日( )	年 月 日( )
: ～ :	: ～ :
( )	( )
am・pm ℃	am・pm ℃
1.	1.
2.	2.
3.	3.
4.	4.
5.	5.
6.	6.
7.	7.
8.	8.
9.	9.
10.	10.
11.	11.
12.	12.
13.	13.
14.	14.
15.	15.
16.	16.
17.	17.
18.	18.
19.	19.
20.	20.
21.	21.
22.	22.
23.	23.
24.	24.
25.	25.

プラスチェック！

□各学校における総合的な学習の時間の名称については，各学校において適切に定めることになっている。
□名称は「総合」としているケースが多いが，「○○タイム」「○○小探検」「ふれあいタイム」など様々である。

＊このページで覚えた知識を教師になってどう活かしたい？

＊あ！あれ何だっけ？　確認メモ！

chapter 60
［学習指導要領］

集団活動を通して自己を生かす能力を養う

人間は様々な社会集団に所属し人との関わりによって生活している。集団の一員として行動する経験や，生き方の考えを深め自己実現を目指す態度を養う実践場面や指導が求められる。

特別活動

特別活動の目標

<table>
<tr><th>小学校</th><th>中学校</th><th>高等学校</th></tr>
<tr><td colspan="3">集団や社会の [1. 形成者] としての見方・考え方を働かせ，様々な [2. 集団活動] に自主的，実践的に取り組み，互いのよさや可能性を発揮しながら集団や自己の生活上の課題を解決することを通して，次のとおり資質・能力を育成することを目指す。</td></tr>
<tr><td colspan="3">(1)　多様な他者と協働する様々な集団活動の意義や活動を行う上で必要となることについて理解し，[3. 行動] の仕方を身に付けるようにする。</td></tr>
<tr><td colspan="3">(2)　集団や自己の生活，人間関係の課題を見いだし，[4. 解決] するために話し合い，合意形成を図ったり，意思決定したりすることができるようにする。</td></tr>
<tr><td>(3)　自主的，実践的な集団活動を通して身に付けたことを生かして，集団や社会における生活及び人間関係をよりよく形成するとともに，[5. 自己] の生き方についての考えを深め，自己実現を図ろうとする態度を養う。</td><td>(3)　自主的，実践的な集団活動を通して身に付けたことを生かして，集団や社会における生活及び人間関係をよりよく形成するとともに，[6. 人間として] の生き方についての考えを深め，自己実現を図ろうとする態度を養う。</td><td>(3)　自主的，実践的な集団活動を通して身に付けたことを生かして，[7. 主体的] に集団や社会に参画し，生活及び人間関係をよりよく形成するとともに，人間としての [8. 在り方生き方] についての自覚を深め，自己実現を図ろうとする態度を養う。</td></tr>
</table>

【学級活動・ホームルーム活動の目標】

学級活動 小学校・中学校	ホームルーム活動 高等学校
[9. 学級] や学校での生活をよりよくするための課題を見いだし，解決するために話し合い，合意形成し，役割を分担して協力して実践したり，[10. 学級] での話合いを生かして自己の課題の解決及び将来の生き方を描くために意思決定して実践したりすることに，自主的，実践的に取り組むことを通して，特別活動の目標に掲げる資質・能力を育成することを目指す。	[11. ホームルーム] や学校での生活をよりよくするための課題を見いだし，解決するために話し合い，合意形成し，役割を分担して協力して実践したり，[12. ホームルーム] での話合いを生かして自己の課題の解決及び将来の生き方を描くために意思決定して実践したりすることに，自主的，実践的に取り組むことを通して，特別活動の目標に掲げる資質・能力を育成することを目指す。

【児童会活動・生徒会活動の目標】 ※文中の児童は中・高で「生徒」と読み替える。

児童会活動 小学校	生徒会活動 中学校・高等学校
13. 異年齢 の児童同士で協力し，学校生活の充実と向上を図るための諸問題の解決に向けて，計画を立て 14. 役割 を分担し，協力して運営することに自主的，実践的に取り組むことを通して，特別活動の目標に掲げる資質・能力を育成することを目指す。	

【学級活動の内容】 ※高は「ホームルーム（活動）」。

○学級や学校における生活づくりへの 15. 参画 （小・中・高）
…学級や学校における生活上の諸問題の解決／学級内の組織づくりや役割の自覚／学校における多様な集団の生活の向上
○日常の生活や学習への適応と自己の成長及び 16. 健康安全
小 …基本的な 17. 生活習慣 の形成／よりよい人間関係の形成／心身ともに健康で安全な生活態度の形成／食育の観点を踏まえた学校給食と望ましい食習慣の形成
中 …自他の個性の理解と尊重，よりよい人間関係の形成／男女相互の理解と協力／ 18. 思春期 の不安や悩みの解決，性的な発達への対応／心身ともに健康で安全な生活態度や習慣の形成／食育の観点を踏まえた学校給食と望ましい食習慣の形成
高 …自他の個性の理解と尊重，よりよい人間関係の形成／男女相互の理解と協力／ 19. 国際理解 と国際交流の推進／青年期の悩みや課題とその解決／ 20. 生命 の尊重と心身ともに健康で安全な生活態度や 21. 規律 ある習慣の確立
○一人一人の 22. キャリア形成 と自己実現

【学校行事の目標】 ※文中の児童は中で「生徒」と読み替える。

小学校・中学校	高等学校
全校又は 23. 学年 の児童で協力し，よりよい学校生活を築くための体験的な活動を通して，集団への所属感や連帯感を深め，公共の精神を養いながら，特別活動の目標に掲げる資質・能力を育成することを目指す。	全校若しくは学年又はそれらに準ずる 24. 集団 で協力し，よりよい学校生活を築くための体験的な活動を通して，集団への所属感や連帯感を深め，公共の精神を養いながら，特別活動の目標に掲げる資質・能力を育成することを目指す。

•second try•

年 月 日( )
: ～ :
( )
am・pm ℃

1.
2.
3.
4.
5.
6.
7.
8.
9.
10.
11.
12.
13.
14.
15.
16.
17.
18.
19.
20.
21.
22.
23.
24.
25.

•first try•

年 月 日( )
: ～ :
( )
am・pm ℃

1.
2.
3.
4.
5.
6.
7.
8.
9.
10.
11.
12.
13.
14.
15.
16.
17.
18.
19.
20.
21.
22.
23.
24.
25.

プラスチェック！

□特別活動の名称は，1974年から「自由研究」「教科以外の活動」「特別教育活動」「各教科以外の教育活動」といった名称の反復変更を経て現在に至る。
□クラブ活動は小学校のみ。主として第４学年以上の同好の児童で組織し，異年齢の交流を図る。中学校では部活動があり同好の生徒が集まり活動をしている。

＊このページで覚えた知識を教師になってどう活かしたい？

＊あ！あれ何だっけ？ 確認メモ！

chapter 61 [教育法規]

教育を受ける権利は国際条約でも保障されている

日本における憲法第26条を受けての教育基本法，民法，児童福祉法を，また，世界の人権宣言，権利宣言や国際規約などにおける，教育を受ける権利に関する内容を確認しておこう。

教育権・学習権

世界人権宣言 第26条①
第3回国連総会 1948.12.10
すべて人は，
2. 教育 を受ける
権利を有する。（後略）

児童権利宣言 第7条
第14回国連総会 1959.11.20
1. 児童 は，
教育を受ける
権利を有する。（後略）

国際人権規約< A 規約>
第21回国連総会 1966.12.16
この規約の締結国は，
3. 教育 についての
すべての者の権利を認める。
（後略）

世界の宣言・規約

日本国憲法 第26条①
すべて国民は，法律の定めるところにより，その能力に応じて，
All people shall have the right to receive an equal education correspondent
ひとしく 4. 教育 を受ける 5. 権利 を有する。
to their ability, as provided by law.

教育基本法 第5条①
国民は，
その保護する子に，
別に法律で定めるところにより，
普通教育を受けさせる
6. 義務 を負う。

民法 第820条
親権を行う者は，
子の利益のために
子の監護及び
教育をする権利を有し，
7. 義務 を負う。

児童福祉法 第1条
全て児童は，
児童の権利に関する
条約の精神にのっとり，
適切に養育されること，
その生活を保障されること，
愛され，保護されること，
その 8. 心身 の
健やかな成長及び発達並びに
その自立が図られること
その他の福祉を等しく
保障される 9. 権利 を有する。

こども基本法 第3条第5号
こどもの養育については，家庭を基本として行われ，父母その他の保護者が第一義的責任を有するとの認識の下，これらの者に対してこどもの養育に関し十分な支援を行うとともに，家庭での養育が困難なこどもにはできる限り家庭と同様の養育環境を確保することにより，こどもが心身ともに健やかに育成されるようにすること。

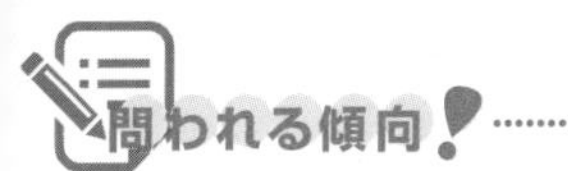

過去問アレンジでポイント強化

●第4回ユネスコ国際成人教育会議宣言（1985年3月29日）

10.学習権 とは
読み，書きの権利であり，
疑問をもち，じっくりと考える権利であり，
想像し，創造する権利であり，
自分自身の世界を読み取り，歴史を書き綴る権利であり，
教育の諸条件を得る権利であり，
個人および集団の力量を発達させる権利である。

●児童の権利に関する条約（1994年5月22日）

［教育についての権利（第28条）］

1　締約国は，教育についての児童の権利を認めるものとし，この権利を漸進的にかつ機会の平等を基礎として達成するため，特に，

(a)　11.初等教育 を義務的なものとし，すべての者に対して 12.無償 のものとする。

(b)　種々の形態の 13.中等教育 （一般教育及び職業教育を含む）の発展を奨励し，すべての児童に対し，これらの中等教育が利用可能であり，かつ，これらを利用する機会が与えられるものとし，例えば，無償教育の導入，必要な場合における財政的援助の提供のような適当な措置をとる。

(c)　すべての適当な方法により，能力に応じ，すべての者に対して 14.高等教育 を利用する機会が与えられるものとする。

(d)　すべての児童に対し，教育及び職業に関する情報及び指導が利用可能であり，かつ，これらを利用する機会が与えられるものとする。

(e)　定期的な登校及び中途退学率の減少を 15.奨励 するための措置をとる。

2　締約国は，学校の規律が児童の 16.人間の尊厳 に適合する方法で及びこの条約に従って運用されることを確保するためのすべての適当な措置をとる。

•second try•	•first try•
年　月　日(　)	年　月　日(　)
:　～　:	:　～　:
(　　)	(　　)
am・pm　℃	am・pm　℃
1.	1.
2.	2.
3.	3.
4.	4.
5.	5.
6.	6.
7.	7.
8.	8.
9.	9.
10.	10.
11.	11.
12.	12.
13.	13.
14.	14.
15.	15.
16.	16.
17.	17.
18.	18.
19.	19.
20.	20.
21.	21.
22.	22.
23.	23.
24.	24.
25.	25.

プラスチェック！

［公法と私法の違い］

□「公法」とは，公的生活を規定する法規。日本国憲法，教育基本法，学校教育法など。

□「私法」とは，私益または対等な市民生活を規定する法規。民法，商法など。

＊このページで覚えた知識を教師になってどう活かしたい？

＊あ！あれ何だっけ？　確認メモ！

chapter 62 ［教育法規］

憲法の三原則や三大義務を理解しよう

憲法は人間が生まれながらに有する自由や権利を法的に保障している。教育基本法も，本法の条文を受け規定されている。法体系も意識しながら，重要条文について確実に覚えよう。

日本国憲法

- 日本国憲法は1946年11月３日に公布され，６か月間の移行期間後の1947年５月３日から施行された。
- 「1. 基本的人権の尊重」「2. 平和主義」「3. 国民主権」の三大原則や，国民の三大義務「4. 教育を受けさせる義務」「勤労の義務」「納税の義務」といった特徴をもつ。
- 「象徴天皇制」や「三権分立」が定められた。
- すべての 5. 公務員 は，この憲法を尊重し擁護する義務を負う。

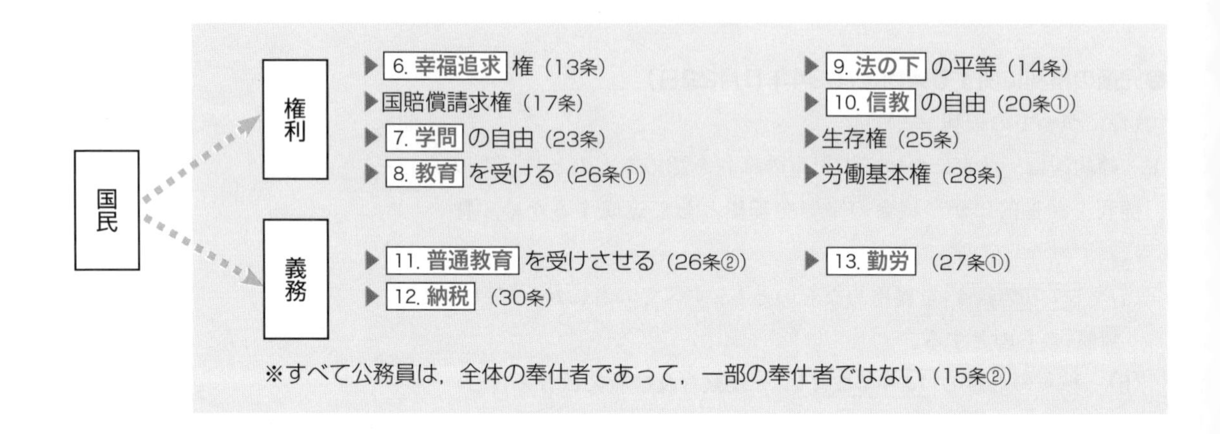

過去問アレンジでポイント強化

●日本国憲法 第11条

国民は，すべての 14. 基本的人権 の享有を妨げられない。この憲法が国民に保障する 15. 基本的人権 は，侵すことのできない 16. 永久の権利 として，現在及び将来の国民に与えられる。

●日本国憲法 第13条

すべて国民は， 17. 個人 として尊重される。生命，自由及び 18. 幸福追求 に対する国民の権利については，公共の福祉に反しない限り，立法その他の国政の上で，最大の尊重を必要とする。

●日本国憲法 第14条①

すべて国民は， 19. 法の下 に平等であって，人種，信条，性別，社会的身分又は門地により，政治的，経済的又は社会的関係において， 20. 差別 されない。

●日本国憲法 第23条

21. 学問 の自由は，これを保障する。

●日本国憲法 第25条

① すべて国民は，健康で文化的な 22. 最低限度 の生活を営む権利を有する。

② 国は，すべての生活部面について，社会福祉，社会保障及び公衆衛生の向上及び増進に努めなければならない。

●日本国憲法 第26条

① すべて国民は，法律の定めるところにより，その能力に応じて，ひとしく教育を受ける権利を有する。

② すべて国民は，法律の定めるところにより，その保護する子女に 23. 普通教育 を受けさせる義務を負う。義務教育は，これを 24. 無償 とする。

●日本国憲法 第27条

① すべて国民は， 25. 勤労 の権利を有し，義務を負う。

③ 児童は，これを酷使してはならない。

•second try•	•first try•
年　月　日(　)	年　月　日(　)
:　～　:	:　～　:
(　　)	(　　)
am・pm　℃	am・pm　℃
1.	1.
2.	2.
3.	3.
4.	4.
5.	5.
6.	6.
7.	7.
8.	8.
9.	9.
10.	10.
11.	11.
12.	12.
13.	13.
14.	14.
15.	15.
16.	16.
17.	17.
18.	18.
19.	19.
20.	20.
21.	21.
22.	22.
23.	23.
24.	24.
25.	25.

プラスチェック！

□「享有」とは，生まれつき身につけて持っていること。
□「公共の福祉」とは，個人の利益よりも社会全体の利益を優先させる考え。
□「門地」とは，家柄のこと。

＊このページで覚えた知識を教師になってどう活かしたい？

＊あ！あれ何だっけ？　確認メモ！

chapter 63 ［教育法規］

教育関係法規で最も重要な教育基本法

教育基本法は，学校教育法など教育に関わる諸法規の根源である重要な法規である。教職を志す者としてしっかりと理解し，折にふれその理念に立ち返り真摯に取り組みたい。

教育基本法とは（教基法構成・前文），教育の機会均等（教基法 第4条）

➤教育基本法は，教育関係の法規として最も重要である。現行の教育基本法への改正は，2000年の教育改革国民会議の審議，中央教育審議会答申を経て，2006年12月に公布・施行された。

➤教育に関する基本的な理念として，生涯学習社会の実現と教育の機会均等などが規定された。

❶ 教育基本法とは

教育基本法前文では，旧教育基本法に引き続き，日本国民が願う理想として，「民主的で文化的な国家」の発展と「世界平和と人類の福祉の向上」への貢献を掲げ，その理想を実現するために，「個人の尊厳」を重んずることなどを宣言している。2006年の改定では新たに「公共の精神」の尊重，「道徳心を培う」，「豊かな人間性と創造性」や「伝統の継承」を規定している。

教育基本法の構成			
	前文		
	第１章	教育の目的及び理念	第１条／**教育の目的**　第２条／**教育の目標**　第３条／**生涯学習の理念**＊　第４条／**教育の機会均等**
	第２章	教育の実施に関する基本	第５条／**義務教育**　第６条／**学校教育**　第７条／**大学**＊　第８条／**私立学校**＊　第９条／**教員**　第１０条／**家庭教育**＊　第１１条／**幼児期の教育**＊　第１２条／**社会教育**　第１３条／**学校，家庭及び地域住民等の相互の連携協力**＊　第１４条／**政治教育**　第１５条／**宗教教育**
	第３章	教育行政	第１６条／**教育行政**　第１７条／**教育振興基本計画**＊
	第４章	法令の制定	第１８条／**法令の制定**
	附則		

＊印は改定時に新設された事項。

❷ 教育の機会均等

教育基本法第４条では，教育を差別なく，あらゆる機会にあらゆる場所で受けられるよう，教育の機会均等を規定するとともに，障害のある者が十分教育を受けられるように教育上必要な支援を講ずべきこと，また，奨学の措置を規定している。

1. **能力** に応じた教育を受ける権利（憲法26条①）（教基法4条①）	▶人種，信条，性別，社会的身分，経済的地位又は門地による教育上の 2. **差別** 禁止（教基法4条①）
国及び地方公共団体の義務	▶ 3. **障害** のある者※1に対する 4. **支援** （教基法4条②） ▶ 5. **経済** 的理由による修学困難な者に対する 6. **奨学** の措置※2（教基法4条③）

※1：障害者基本法第2条①による定義から　※2：独立行政法人日本学生支援機構による実施等

過去問アレンジでポイント強化

〔教育基本法　前文〕

我々日本国民は，たゆまぬ努力によって築いてきた 7.民主的 で 8.文化的 な国家を更に発展させるとともに，世界の 9.平和 と人類の 10.福祉 の向上に貢献することを願うものである。

我々は，この理想を実現するため，個人の 11.尊厳 を重んじ，真理と正義を希求し，12.公共の精神 を尊び，豊かな人間性と創造性を備えた 13.人間の育成 を期するとともに，14.伝統 を継承し，新しい文化の創造を目指す教育を推進する。

ここに，我々は，日本国憲法の精神にのっとり，我が国の未来を切り拓く教育の基本を確立し，その振興を図るため，この法律を制定する。

〔教育基本法 第4条／教育の機会均等〕

① すべて国民は，15.ひとしく，その 16.能力 に応じた教育を受ける機会を与えられなければならず，人種，信条，性別，社会的身分，経済的地位又は門地によって，教育上 17.差別 されない。

② 国及び地方公共団体は，18.障害 のある者が，その 19.障害 の状態に応じ，十分な教育を受けられるよう，教育上必要な 20.支援 を講じなければならない。

③ 国及び地方公共団体は，21.能力 があるにもかかわらず，22.経済 的理由によって修学が困難な者に対して，23.奨学 の措置を講じなければならない。

●日本国憲法 第26条①

すべて国民は，法律の定めるところにより，その 24.能力 に応じて，ひとしく 25.教育 を受ける権利を有する。

•second try•	•first try•
年　月　日(　)	年　月　日(　)
：　～　：	：　～　：
(　　)	(　　)
am · pm　℃	am · pm　℃
1.	1.
2.	2.
3.	3.
4.	4.
5.	5.
6.	6.
7.	7.
8.	8.
9.	9.
10.	10.
11.	11.
12.	12.
13.	13.
14.	14.
15.	15.
16.	16.
17.	17.
18.	18.
19.	19.
20.	20.
21.	21.
22.	22.
23.	23.
24.	24.
25.	25.

プラスチェック！

［障害者基本法における障害者の定義］

身体障害，知的障害，精神障害（発達障害を含む）その他の心身の機能の障害がある者であって，障害及び社会的障壁により継続的に日常生活又は社会生活に相当な制限を受ける状態にあるものをいう。（同法第2条第1号）

＊このページで覚えた知識を教師になってどう活かしたい？

＊あ！あれ何だっけ？　確認メモ！

chapter 64 [教育法規]

教育の「目的」と「目標」を理解しよう

「目的」とは最終的な到達地点。弓道でいう「的（マト）」。そのマトに達するための道標（みちしるべ）が「目標」であると捉えよう。

教育の目的(教基法 第1条)，教育の目標(教基法 第2条)

❶ 教育の目的

教育基本法第１条では，教育は何を目指して行い，どのような人間を育てることを根本的な目的とすべきかという〝教育の目的〟について規定している。

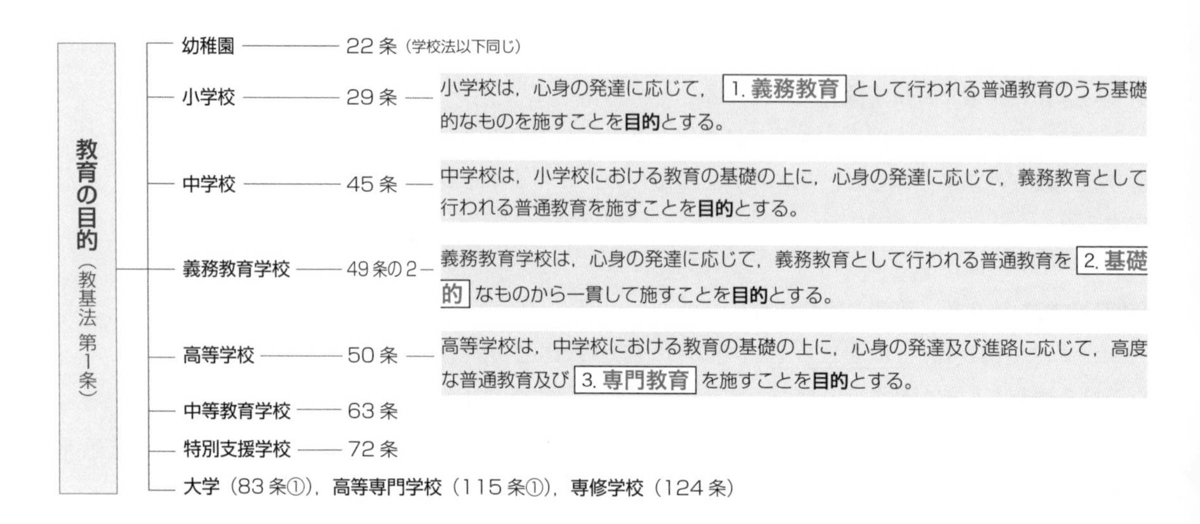

❷ 教育の目標

教育基本法第２条では，同第１条に規定された「教育の目的」を実現するために重要と考えられる目標を，５つに整理して規定している。

（「教育の目的」のキーワード）	「教育の目標」のキーワード	
4. 人格 の完成 平和で民主的な国家及び社会の形成者 心身ともに 5. 健康 な国民の育成	知育・徳育・体育	幅広い知識と教養 / 真理を求める態度 / 豊かな情操と**道徳心** / 健やかな身体
	個人の価値と職業観	個人の価値を尊重 / 能力を伸ばす / 創造性を培う / 自主及び自律の精神 / 職業及び生活との関連 / **勤労**を重んずる態度
	社会や他人との関係	正義と責任 / 男女の平等 / 自他の敬愛と協力 / **公共**の精神 / 社会の形成に参画
	自然との関係	**生命**を尊ぶ / 自然を大切に / **環境**の保全に寄与
	伝統文化と国際社会	伝統と文化を**尊重** / 我が国と郷土を愛する / 他国を尊重 / 国際社会の**平和**と発展に寄与

問われる傾向！ 過去問アレンジでポイント強化

[教育基本法 第１条／教育の目的]

教育は，6. 人格 の完成を目指し，7. 平和 で民主的な国家及び社会の形成者として必要な資質を備えた 8. 心身 ともに健康な国民の育成を期して行われなければならない。

[教育基本法 第２条／教育の目標]

教育は，その目的を 9. 実現 するため，10. 学問の自由 を尊重しつつ，次に掲げる目標を 11. 達成 するよう行われるものとする。

一　幅広い知識と教養を身に付け，12. 真理 を求める態度を養い，豊かな情操と 13. 道徳心 を培うとともに，健やかな身体を養うこと。

二　個人の 14. 価値 を尊重して，その能力を伸ばし，創造性を培い，自主及び自律の精神を養うとともに，職業及び生活との関連を重視し，15. 勤労 を重んずる態度を養うこと。

三　正義と責任，男女の 16. 平等，自他の敬愛と協力を重んずるとともに，17. 公共の精神 に基づき，主体的に社会の形成に参画し，その発展に寄与する態度を養うこと。

四　18. 生命 を尊び，19. 自然 を大切にし，20. 環境 の保全に寄与する態度を養うこと。

五　21. 伝統 と文化を尊重し，それらをはぐくんできた我が国と 22. 郷土 を愛するとともに，23. 他国 を尊重し，国際社会の 24. 平和 と発展に寄与する態度を養うこと。

•second try•	•first try•
年　月　日(　)	年　月　日(　)
：　～　：	：　～　：
(　)	(　)
am · pm　℃	am · pm　℃
1.	1.
2.	2.
3.	3.
4.	4.
5.	5.
6.	6.
7.	7.
8.	8.
9.	9.
10.	10.
11.	11.
12.	12.
13.	13.
14.	14.
15.	15.
16.	16.
17.	17.
18.	18.
19.	19.
20.	20.
21.	21.
22.	22.
23.	23.
24.	24.
25.	25.

プラスチェック！

□中等教育学校は，小学校教育の基礎の上に，義務教育として行われる普通教育・高度な普通教育・専門教育を一貫して施すことを目的とする。

＊このページで覚えた知識を教師になってどう活かしたい？

＊あ！あれ何だっけ？　確認メモ！

chapter 65 ［教育法規］

義務教育年限は小学校6年間，中学校3年間

義務教育には，国家・社会の形成者としての国民を育成する側面と，子供たちを様々な分野の学習に触れさせることにより個々の可能性のチャンスを与える側面があると捉えられる。

義務教育（教基法 第5条）

教育基本法第５条では，現行教育基本法への改定で，義務教育期間「９年間」の規定がなくなった。将来における期間延長や 1. 飛び級 を考慮したとされる。

また，義務教育の目的，義務教育の実施についての国と地方公共団体の責務，義務教育の無償について規定している。

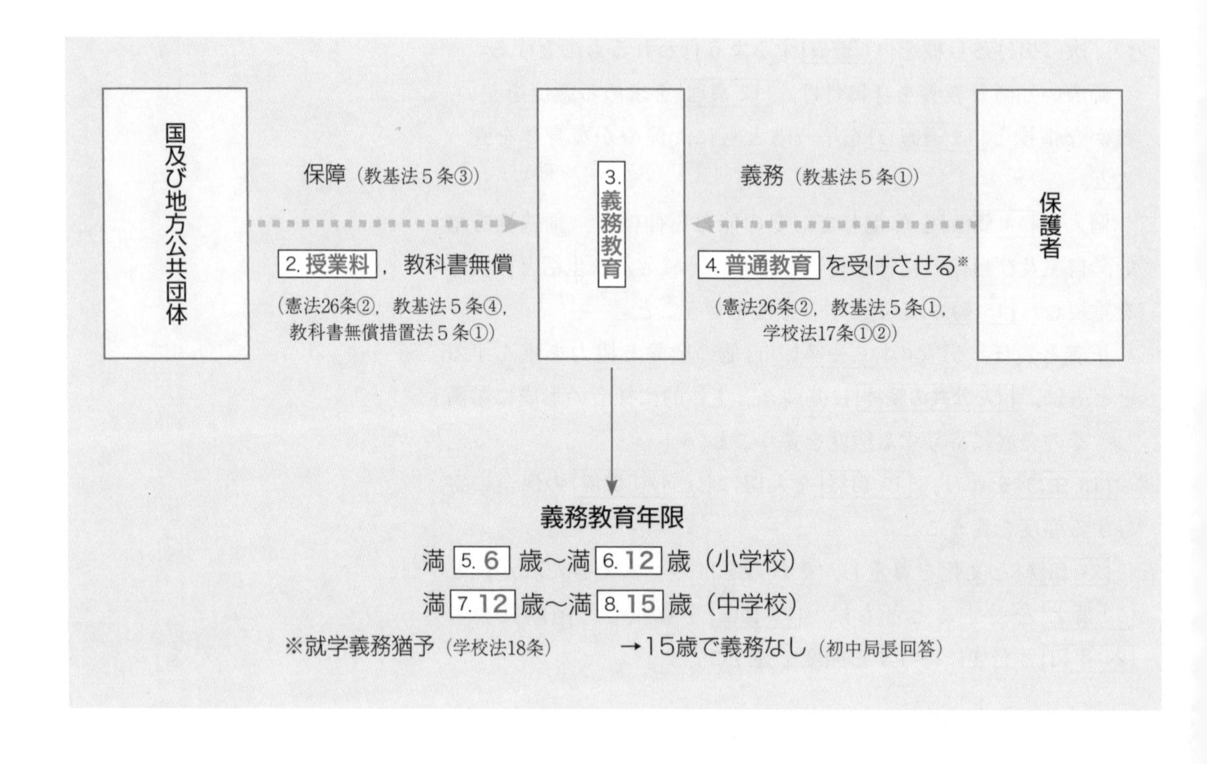

問われる傾向！

過去問アレンジでポイント強化

[教育基本法 第5条／義務教育]

① 国民は，その保護する 9. 子 に，別に法律で定めるところにより， 10. 普通教育 を受けさせる義務を負う。

② 義務教育として行われる 11. 普通教育 は，各個人の有する 12. 能力 を伸ばしつつ社会において 13. 自立的 に生きる基礎を培い，また，国家及び社会の形成者として必要とされる基本的な 14. 資質 を養うことを目的として行われるものとする。

③ 国及び地方公共団体は， 15. 義務教育 の機会を保障し，その水準を確保するため，適切な役割分担及び相互の協力の下，その実施に責任を負う。

④ 国又は地方公共団体の設置する学校における義務教育については， 16. 授業料 を徴収しない。

●学校教育法 第17条①

17. 保護者 は，子の満 18. 6 歳に達した日の翌日以後における最初の学年の初めから，満 19. 12 歳に達した日の属する学年の終わりまで，これを小学校，義務教育学校の前期課程又は特別支援学校の小学部に就学させる義務を負う。ただし，子が，満12歳に達した日の属する学年の終わりまでに小学校の課程，義務教育学校の前期課程又は特別支援学校の小学部の課程を修了しないときは，満15歳に達した日の属する学年の終わり（それまでの間においてこれらの課程を修了したときは，その修了した日の属する学年の終わり）までとする。

•second try•	•first try•
年 月 日( )	年 月 日( )
: ～ :	: ～ :
( )	( )
am · pm ℃	am · pm ℃
1.	1.
2.	2.
3.	3.
4.	4.
5.	5.
6.	6.
7.	7.
8.	8.
9.	9.
10.	10.
11.	11.
12.	12.
13.	13.
14.	14.
15.	15.
16.	16.
17.	17.
18.	18.
19.	19.
20.	20.
21.	21.
22.	22.
23.	23.
24.	24.
25.	25.

プラスチェック！

[学校種「義務教育学校」の特色]

□小学校から中学校までの義務教育を一貫して行う。

□メリットに，学年区切りの弾力的な設定，中１ギャップの解消，専門的教授が可能等が挙げられる。

□義務教育学校の設置形態には小・中が同じ校舎内にある施設一体型ほか施設分離型，施設隣接型がある。

＊このページで覚えた知識を教師になってどう活かしたい？

＊あ！あれ何だっけ？ 確認メモ！

chapter 66 校種別の目的・目標，そして，連続性のある教育へ

［教育法規］

教育の目的を達成するため各学校種において目的・目標が設定されている。校種間継続連携の視点から，自身の目指す学校種と前後学校種との比較もしながら確認しておこう。

学校の目的と目標

幼稚園の目標（学校法第 23 条）	義務教育の目標（学校法第 21 条）	高等学校の目標（学校法第 51 条）
②　集団生活を通じて，喜んでこれに参加する態度を養うとともに家族や身近な人への信頼感を深め，自主，自律及び協同の精神並びに規範意識の芽生えを養うこと。	①　学校内外における社会的活動を促進し，自主，自律及び協同の精神，規範意識，公正な **1.判断力** 並びに公共の精神に基づき **2.主体的** に社会の形成に参画し，その発展に寄与する態度を養うこと。	③　個性の確立に努めるとともに，社会について，広く深い **13.理解** と健全な **14.批判力** を養い，社会の発展に寄与する態度を養うこと。
③　身近な社会生活，生命及び自然に対する興味を養い，それらに対する正しい理解と態度及び思考力の芽生えを養うこと。	②　学校内外における **3.自然体験** 活動を促進し，生命及び自然を尊重する精神並びに **4.環境** の保全に寄与する態度を養うこと。	①　義務教育として行われる普通教育の成果を更に発展拡充させて，豊かな人間性，創造性及び健やかな身体を養い，国家及び社会の **15.形成者** として必要な資質を養うこと。
	⑥　生活に必要な **5.数量** 的な関係を正しく理解し，処理する基礎的な能力を養うこと。	
	⑦　生活にかかわる **6.自然現象** について，観察及び実験を通じて，科学的に理解し，処理する基礎的な能力を養うこと。	
	③　我が国と郷土の現状と **7.歴史** について，正しい理解に導き，伝統と文化を尊重し，それらをはぐくんできた我が国と郷土を愛する態度を養うとともに，進んで外国の文化の理解を通じて，他国を尊重し，国際社会の平和と発展に寄与する態度を養うこと。	
④　日常の会話や，絵本，童話等に親しむことを通じて，言葉の使い方を正しく導くとともに，相手の話を理解しようとする態度を養うこと。	⑤　読書に親しませ，生活に必要な **8.国語** を正しく理解し，使用する基礎的な能力を養うこと。	
⑤　音楽，身体による表現，造形等に親しむことを通じて，豊かな感性と表現力の芽生えを養うこと。	⑨　生活を明るく豊かにする音楽，美術，文芸その他の **9.芸術** について基礎的な理解と技能を養うこと。	
①　健康，安全で幸福な生活のために必要な基本的な習慣を養い，身体諸機能の調和的発達を図ること。	⑧　健康，安全で幸福な生活のために必要な習慣を養うとともに，運動を通じて体力を養い，**10.心身** の調和的発達を図ること。	
	④　家族と家庭の役割，**11.生活** に必要な衣，食，住，情報，産業その他の事項について基礎的な理解と技能を養うこと。	
	⑩　職業についての基礎的な知識と技能，勤労を重んずる態度及び個性に応じて将来の進路を **12.選択** する能力を養うこと。	②　社会において果たさなければならない使命の自覚に基づき，個性に応じて将来の進路を **16.決定** させ，一般的な教養を高め，専門的な知識，技術及び技能を習得させること。

問われる傾向！ 過去問アレンジでポイント強化

●学校教育法 第22条 …幼稚園の目的

幼稚園は，義務教育及びその後の教育の[17.基礎]を培うものとして，幼児を[18.保育]し，幼児の健やかな成長のために適当な[19.環境]を与えて，その心身の発達を[20.助長]することを目的とする。

●学校教育法 第29条 …小学校の目的

小学校は，心身の発達に応じて，義務教育として行われる普通教育のうち[21.基礎的]なものを施すことを目的とする。

●学校教育法 第45条 …中学校の目的

中学校は，小学校における教育の基礎の上に，心身の発達に応じて，義務教育として行われる[22.普通教育]を施すことを目的とする。

●学校教育法 第49条の2 …義務教育学校の目的

義務教育学校は，心身の発達に応じて，義務教育として行われる普通教育を基礎的なものから[23.一貫]して施すことを目的とする。

●学校教育法 第50条 …高等学校の目的

高等学校は，中学校における教育の基礎の上に，心身の発達及び進路に応じて，高度な普通教育及び[24.専門教育]を施すことを目的とする。

●学校教育法 第72条 …特別支援学校の目的

特別支援学校は，視覚障害者，聴覚障害者，知的障害者，肢体不自由者又は病弱者（身体虚弱者を含む）に対して，幼稚園，小学校，中学校又は高等学校に準ずる教育を施すとともに，障害による学習上又は生活上の困難を克服し自立を図るために必要な[25.知識技能]を授けることを目的とする。

second try	first try
年 月 日( )	年 月 日( )
: 〜 :	: 〜 :
( )	( )
am・pm ℃	am・pm ℃
1.	1.
2.	2.
3.	3.
4.	4.
5.	5.
6.	6.
7.	7.
8.	8.
9.	9.
10.	10.
11.	11.
12.	12.
13.	13.
14.	14.
15.	15.
16.	16.
17.	17.
18.	18.
19.	19.
20.	20.
21.	21.
22.	22.
23.	23.
24.	24.
25.	25.

プラスチェック！

［各学校種目的・目標の法規条文］

□幼稚園…目的（学校法22条）ー目標（学校法23条）

□小学校…目的（学校法29条）┐目標（学校法21条）

□中学校…目的（学校法45条）┘

□高等学校…目的（学校法50条）ー目標（学校法51条）

＊このページで覚えた知識を教師になってどう活かしたい？

＊あ！あれ何だっけ？ 確認メモ！

chapter 67 [教育法規]

学校を設置できる者，学校に就く教員の使命

法律に定める学校はどのような性質を持っている？　学校に就く教員の使命・職責とは？
その教員の身分はなぜ尊重されるのだろうか？　学校教育についてよく理解しよう。

学校の設置者(教基法 第6条)，教員(教基法 第9条)

❶ 学校の設置者

教育基本法第６条では，学校を設置できるものについて規定している。

そして，学校教育が体系的・組織的に行われるべきこと，学校教育で重視すべきこととして，児童生徒が規律を重んじ学習意欲を高められることを規定している。

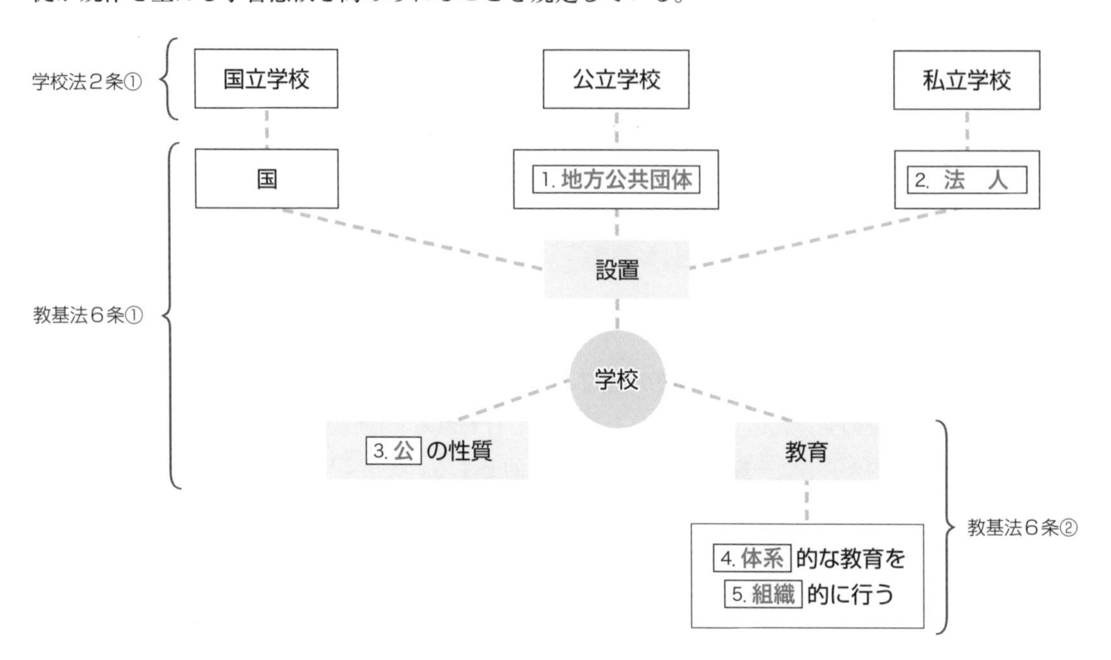

❷ 教員

教育基本法第９条では，教員の使命・職責，待遇の適正，また，教員が研究と修養に励むこと，養成と研修の充実が図られるべきことを規定している。

教員の身分

全体の奉仕者　職責の遂行　身分･待遇の保障　養成と研修の保障

免許状	有効範囲
6. 普通 免許状	全国で有効
7. 特別 免許状	授与した都道府県のみ
8. 臨時 免許状	授与した都道府県のみ

普通免許状の種類と各基礎資格	
専修免許状	修士＝大学院卒
１種免許状	学士＝四年制大学卒
２種免許状	準学士＝短期大学卒

□
□

過去問アレンジでポイント強化

[教育基本法 第6条/学校の設置者]

① 法律に定める学校は，9. 公の性質 を有するものであって，国，10. 地方公共団体 及び法律に定める法人のみが，これを設置することができる。

② 前項の学校においては，教育の目標が達成されるよう，教育を受ける者の心身の発達に応じて，11. 体系的 な教育が 12. 組織的 に行われなければならない。この場合において，教育を受ける者が，学校生活を営む上で必要な規律を重んずるとともに，自ら進んで 13. 学習 に取り組む意欲を高めることを重視して行われなければならない。

[教育基本法 第9条/教員]

① 法律に定める学校の教員は，自己の崇高な 14. 使命 を深く自覚し，絶えず 15. 研究 と 16. 修養 に励み，その 17. 職責 の遂行に努めなければならない。

② 前項の教員については，その使命と職責の重要性にかんがみ，その身分は 18. 尊重 され，19. 待遇 の適正が期せられるとともに，養成と 20. 研修 の充実が図られなければならない。

●教育公務員特例法 第22条

① 教育公務員には，21. 研修 を受ける機会が与えられなければならない。

② 教員は，授業に支障のない限り，22. 本属長 の承認を受けて，勤務場所を離れて 23. 研修 を行うことができる。

③ 教育公務員は，24. 任命権者 (略) の定めるところにより，現職のままで，25. 長期 にわたる研修を受けることができる。

•second try•	•first try•
年 月 日( )	年 月 日( )
: ～ :	: ～ :
( )	( )
am・pm ℃	am・pm ℃
1.	1.
2.	2.
3.	3.
4.	4.
5.	5.
6.	6.
7.	7.
8.	8.
9.	9.
10.	10.
11.	11.
12.	12.
13.	13.
14.	14.
15.	15.
16.	16.
17.	17.
18.	18.
19.	19.
20.	20.
21.	21.
22.	22.
23.	23.
24.	24.
25.	25.

プラスチェック！

□放送大学学園は，大学を設置し，放送による授業を行い，全国各地の学習者の身近な場所で面接による授業等を行うことを目的とする学校法人である。

＊このページで覚えた知識を教師になってどう活かしたい？

＊あ！あれ何だっけ？ 確認メモ！

[教育法規]

chapter 68 国民一人一人の生涯を通じた学習の支援

「人生100年時代」を迎える社会変化の中，生涯学習の重要性は高まっている。消費者・情報・環境教育など学校教育から生涯学習にもつながる事項について確認しておこう。

生涯学習（教基法 第3条）

教育基本法第3条では，科学技術の進歩や社会構造の変化，高齢化や自由時間の増大などに伴ってますます重要になってきている生涯学習の理念について規定している。

- 生涯学習振興のための政策では，人々が生涯のいつでも自由に学習機会を選択して学ぶことができ，その成果が適切に評価される［1. 生涯学習社会］の実現を目指している。
- 1990年施行の「生涯学習の振興のための施策の推進体制等の整備に関する法律」は，生涯学習振興のための施策の推進体制・地域における生涯学習に係る［2. 機会］の整備を図り，生涯学習の振興に寄与することを目的としている。
- これからの地域社会では地域住民が［3. 市民性］を備え，地域の課題解決や地域活動等に参画していくことが求められており，生涯学習はそのような担い手の［4. 育成］のためにも一層重要視されている。

年	生涯教育（学習）に関わる事項	年	生涯教育（学習）に関わる答申等発出の流れ
1965	［5. ポール・ラングラン］が「生涯教育」提唱		
1973	OECDが「［6. リカレント］教育―生涯学習のための戦略―」発表		
		1981	中教審「［7. 生涯教育について］」答申 ↑日本で初めて本格的に生涯学習の考え方を取り上げた
1985	放送大学が授業開始		
		1986	臨時教育審議会第2次答申「生涯学習体系への移行」 ↑答申では，より学習の立場に立った表現として「生涯学習」とした
1988	文部省に生涯学習局を設置 ↑2001年に生涯学習政策局へ改称		
		1990	中教審答申「生涯学習の基盤整備について」，生涯学習の振興のための施策の推進体制等の整備に関する法律（生涯学習振興法）制定，生涯学習審議会を設置
		1992	生涯学習審議会答申「今後の社会の動向に対応した生涯学習の振興方策について」
1999	通信大学院が新設	1999	生涯学習審議会答申「学習の成果を幅広く生かす― 生涯学習の成果を生かすための方策について ―」
		2006	改正［8. 教育基本］法で生涯学習が条文に明記
		2008	中教審答申「新しい時代を切り拓く生涯学習の振興方策について」～知の循環型社会の構築を目指して～

問われる傾向 過去問アレンジでポイント強化

[教育基本法 第3条／生涯学習の理念]

国民一人一人が，自己の 9.人格 を磨き，豊かな 10.人生 を送ることができるよう，その生涯にわたって，あらゆる 11.機会 に，あらゆる 12.場所 において学習することができ，その成果を適切に生かすことのできる社会の実現が図られなければならない。

●「生涯教育」の提唱

＊ 生涯教育は，1965年のユネスコ成人教育推進国際委員会で，教育思想家 13.ポール・ラングラン が教育改革の理念として提唱した。

＊ 教育とは児童期や青年期で 14.停止 するものではなく，人間が生きているかぎり続けられるべきことであるとし，個や社会の生活全体にわたる 15.永続的 な統合を目指す構想として広まった。

＊ 16.波多野完治 らは生涯教育の考え方を日本に紹介した。

●中央教育審議会答申「個人の能力と可能性を開花させ，全員参加による課題解決社会を実現するための教育の多様化と質保証の在り方について」(2016) (抜粋)

＊ 生涯学習は各個人の 17.自発的意思 に基づいて行われることを基本としつつも，学習者が希望する場合に，様々な学習機会を通じて学習した 18.成果 が蓄積され， 19.評価 され，企業・学校・地域等での社会的な活用に適切につながるようにすることの重要性がますます高まっている。

＊ 学習には，学校教育（ 20.フォーマル 教育）における学習や，公民館や生涯学習センター等の講座や大学の公開講座等の一定程度体系化された教育（ 21.ノンフォーマル 教育）における学習とともに，書籍や講演会などを通した学習，ボランティア活動，地域活動や講師としての経験を通した学び（ 22.インフォーマル 教育）があり，生涯学習は，これらの多様な学習機会を総合的に捉えるべきであり，これら全ての学習・活動の成果が評価されることが求められている。

•second try•	•first try•
年　月　日(　)	年　月　日(　)
：　～　：	：　～　：
(　　)	(　　)
am・pm　℃	am・pm　℃
1.	1.
2.	2.
3.	3.
4.	4.
5.	5.
6.	6.
7.	7.
8.	8.
9.	9.
10.	10.
11.	11.
12.	12.
13.	13.
14.	14.
15.	15.
16.	16.
17.	17.
18.	18.
19.	19.
20.	20.
21.	21.
22.	22.
23.	23.
24.	24.
25.	25.

プラスチェック！

[リカレント教育]

□学校教育から社会に出た後も個々人の必要なタイミングで再び教育を繰り返し受けること。「社会人の学び直し」ともいわれる。

□仕事に生かすための知識やスキルを学ぶことを指し，生涯学習とは学習の目的が異なるといえる。

＊このページで覚えた知識を教師になってどう活かしたい？

＊あ！あれ何だっけ？　確認メモ！

chapter 69 ［教育法規］

体育館など施設を地域に貸し出すのも社会教育活動

コミュニティの衰退などから，社会教育を基盤とした人づくり・つながりづくり・地域づくりが重視されている。社会に開かれた教育課程の実現など学校に期待される役割を考えよう。

社会教育（教基法 第12条）

教育基本法第12条では，社会教育が国や地方公共団体によって奨励・振興されるべきであることを規定している。社会教育は，生涯学習環境の［1. 整備］という面からも奨励・振興が必要とされている。

➤社会教育法は，1949年に制定された。社会教育に関する国及び地方公共団体の任務が定められた。
➤おもな社会教育に関する法律に，図書館法，博物館法，公民館の設置及び運営に関する基準，スポーツ基本法などがある。

【社会教育のおもなあゆみ】

(年)	
1947	教育基本法，学校教育法公布
1948	教育委員会法，国民の祝日に関する法律公布
1949	［2. 社会教育］法公布
1950	図書館法公布，文化財保護法公布
1951	博物館法公布，社会教育法一部改正（社会教育主事などを追加）
1953	青年学級振興法（現在は廃止）
1956	［3. 地方教育行政の組織及び運営に関する法律］公布
1981	放送大学学園法公布
1990	生涯学習振興法公布，生涯学習審議会（現・中教審生涯学習分科会）発足
2006	教育基本法全面改正

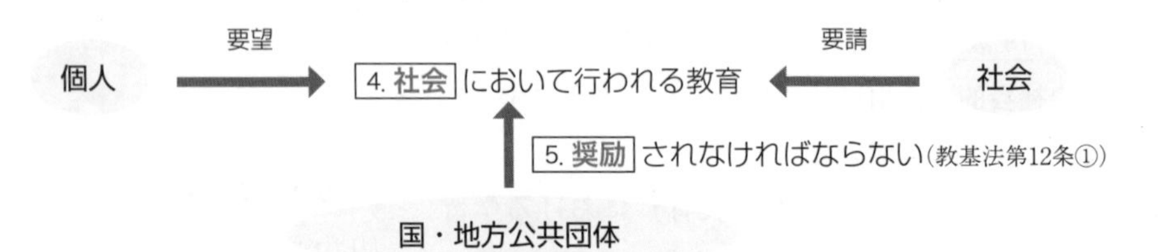

○社会教育施設の設置
　［6. 図書館］，博物館，公民館など
○学校施設の［7. 利用］
○学習機会，情報の［8. 提供］
○その他適当な方法

によって，［9. 社会教育］の振興に努めなければならない（同法第12条②）

※社会教育主事……社会教育を行う者に専門的技術的な助言と指導をする。命令・監督はできない。

問われる傾向! 過去問アレンジでポイント強化

[教育基本法 第12条／社会教育]

① 個人の要望や社会の要請にこたえ，10.社会において行われる教育は，国及び地方公共団体によって11.奨励されなければならない。

② 国及び地方公共団体は，12.図書館，博物館，公民館その他の社会教育施設の設置，学校の施設の13.利用，学習の機会及び情報の14.提供その他の適当な方法によって15.社会教育の振興に努めなければならない。

●社会教育法 第2条

この法律において「社会教育」とは，学校教育法又は就学前の子どもに関する教育，保育等の総合的な提供の推進に関する法律に基づき，学校の16.教育課程として行われる教育活動を除き，主として青少年及び成人に対して行われる組織的な教育活動（17.体育及び18.レクリエーションの活動を含む）をいう。

●社会教育法 第3条①

国及び地方公共団体は，この法律及び他の法令の定めるところにより，社会教育の奨励に必要な施設の19.設置及び20.運営，集会の開催，資料の作製，頒布その他の方法により，すべての国民があらゆる21.機会，あらゆる22.場所を利用して，自ら実際生活に即する23.文化的教養を高め得るような24.環境を醸成するように努めなければならない。

second try	first try
年 月 日( )	年 月 日( )
: ～ :	: ～ :
( )	( )
am · pm ℃	am · pm ℃
1.	1.
2.	2.
3.	3.
4.	4.
5.	5.
6.	6.
7.	7.
8.	8.
9.	9.
10.	10.
11.	11.
12.	12.
13.	13.
14.	14.
15.	15.
16.	16.
17.	17.
18.	18.
19.	19.
20.	20.
21.	21.
22.	22.
23.	23.
24.	24.
25.	25.

プラスチェック！

[成人対象の講座]

☐大学・高等専門学校・高等学校に開設 …文化講座（一般的教養），専門講座（専門的学術知識），夏期講座（夏期休暇中の一般的教養，専門的学術知識）

☐小・中学校に開設 …社会学級講座（一般的教養）

＊このページで覚えた知識を教師になってどう活かしたい？

＊あ！あれ何だっけ？ 確認メモ！

chapter 70 ［教育法規］

幼児期の家庭教育は生涯の人格形成の基礎

幼稚園教育要領で幼児期の終わりまでに育ってほしい幼児の姿が示されている。「小１プロブレム」等の課題を踏まえ，幼小連携した子供の学びの連続性を確保することが重要である。

家庭教育(教基法 第10条)，幼児期の教育(教基法 第11条)

❶ 家庭教育

教育基本法第10条では，すべての教育の出発点である家庭教育の重要性から，保護者が子どもの教育について第一義的責任を有すること，また，国や地方公共団体が家庭教育支援に努めるべきことを規定している。

【これからの家庭教育の在り方】 …「21世紀を展望した我が国の教育の在り方について（中教審第一次答申）」（抜粋）

➤家庭教育は，［1. 乳幼児期］の親子のきずなの形成に始まる家族との触れ合いを通じ，［生きる力］の基礎的な資質や能力を育成するものであり，すべての教育の［2. 出発点］である。

➤子供の教育や［3. 人格形成］に対し最終的な責任を負うのは［4. 家庭］であり，子供の教育に対する［5. 責任］を自覚し，家庭が本来，果たすべき役割を見つめ直していく必要があることを訴えたい。

❷ 幼児期の教育

教育基本法第11条では，幼児期の教育が生涯にわたる人格形成の基礎を培う重要なものであることから，国や地方公共団体がその振興に努めるべきことを規定している。

➤幼児とは，［6. 小学校就学前］の者を意味し，幼児教育とは，幼児に対する教育を意味し，幼児が生活するすべての場において行われる教育を［7. 総称］している。

➤幼稚園教育要領では，幼稚園の教育内容に５領域「［8. 健康］」「［9. 人間関係］」「［10. 環境］」「［11. 言葉］」「［12. 表現］」を設け，心身の調和のとれた発達を助長することを目指している。

【幼児期の終わりまでに育ってほしい姿】

健康な心と体	［13. 自立心］	［14. 協同性］	道徳性・規範意識の芽生え	［15. 社会生活］との関わり
［16. 思考力］の芽生え	自然との関わり・生命尊重	数量や図形，標識や文字などへの関心・感覚	［17. 言葉］による伝え合い	豊かな感性と表現

問われる傾向！ 過去問アレンジでポイント強化

[教育基本法 第10条／家庭教育]

① 父母その他の保護者は，子の教育について 18.第一義的責任 を有するものであって，生活のために必要な習慣を身に付けさせるとともに，19.自立心 を育成し，心身の調和のとれた 20.発達 を図るよう努めるものとする。

② 国及び地方公共団体は，家庭教育の自主性を尊重しつつ，保護者に対する学習の機会及び情報の提供その他の家庭教育を 21.支援 するために必要な施策を講ずるよう努めなければならない。

[教育基本法 第11条／幼児期の教育]

幼児期の教育は，生涯にわたる 22.人格形成 の基礎を培う重要なものであることにかんがみ，国及び地方公共団体は，幼児の健やかな成長に資する良好な 23.環境 の整備その他適当な方法によって，その 24.振興 に努めなければならない。

•second try•	•first try•
年 月 日( )	年 月 日( )
: 〜 :	: 〜 :
( )	( )
am · pm ℃	am · pm ℃
1.	1.
2.	2.
3.	3.
4.	4.
5.	5.
6.	6.
7.	7.
8.	8.
9.	9.
10.	10.
11.	11.
12.	12.
13.	13.
14.	14.
15.	15.
16.	16.
17.	17.
18.	18.
19.	19.
20.	20.
21.	21.
22.	22.
23.	23.
24.	24.
25.	25.

プラスチェック！

□親は，子に与える教育の種類を選択する優先的権利を有する。（世界人権宣言第26条③）

□親権を行う者は，子の利益のために子の監護及び教育をする権利を有し，義務を負う。（民法第820条）

＊このページで覚えた知識を教師になってどう活かしたい？

＊あ！あれ何だっけ？　確認メモ！

chapter 71 [教育法規]

学校と地域が一体となって子供を育てていく

教育を学校だけに求めるのではなく，家庭はもとより地域・社会と協力する「共育（共に育てる）」が求められている。学校によっては「共育懇談会」と名づけた活動を行っている。

学校・家庭・地域住民等の相互の連携協力(教基法 第13条)，学校評価

教育基本法第13条では，学校・家庭・地域住民その他の関係者が，教育においてのそれぞれの役割と責任を自覚し，相互に連携協力に努めるべきことを規定している。

【学校運営への参画】

(1) [1. 学校評議員制度]…地域住民の学校運営への参画の仕組み。

(2) [2. コミュニティ・スクール]（[3. 学校運営協議会制度]）…地教行法第47条の５に基づくしくみ。学校・保護者・地域住民が知恵を出し合い学校運営に意見を反映させることで協働し，子供たちの豊かな成長を支え「地域とともにある学校づくり」を進める。

(3) 学校評価…学校の教育活動等の成果を検証し，学校運営の改善と発展を目指すための取り組み。

免許状	学校評議員	学校運営協議会
根拠法	学校教育法施行規則 第49条	地方教育行政法 第47条の5
設　置	[4. 学校の設置者]の判断	[7. 教育委員会]の判断
権　限	校長の求めに応じ，意見を述べることができる	校長の策定する学校運営の基本的方針を[8. 承認]する権限，当該学校の教職員の任用に意見
任　命	校長が[5. 推薦]し，当該学校の設置者が[6. 委嘱]	教育委員会が[9. 任命]
委　員	教育に関し理解及び識見のある者	保護者や地域住民の中から，学校運営協議会を設置する地方公共団体の教育委員会が[10. 任命]

【学校評価の必要性と目的】…学校評価ガイドライン（文科省：2016年改訂）要旨

1．各学校が教育活動等の学校運営について目標を設定し,学校として組織的·継続的な改善を図ること。

2．各学校が自己評価・学校関係者等の評価に[11. 説明責任]を果たし，保護者・地域住民等の理解と参画を得て，学校・家庭・地域の[12. 連携協力]による学校づくりを進めること。

3．各学校の設置者等が，評価の結果に応じて改善措置を講じ，一定水準の教育の質を保証し，向上を図ること。

学校評価は３種ある

[[13. 自己]評価]
○各学校の教職員が評価する

[[14. 学校関係者]評価]
○評価委員会等（保護者，地域住民等で構成）が評価する
○自己評価の結果を評価することを基本として行われる

[[15. 第三者]評価]
○学校とその設置者が実施者
○外部専門家中心で評価
○自己評価や学校関係者評価を踏まえた学校運営状況の評価

過去問アレンジでポイント強化

[教育基本法 第13条／学校，家庭及び地域住民等の相互の連携協力]

学校，家庭及び地域住民その他の関係者は，教育におけるそれぞれの 16.役割 と 17.責任 を自覚するとともに，相互の連携及び協力に努めるものとする。

●学校教育法 第42条

小学校は，文部科学大臣の定めるところにより当該小学校の教育活動その他の学校運営の状況について 18.評価 を行い，その結果に基づき学校運営の改善を図るため必要な措置を講ずることにより，その教育水準の向上に努めなければならない。

●学校教育法 第43条

小学校は，当該小学校に関する保護者及び地域住民その他の関係者の理解を深めるとともに，これらの者との連携及び協力の推進に資するため，当該小学校の教育活動その他の学校運営の状況に関する情報を積極的に 19.提供 するものとする。

●学校教育法施行規則 第49条

① 小学校には，設置者の定めるところにより， 20.学校評議員 を置くことができる。

② 学校評議員は，校長の求めに応じ， 21.学校運営 に関し意見を述べることができる。

③ 学校評議員は，当該小学校の職員以外の者で教育に関する理解及び識見を有するもののうちから， 22.校長 の推薦により，当該小学校の 23.設置者 が委嘱する。

●学校教育法施行規則 第66条

① 小学校は，当該小学校の教育活動その他の学校運営の状況について，自ら 24.評価 を行い，その結果を公表するものとする。

② 前項の評価を行うに当たっては，小学校は，その実情に応じ，適切な項目を設定して行うものとする。

•second try•	•first try•
年 月 日( )	年 月 日( )
: ～ :	: ～ :
( )	( )
am · pm ℃	am · pm ℃
1.	1.
2.	2.
3.	3.
4.	4.
5.	5.
6.	6.
7.	7.
8.	8.
9.	9.
10.	10.
11.	11.
12.	12.
13.	13.
14.	14.
15.	15.
16.	16.
17.	17.
18.	18.
19.	19.
20.	20.
21.	21.
22.	22.
23.	23.
24.	24.
25.	25.

プラスチェック！

□地域学校協働活動…地域の高齢者・成人・学生・保護者・PTA・NPO・民間企業・団体・機関等の幅広い地域の住民等の参画を得て，地域全体で児童生徒の学びや発達を支える活動。

＊このページで覚えた知識を教師になってどう活かしたい？

＊あ！あれ何だっけ？ 確認メモ！

国と地方公共団体で役割分担と相互協力

教育振興に関する施策の総合的・計画的な推進を図るために政府が策定する計画が，教育振興基本計画である。教師は学校現場にてどう関われるのかも念頭に内容を押さえよう。

教育行政，教育振興基本計画，法令の制定(教基法 第16，17，18条)

❶ 教育行政

教育基本法16条では，教育が不当な支配に服してはならないこと，教育が法律の定めるところにより行われるべきことを規定している。 また，教育行政は公正かつ適正に行われなければならず，国と地方公共団体それぞれの役割分担と責任，財政上の措置について規定している。

❷ 教育振興基本計画

教育基本法17条では，国が総合的・計画的に教育施策を推進するための教育振興基本計画を策定し，地方公共団体が国の計画を参酌して，その地域の実情に応じた教育振興基本計画を定めるよう努めることを規定している。

第４期 教育振興基本計画（2023～2027年度）の基本的な方針

1. グローバル化する社会の**持続的**な発展に向けて 1. 学び続ける人材 の育成
2. 誰一人取り残されず，全ての人の可能性を引き出す 2. 共生社会 の実現に向けた教育の推進
3. 地域や家庭で**共に学び支え合う社会**の実現に向けた教育の推進
4. 3. 教育デジタルトランスフォーメーション(DX) の推進
5. 計画の実効性確保のための**基盤整備・対話**

(⇒p.183参照)

❸ 法令の制定

教育基本法第18条では，教育基本法の諸条項の実施に必要な法令を制定することの規定をしている。

[教育基本法 第18条／法令の制定]

この法律に規定する諸条項を実施するため，必要な法令が制定されなければならない。

過去問アレンジでポイント強化

[教育基本法 第16条／教育行政]

① 教育は，4.不当な支配に服することなく，この法律及び他の法律の定めるところにより行われるべきものであり，5.教育行政は，国と地方公共団体との適切な役割分担及び相互の協力の下，6.公正かつ適正に行われなければならない。

② 国は，全国的な教育の7.機会均等と8.教育水準の維持向上を図るため，教育に関する9.施策を総合的に策定し，実施しなければならない。

③ 地方公共団体は，その地域における教育の10.振興を図るため，その実情に応じた教育に関する11.施策を策定し，実施しなければならない。

④ 国及び地方公共団体は，教育が円滑かつ12.継続的に実施されるよう，必要な13.財政上の措置を講じなければならない。

[教育基本法 第17条／教育振興基本計画]

① 政府は，教育の振興に関する施策の総合的かつ計画的な推進を図るため，教育の振興に関する施策についての基本的な方針及び講ずべき施策その他必要な事項について，基本的な14.計画を定め，これを15.国会に報告するとともに，公表しなければならない。

② 地方公共団体は，前項の計画を参酌し，その地域の実情に応じ，当該地方公共団体における教育の振興のための施策に関する基本的な16.計画を定めるよう努めなければならない。

•second try•	•first try•
年 月 日( )	年 月 日( )
: ～ :	: ～ :
( )	( )
am・pm ℃	am・pm ℃
1.	1.
2.	2.
3.	3.
4.	4.
5.	5.
6.	6.
7.	7.
8.	8.
9.	9.
10.	10.
11.	11.
12.	12.
13.	13.
14.	14.
15.	15.
16.	16.
17.	17.
18.	18.
19.	19.
20.	20.
21.	21.
22.	22.
23.	23.
24.	24.
25.	25.

プラスチェック！

□教育政策の展開に当たっては，他分野の政策とも連携を図りつつ，国は関係府省が，地方公共団体は教育委員会と他の部局が一体となり取組を進めていく。

□同時に，課題の複雑化，困難化などから，政府や大学，企業，NPOなど，様々な主体が連携・協働する必要がある。

＊このページで覚えた知識を教師になってどう活かしたい？

＊あ！あれ何だっけ？　確認メモ！

chapter 73 ［教育法規］

政治的教養・宗教的教養は尊重されるが教育は禁止

高等学校以下の児童生徒は正確な判断をするには十分に発達をしていない段階と考えられるため，教員は強い影響力を有する立場となることに注意しなければならない。

政治教育（教基法 第14条），宗教教育（教基法 第15条）

❶ 政治教育

教育基本法第14条では，政治的教養は教育上尊重されるべきことと，党派的政治教育その他政治的活動を行ってはならないことを規定している。

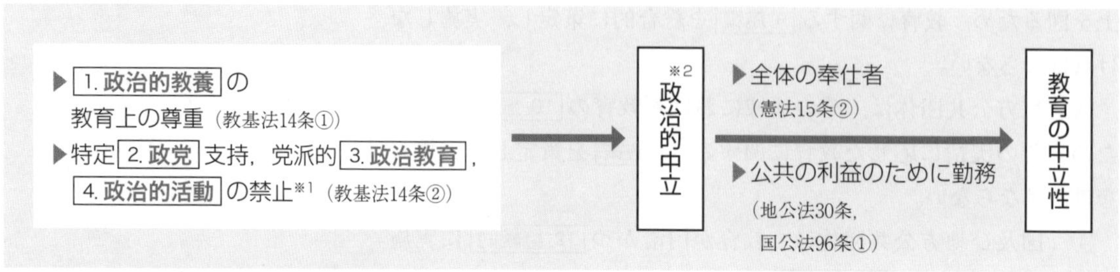

※1：高等学校等 → 留意が必要（文科省通知2015年）　※2：中立確保法第1条

❷ 宗教教育

教育基本法第15条では，国公立学校で特定の宗教のための宗教教育その他宗教的活動を行ってはならないこと，また，宗教に関する一般的な教養は，全ての国公私立学校の教育において尊重されるべきことを規定している。

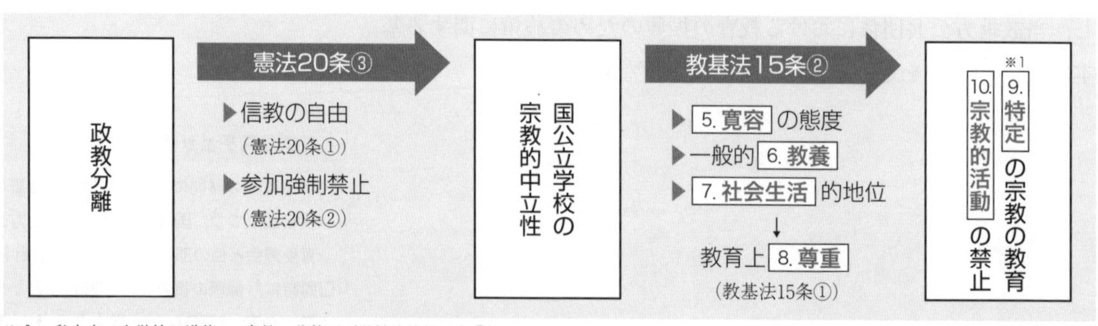

※1：私立小・中学校の道徳 → 宗教に代替可（学校法施規50条②）

問われる傾向！

過去問アレンジでポイント強化

[教育基本法 第14条／政治教育]

① 良識ある 11.公民 として必要な 12.政治的教養 は，教育上尊重されなければならない。

② 法律に定める学校は，特定の 13.政党 を支持し，又はこれに反対するための 14.政治教育 その他 15.政治的活動 をしてはならない。

[教育基本法 第15条／宗教教育]

① 宗教に関する 16.寛容 の態度，宗教に関する一般的な 17.教養 及び宗教の 18.社会生活 における地位は，教育上 19.尊重 されなければならない。

② 国及び地方公共団体が設置する学校は， 20.特定 の宗教のための宗教教育その他 21.宗教的活動 をしてはならない。

●義務教育諸学校における教育の政治的中立の確保に関する臨時措置法 第1条

この法律は， 22.教育基本法 の精神に基き，義務教育諸学校における教育を党派的勢力の不当な影響又は支配から守り，もって 23.義務教育 の 24.政治的中立 を確保するとともに，これに従事する教育職員の 25.自主性 を擁護することを目的とする。

second try	first try
年　月　日(　)	年　月　日(　)
:　～　:	:　～　:
(　　)	(　　)
am・pm　℃	am・pm　℃
1.	1.
2.	2.
3.	3.
4.	4.
5.	5.
6.	6.
7.	7.
8.	8.
9.	9.
10.	10.
11.	11.
12.	12.
13.	13.
14.	14.
15.	15.
16.	16.
17.	17.
18.	18.
19.	19.
20.	20.
21.	21.
22.	22.
23.	23.
24.	24.
25.	25.

プラスチェック！

□「宗教的活動」とは，「行為の目的が宗教的意義をもち，その効果が宗教に対する援助，助言，促進又は圧迫，干渉等となる行為」（最判1997.7.13）とされている。

＊このページで覚えた知識を教師になってどう活かしたい？

＊あ！あれ何だっけ？　確認メモ！

chapter 74 社会発展に寄与する大学の役割はますます重要に

[教育法規]

大学の自主性・自律性は尊重される。私立学校の自主性は尊重される。私立学校においては多様化するニーズに応える個性的な学校づくりの推進が期待されている。

大学(教基法 第7条)，私立学校(教基法 第8条)

❶ 大学

教育基本法第7条では，知識基盤社会における大学の役割の重要性や，大学の固有の特性にかんがみた大学の基本的な役割などについて規定している。

[教育基本法 第7条／大学]

① 大学は，1.学術 の中心として，高い教養と 2.専門的能力 を培うとともに，深く真理を 3.探究 して新たな 4.知見 を創造し，これらの成果を広く社会に 5.提供 することにより，社会の発展に寄与するものとする。

② 大学については，6.自主性，7.自律性 その他の大学における 8.教育 及び 9.研究 の特性が尊重されなければならない。

❷ 私立学校

教育基本法第８条では，私立学校の性質や学校教育における役割をかんがみ，国や地方公共団体が私学助成などの振興に努めるべきことを規定している。

➤私立学校の設置と経営

国・地方公共団体による私学助成(私立学校振興助成法第１条)

⇩

修学上の 10.経済的 な負担軽減，私立学校経営の健全性・発展性

⇩

私立学校の 11.自主 性・12.公共 性(私学法第１条)

13.学校法人 が設置(学校法第２条①)

[教育基本法 第8条／私立学校]

私立学校の有する 14.公 の性質及び学校教育において果たす重要な役割にかんがみ，国及び地方公共団体は，その 15.自主性 を尊重しつつ，助成その他の適当な方法によって私立学校教育の 16.振興 に努めなければならない。

□
□

過去問アレンジでポイント強化

●私立学校法 第1条

この法律は，17. 私立学校 の特性にかんがみ，その自主性を重んじ，公共性を高めることによって，私立学校の健全な発達を図ることを目的とする。

●私立学校法 第2条③

この法律において「私立学校」とは，18. 学校法人 の設置する学校をいう。

●私立学校法 第3条

この法律において「学校法人」とは，私立学校の 19. 設置 を目的として，この法律の定めるところにより設立される法人をいう。

●私立学校の所管・所轄

＊大学，高等専門学校，及びそれを設置する学校法人の所轄
……20. 文部科学大臣

＊幼稚園，小学校，中学校，高等学校，中等教育学校，特別支援学校，専修学校，各種学校 ……21. 都道府県知事

●学校教育法施行規則 第50条②

22. 私立 の小学校の 23. 教育課程 を編成する場合は，前項の規定にかかわらず，24. 宗教 を加えることができる。この場合においては，宗教をもって前項の特別の教科である道徳に代えることができる。

•second try•	•first try•
年　月　日(　)	年　月　日(　)
：　〜　：	：　〜　：
(　　)	(　　)
am · pm　℃	am · pm　℃
1.	1.
2.	2.
3.	3.
4.	4.
5.	5.
6.	6.
7.	7.
8.	8.
9.	9.
10.	10.
11.	11.
12.	12.
13.	13.
14.	14.
15.	15.
16.	16.
17.	17.
18.	18.
19.	19.
20.	20.
21.	21.
22.	22.
23.	23.
24.	24.
25.	25.

プラスチェック！

[大学における学位の授与]

□大学の卒業者 →学士

□大学院課程修了者 →修士または博士

□専門職大学院課程修了者
→修士（専門職）または法務博士（専門職）

＊このページで覚えた知識を教師になってどう活かしたい？

＊あ！あれ何だっけ？　確認メモ！

chapter 75 ［教育法規］

教育委員会は学校業務にどう関係している？

教育委員会は学校教育に関しての指揮監督をしている。教材の取扱いといった日々の学校生活に関わりの深い事項についてなども関係していることを把握しておこう。

教育委員会のしごと

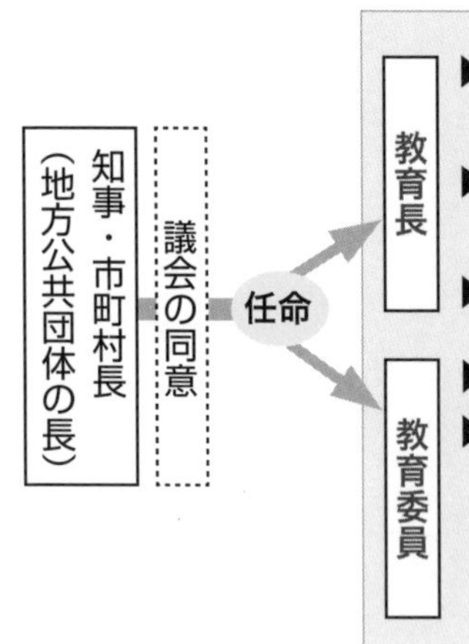

教育委員会の組織

教育長
- ▶任期は［1. 3］年（地方教育行政法（以下同じ）5条①）
- ▶会務を［2. 総理］し教育委員会を代表する（13条①）
- ▶会議を［3. 招集］する（14条①）

教育委員
- ▶任期は［4. 4］年（5条①）
- ▶人数は原則［5. 4］人（3条）（ただし，条例で定めるところにより，都道府県・指定都市は［6. 5］人以上，町村は［7. 2］人以上にすることが可能）

事務局
- ▶教育委員会の権限に属する事務を処理（17条①）
- ▶［8. 指導主事］，技術職員，事務職員などを置く（18条①）

【教育委員会のおもなしごとは？】

学校その他の教育機関の管理，社会教育，その他教育・学術・文化に関する事務管理・実行

1. 就学に関すること［就学手続き，就学義務・猶予・援助等，転学・退学］
2. 学校その他の教育機関の設置・整備，管理及び廃止に関すること
3. 教育関係職員の［9. 研修］に関すること
4. ［10. 教員免許状］の交付に関すること
5. 教科書その他の教材の取扱いに関すること

※ 権限に関わる［11. 教育委員会規則］の制定をすることができる。

都道府県（教育）委員会のしごと	市町村（教育）委員会のしごと
任命権 勤務条件の制定 研修の実施 人事評価の**計画**	任命の際の内申 服務監督権 研修の実施 人事評価の**実施**
事務局に指導主事・技術職員等の配置 特別支援学校入学者の保護者へ入学期日通知 都道府県の設置する学校の**学期・休業日**の定め 県費負担教職員の**任免**その他の進退	事務局に指導主事その他の職員の配置 認定特別支援学校就学者以外の保護者へ入学期日通知 当該地域の児童生徒の［12. 学齢簿］の編製 県費負担教職員の服務の**監督**

□

□

問われる傾向！ 過去問アレンジでポイント強化

●地方教育行政の組織及び運営に関する法律 第１条の３

① 13. 地方公共団体の長 は，教育基本法第17条第１項に規定する基本的な方針を参酌し，その地域の実情に応じ，当該地方公共団体の教育，学術及び文化の振興に関する総合的な施策の 14. 大綱 (略) を定めるものとする。

●地方教育行政の組織及び運営に関する法律 第１条の４①

15. 地方公共団体の長 は，大綱の策定に関する協議及び次に掲げる事項についての協議並びにこれらに関する次項各号に掲げる構成員の事務の調整を行うため，16. 総合教育会議 を設けるものとする。

●地方教育行政の組織及び運営に関する法律 第４条

① 17. 教育長 は，当該地方公共団体の長の被選挙権を有する者で，人格が高潔で，教育行政に関し識見を有するもののうちから，18. 地方公共団体の長 が，議会の同意を得て，任命する。

② 19. 委員 は，当該地方公共団体の長の被選挙権を有する者で，人格が高潔で，教育，学術及び文化 (略) に関し識見を有するもののうちから，地方公共団体の長が，20. 議会 の同意を得て，任命する。

●地方教育行政の組織及び運営に関する法律 第34条

教育委員会の所管に属する学校その他の教育機関の校長，園長，21. 教員，事務職員，技術職員その他の職員は，この法律に特別の定めがある場合を除き，22. 教育委員会 が任命する。

●地方教育行政の組織及び運営に関する法律 第47条の５①

教育委員会は，23. 教育委員会規則 で定めるところにより，その所管に属する学校ごとに，当該学校の運営及び当該運営への必要な支援に関して協議する機関として，24. 学校運営協議会 を置くように努めなければならない。ただし，２以上の学校の運営に関し相互に密接な連携を図る必要がある場合として文部科学省令で定める場合には，２以上の学校について１の 25. 学校運営協議会 を置くことができる。

•second try•	•first try•
年 月 日( )	年 月 日( )
: 〜 :	: 〜 :
( )	( )
am · pm ℃	am · pm ℃
1.	1.
2.	2.
3.	3.
4.	4.
5.	5.
6.	6.
7.	7.
8.	8.
9.	9.
10.	10.
11.	11.
12.	12.
13.	13.
14.	14.
15.	15.
16.	16.
17.	17.
18.	18.
19.	19.
20.	20.
21.	21.
22.	22.
23.	23.
24.	24.
25.	25.

プラスチェック！

- □指導主事は，学校の教育課程など学校教育に関する専門的事項の指導に関する事務に従事する。
- □指導主事は，大学以外の公立学校の教員をもって充てることができる。
- □指導主事は，教育に関する識見，学校教育に関する専門的事項の教養と経験を有さなければならない。

＊このページで覚えた知識を教師になってどう活かしたい？

＊あ！あれ何だっけ？ 確認メモ！

chapter 76
[教育法規]

教員は「条件付き」採用。1年間勤務後正式採用

教員については，生徒や保護者への対応やわかりやすい授業の遂行等について，条件付採用期間の1年間で，その適格性を厳正に見極めることとされている。

教員の採用等，教職員の任命

❶ 教員の採用等

条件付採用

⇒地方公務員の採用は競争試験によるが，選考によることも可（地公法17条の２①）
　採用は条件付 → 1. 6か月 間勤務し，良好な成績であれば正式採用
⇒期間を 2. 1年 まで延長可（地公法22条）
　教員の採用は選考による → 正式採用には 3. 1年 間の勤務が必要（特例法12条①）

〈採用・昇任〉 公立学校の校長の採用，教員の 4. 採用 ・昇任の選考を行う者（特例法11条）
○大学附置の学校 ----→ 大学の学長
○それ以外の公立学校 ----→ 教育委員会の 5. 教育長
○幼保連携型認定こども園 ----→ 地方公共団体の長

〈臨時的任用〉 6. 6か月 を超えない期間で可
⇒更新は6か月を超えない期間で可，再度の更新は不可（地公法22条の３①）

❷ 教職員の任命

教員…公立学校の教授，准教授，教頭，7. 教諭 ，助教諭，8. 養護教諭 ，講師など（特例法２条②）

↑ 任命

欠格事由（学校法９条）
○禁錮以上の刑に処せられた者
○免許状が効力を失い，当該失効の日から３年を経過しない者
○免許状取上げの処分を受け，３年を経過しない者
○日本国憲法を暴力で破壊することを主張する政党等を結成・加入した者

教員を採用・昇任・降任・転任の方法で任命する権限を有する者（任命権者）

○教育委員会が所管する学校 ----→ 9. 教育委員会 （地方教育行政法34条）
○市町村立学校の教職員でその給与を都道府県が負担するもの（県費負担教職員）
　----→ 都道府県（の教育）委員会（地方教育行政法37条①）

問われる傾向！　過去問アレンジでポイント強化

●地方公務員法 第22条

職員の採用は，全て 10.条件付 のものとし，当該職員がその職において 11.6 月の期間を勤務し，その間その職務を良好な 12.成績 で遂行したときに， 13.正式のもの となるものとする。この場合において，人事委員会等は，人事委員会規則（人事委員会を置かない地方公共団体においては，地方公共団体の規則）で定めるところにより，条件付採用の期間を 14.1 年を超えない範囲内で延長することができる。

●教育公務員特例法 第12条①

公立の小学校，中学校，義務教育学校，高等学校，中等教育学校，特別支援学校，幼稚園及び幼保連携型認定こども園（以下「小学校等」という）の 15.教諭 ，助教諭，保育教諭，助保育教諭及び 16.講師 (以下「教諭等」という)に係る地方公務員法第22条に規定する採用については，同条中「 17.6 月」とあるのは「 18.1 年」として同条の規定を適用する。

●教育公務員特例法 第11条

公立学校の校長の採用（現に校長の職以外の職に任命されている者を校長の職に任命する場合を含む）並びに教員の 19.採用 （現に教員の職以外の職に任命されている者を教員の職に任命する場合を含む。以下この条において同じ）及び 20.昇任 （採用に該当するものを除く）は，選考によるものとし，その選考は，大学附置の学校にあっては当該大学の学長が，大学附置の学校以外の公立学校（幼保連携型認定こども園を除く）にあってはその校長及び教員の任命権者である 21.教育委員会 の 22.教育長 が，大学附置の学校以外の公立学校（幼保連携型認定こども園に限る）にあってはその校長及び教員の任命権者である地方公共団体の長が行う。

●地方教育行政の組織及び運営に関する法律 第34条

教育委員会の所管に属する学校その他の教育機関の校長，園長，教員，事務職員，技術職員その他の職員は，この法律に特別の定めがある場合を除き， 23.教育委員会 が任命する。

second try	first try
年　月　日(　)	年　月　日(　)
:　～　:	:　～　:
(　)	(　)
am · pm　℃	am · pm　℃

second try	first try
1.	1.
2.	2.
3.	3.
4.	4.
5.	5.
6.	6.
7.	7.
8.	8.
9.	9.
10.	10.
11.	11.
12.	12.
13.	13.
14.	14.
15.	15.
16.	16.
17.	17.
18.	18.
19.	19.
20.	20.
21.	21.
22.	22.
23.	23.
24.	24.
25.	25.

プラスチェック！

□臨時的任用教員は常勤職になるので，同一賃金のもと，学級担任等正規採用教員と同一の職責を担う。

＊このページで覚えた知識を教師になってどう活かしたい？

＊あ！あれ何だっけ？　確認メモ！

chapter 77 ［教育法規］

各学校種に必要な教職員を確認しよう

校長の職務について押さえよう。教職員には種類がある。自身の目指す教員は？　教職員の配置については，準用規定や学校種別の設置基準も参照しておこう。

校長等の職務，教職員の配置

❶ 校長等の職務

校長の職務
小学校，中学校，高等学校，義務教育学校，特別支援学校，中等教育学校，高等専門学校

- 所属職員の［1. 監督］（学校法37条④）
- ［3. 懲戒］，［4. 退学］・停学・訓告（学校法11条，同法施規26条②）
  ※懲戒は教員もすることができる。
- 出席［2. 停止］の決定（学校保健安全法19条）
- ［5. 指導要録］の作成（学校法施規24条①）
  進学先の校長へ送付（同24条②）
- ［6. 出席状況］の確認（学校法施令19条）
  ※高等学校・高等専門学校の校長は除く。

❷ 教職員の配置

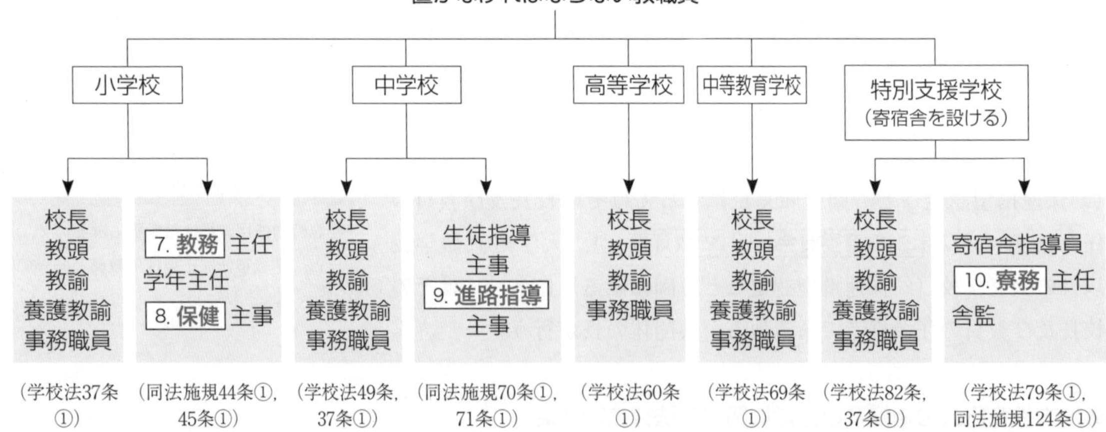

※　校長，教諭，事務職員（高等学校・中等教育学校に限る），寄宿舎指導員（特別支援学校に限る）は必置の職員であり，それ以外は置かなくてもよい場合がある（学校法37条③，60条③，69条③，同法施規44条②，45条②，70条②，71条②，124条②）。

※　すべての学校には，他に副校長，主幹教諭，指導教諭，栄養教諭，助教諭，講師，養護助教諭を置くことができる（学校法37条②⑱⑲，49条，82条，60条②⑤，69条②④）。小学校・中学校・高等学校・中等教育学校・特別支援学校には，研修主事を置くことができる（学校法施規45条の２，79条，104条，113条，135条）。高等学校には，養護教諭を置くことができる（学校法60条②）。高等学校・中等教育学校には，実習助手，技術職員を置くことができる（学校法60条②，69条②）。

問われる傾向！ 過去問アレンジでポイント強化

●学校教育法 第37条（抜粋）

① 小学校には，校長，教頭，11. 教諭，養護教諭及び事務職員を置かなければならない。

④ 校長は，校務をつかさどり，所属職員を 12. 監督 する。

⑨ 13. 主幹教諭 は，校長（副校長を置く小学校にあっては，校長及び副校長）及び教頭を助け，命を受けて校務の一部を整理し，並びに児童の教育をつかさどる。

⑪ 教諭は，児童の 14. 教育 をつかさどる。

●学校教育法 第11条

校長及び教員は，教育上必要があると認めるときは，文部科学大臣の定めるところにより，児童，生徒及び学生に 15. 懲戒 を加えることができる。ただし，16. 体罰 を加えることはできない。

●学校教育法施行規則 第26条

① 校長及び教員が児童等に 17. 懲戒 を加えるに当っては，児童等の心身の発達に応ずる等教育上必要な配慮をしなければならない。

② 懲戒のうち，18. 退学，19. 停学 及び 20. 訓告 の処分は，校長（大学にあっては，学長の委任を受けた学部長を含む）が行う。

●学校保健安全法 第19条

校長は，21. 感染症 にかかっており，かかっている疑いがあり，又はかかるおそれのある児童生徒等があるときは，政令で定めるところにより，出席を 22. 停止 させることができる。

●学校教育法施行規則 第24条

① 校長は，その学校に在学する児童等の 23. 指導要録（学校教育法施行令第31条に規定する児童等の学習及び健康の状況を記録した書類の原本をいう）を作成しなければならない。

•second try•	•first try•
年　月　日(　)	年　月　日(　)
：　～　：	：　～　：
(　　)	(　　)
am · pm　℃	am · pm　℃
1.	1.
2.	2.
3.	3.
4.	4.
5.	5.
6.	6.
7.	7.
8.	8.
9.	9.
10.	10.
11.	11.
12.	12.
13.	13.
14.	14.
15.	15.
16.	16.
17.	17.
18.	18.
19.	19.
20.	20.
21.	21.
22.	22.
23.	23.
24.	24.
25.	25.

プラスチェック！

- □指導教諭は，児童の教育をつかさどり，並びに教諭その他の職員に対して，教育指導の改善及び充実のために必要な指導及び助言を行う。
- □研修主事は，指導教諭か教諭から充てる。校長の監督を受け，研修計画の立案その他の研修に関する事項について連絡調整及び指導，助言に当たる。

＊このページで覚えた知識を教師になってどう活かしたい？

＊あ！あれ何だっけ？　確認メモ！

chapter 78 地方公務員である教員には様々な義務や制限あり

［教育法規］

教職員の不祥事が後を絶たない。地方公務員としての教員の身分をしっかりと把握し，職責や義務を自覚していくことが求められる。

教職員の服務

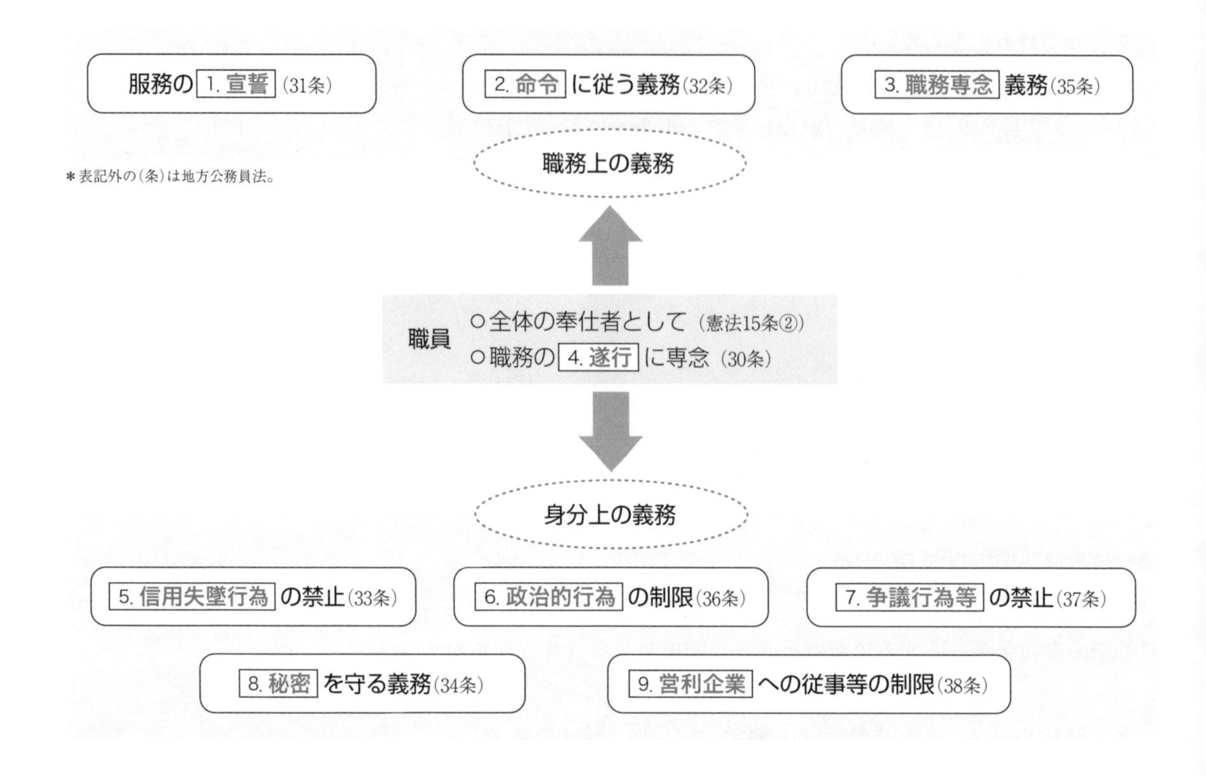

【営利企業の従事等の制限，兼職・他の事業等の従事】

➤**地方公務員法 第38条①**……職員は，10. 任命権者 の許可を受けなければ，商業，工業又は金融業その他営利を目的とする私企業（「営利企業」）を営むことを目的とする会社その他の団体の役員その他人事委員会規則（略）で定める地位を兼ね，若しくは自ら営利企業を営み，又は報酬を得ていかなる事業若しくは事務にも従事してはならない。ただし，非常勤職員（略）については，この限りでない。

教育公務員の特例規定

➤**教育公務員特例法 第17条①**……教育公務員は，11. 教育 に関する他の職を兼ね，又は教育に関する他の事業若しくは事務に従事することが本務の遂行に支障がないと 12. 任命権者 （略）において認める場合には，給与を受け，又は受けないで，その職を兼ね，又はその事業若しくは事務に従事することができる。

※　任命権者は都道府県の教育委員会であるが，兼職は県費負担教職員を管理する市町村（特別区を含む）の教育委員会の認定となる。

問われる傾向

過去問アレンジでポイント強化

●地方公務員法 第30条

すべて職員は，全体の 13.奉仕者 として公共の利益のために勤務し，且つ，職務の遂行に当っては，全力を挙げてこれに 14.専念 しなければならない。

●地方公務員法 第31条

職員は，条例の定めるところにより， 15.服務の宣誓 をしなければならない。

●地方公務員法 第32条

職員は，その職務を遂行するに当って，法令，条例，地方公共団体の規則及び地方公共団体の機関の定める規程に従い，且つ，上司の 16.職務上の命令 に忠実に従わなければならない。

●地方公務員法 第35条

職員は，法律又は条例に特別の定がある場合を除く外，その勤務時間及び職務上の注意力のすべてをその職責遂行のために用い，当該地方公共団体がなすべき責を有する 17.職務 にのみ従事しなければならない。

●地方公務員法 第33条

職員は，その職の 18.信用 を傷つけ，又は職員の職全体の 19.不名誉 となるような行為をしてはならない。

●地方公務員法 第34条①

職員は，職務上知り得た 20.秘密 を漏らしてはならない。その職を 21.退いた後 も，また，同様とする。

●地方公務員法 第36条①

職員は，政党その他の 22.政治的団体 の結成に関与し，若しくはこれらの団体の役員となってはならず，又はこれらの団体の構成員となるように，若しくはならないように 23.勧誘運動 をしてはならない。

●地方公務員法 第37条①

職員は，地方公共団体の機関が代表する使用者としての住民に対して同盟罷業，怠業その他の 24.争議行為 をし，又は地方公共団体の機関の活動能率を低下させる 25.怠業的行為 をしてはならない。又，何人も，このような違法な行為を企て，又はその遂行を共謀し，そそのかし，若しくはあおってはならない。

•second try•	•first try•
年　月　日(　)	年　月　日(　)
:　〜　:	:　〜　:
(　　)	(　　)
am・pm　℃	am・pm　℃
1.	1.
2.	2.
3.	3.
4.	4.
5.	5.
6.	6.
7.	7.
8.	8.
9.	9.
10.	10.
11.	11.
12.	12.
13.	13.
14.	14.
15.	15.
16.	16.
17.	17.
18.	18.
19.	19.
20.	20.
21.	21.
22.	22.
23.	23.
24.	24.
25.	25.

プラスチェック！

[分限処分の理由]

□勤務実績がよくない場合，心身の故障による職務遂行への支障，適格性の欠如など。

[懲戒処分の理由]

□法律・条例・地方公共団体の規則・規程に違反した場合，職務上の義務違反，職務怠慢など。

*このページで覚えた知識を教師になってどう活かしたい？

*あ！あれ何だっけ？　確認メモ！

chapter 79 [注目トピックス]

求められる危険予測と回避能力

災害等発生時に危険を予測し，安全を守る能力の育成が求められている。起こりうる具体例を取り上げた学習が大切である。教職員においては防災リテラシーの向上が必要とされている。

学校安全と安全教育

「危ないのは何だろう？」（危険な場所や行為への気づき）
「どんなことが考えられるだろう？」（これから起こりうる危険の予測）
「どうしたら避けることができるだろう？」（危険な行為は何か）

▶身の回りで起こりうる具体例を取り上げた学習
▶よく考えることを通じて身につける
→ **危険予測・回避能力**

➤学校においては，事故等で児童生徒等に危害が生じた場合，その児童生徒等やその事故等によって 1. 心理的外傷 など心身の健康に影響を受けた児童生徒等その他の関係者の心身の健康を回復させるために，必要な支援を行うこととされている。…学校保健法第29条③（要旨）

【安全教育の目標】 …「第３次学校安全の推進に関する計画」（2022）（抜粋）

➤安全教育の目標は，日常生活全般における安全確保のために必要な事項を 2. 実践的 に理解し，自他の 3. 生命尊重 を基盤として，生涯を通じて安全な生活を送る基礎を培うとともに，進んで安全で安心な社会づくりに参加し貢献できるよう，安全に関する資質・能力を育成することである。

➤各学校では，新学習指導要領において重視している 4. カリキュラム・マネジメント の考え方を生かしながら，児童生徒等や学校，地域の実態及び児童生徒等の発達の段階を考慮して，学校の特色を生かした 5. 安全教育の目標 や 6. 指導の重点 を設定し， 7. 教育課程 を編成・実施していくことが重要であり，各学校において管理職や教職員の共通理解を図りながら，安全教育を積極的に推進するべきである。

【学習指導要領の特別活動にみる安全に関わる記載】

➤[小・中] 心身ともに健康で安全な生活態度の形成

［(中のみ) 節度ある生活を送るなど］現在及び生涯にわたって心身の健康を 8. 保持増進 することや，事件や事故，災害等から身を守り安全に行動すること。

➤[小・中] 健康安全・体育的行事

心身の健全な発達や健康の保持増進，事件や事故，災害等から身を守る安全な行動や規律ある 9. 集団行動 の体得，運動に親しむ態度の育成，責任感や連帯感の涵養，体力の向上などに資するようにすること。

➤[高] 生命の尊重と心身ともに健康で安全な生活態度や規律ある習慣の確立

節度ある健全な生活を送るなど現在及び生涯にわたって心身の健康を保持増進することや，事件や事故，災害等から身を守り安全に行動すること。

●文科省「『生きる力』をはぐくむ学校での安全教育」(2019)(抜粋)

学校における安全教育は，主に学校教育法等に基づき，各学校で教育課程（カリキュラム）を編成する際の基準として定める学習指導要領等を踏まえ，地域や学校の実態に応じて，学校の 10.教育活動全体 を通じて実施され，学校における安全管理・組織活動は，主に 11.学校保健安全法 に基づいて実施される。

また，学校安全の推進に関する施策の方向性と具体的な方策は，おおむね５年ごとに閣議決定される「学校安全の推進に関する計画」に定められており，これらを踏まえて学校安全の取組を進めていく必要がある。

●生徒指導提要（2022年改訂）／危機管理体制

＊学校危機とは

学校が安全で安心な環境であることは，児童生徒の学力向上や社会性の発達，健やかな成長や体力の増進につながる前提条件になります。学校安全は，12.学校安全計画 に基づき，安全教育，安全管理，組織活動の側面から，13.生活安全，14.交通安全，15.災害安全 の３領域に実践課題を設定し，全ての教職員で取り組むことによって実現される教育活動です。(略) 事件・事故や災害などによって，通常の課題解決方法では解決することが困難で，学校の運営機能に支障をきたす事態を「16.学校危機」と呼びます。学校には，特別な備えや対応が求められますが，特に，児童生徒等に危害が生じた場合には，当該児童生徒及び関係者の 17.心身の健康 を回復するための必要な支援を行うことが不可欠です。

学校危機は，学校で発生した事案だけでなく，児童生徒の個人的な事柄や地域社会における出来事からの影響を受け，緊急対応が必要になる場合もあります。

＊学校危機への介入

○ 18.リスクマネジメント …事件・事故の発生を 19.未然に防止 し，災害の影響を回避，緩和するための取組。

○ 20.クライシスマネジメント …事前の取組を進めていたにもかかわらず，事件・事故の発生や災害の影響が及んだ際の 21.学校運営 と 22.心のケア に関する迅速かつ適切な対応。

•second try•	•first try•
年 月 日( )	年 月 日( )
: 〜 :	: 〜 :
( )	( )
am · pm ℃	am · pm ℃
1.	1.
2.	2.
3.	3.
4.	4.
5.	5.
6.	6.
7.	7.
8.	8.
9.	9.
10.	10.
11.	11.
12.	12.
13.	13.
14.	14.
15.	15.
16.	16.
17.	17.
18.	18.
19.	19.
20.	20.
21.	21.
22.	22.
23.	23.
24.	24.
25.	25.

プラスチェック！

- □スマートフォンやSNSの普及ほか環境の変化等からの，新たな危機事象が懸念されている。
- □学校安全は，従来想定されなかった新たな危機事象に応じ柔軟な見直しをしていくことが必要である。
- □課題によっては，生徒指導や情報モラルの育成など様々な分野との連携が必要となる。

＊このページで覚えた知識を教師になってどう活かしたい？

＊あ！あれ何だっけ？ 確認メモ！

chapter 80 [注目トピックス]

未来を担う児童生徒たちの安心・安全のために

18歳成人を受け，契約に関する理解ほか自立した消費者として生活を営むための教育や，自然環境を守り自主的に保全活動へ取り組んでいけるための環境教育は重要である。

消費者教育，環境教育

❶ 消費者教育

消費者教育は，国民の一人一人が自立した消費者として，安心して安全で豊かな消費生活を営むために必須である。

【消費者基本法からみる消費者の８つの権利】 …消費者基本法第２条をもとに作成

消費者の利益の擁護及び増進に関する総合的な施策（「消費者政策」）の推進は，国民の①消費生活における 1. 基本的な需要 が満たされ，その②健全な 2. 生活環境 が確保される中で，消費者の③ 3. 安全 が確保され，商品及び役務について消費者の④自主的かつ合理的な 4. 選択の機会 が確保され，消費者に対し⑤・⑥必要な 5. 情報 及び 6. 教育 の機会が提供され，消費者の⑦ 7. 意見 が消費者政策に反映され，並びに消費者に⑧被害が生じた場合には適切かつ迅速に 8. 救済 されることが消費者の権利であることを尊重するとともに，消費者が自らの利益の擁護及び増進のため自主的かつ合理的に行動することができるよう消費者の自立を支援することを基本として行われなければならない。

【消費者の権利保護と消費者教育のおもなあゆみ】

年	事項
1962	サリドマイド事件。不当景品類及び不当表示防止法制定。 9. 消費者4つの権利 (ケネディ教書)
1968	カネミ油症事件。
	消費者保護基本法制定。 ←2004年「消費者基本法」に改正
1970	10. 国民生活センター 発足 ←2003年独立行政法人となる
1975	消費者教育を受ける権利(フォード教書)が4つの権利に追加
1976	訪問販売等に関する法律制定
1992	生涯学習審議会答申において， 11. 消費者問題 に関する学習機会の充実等が提言された
1994	製造物責任法(PL法)制定
2000	消費者契約法制定
2001	牛海綿状脳症(BSE)問題
2003	食品安全基本法制定
2009	12. 消費者庁 設置
2012	消費者教育の推進に関する法律

❷ 環境教育

➤環境教育とは，人間を取り巻く 13. 自然 と人為的環境と 14. 人間 との関係を取り上げ，その中で人口，汚染，資源の配分と枯渇，自然保護，運輸，技術，都市と田舎の開発計画が人間環境に対してどのようなかかわりを持つかを理解させる教育のプロセスである。…アメリカ合衆国環境教育法要旨

➤SDGsは，誰一人取り残さない 15. 持続可能 で多様性と包摂性のある社会の実現のための，2030年を年限とする17の国際目標を指す。貧困，飢餓，保健，教育，エネルギー，気候変動，平和，など。

□
□

●環境に関するおもなあゆみ

(年)	
1967	プラウデン報告書（英）：学校における環境教育の活用
1970	環境教育法（米）
1972	国連人間環境会議（ストックホルム）
1975	国際環境教育会議（ベオグラード）
1982	ナイロビ宣言
1992	国連環境開発会議：地球サミット（リオデジャネイロ）
1993	16. 環境基本 法（日）
1997	17. 京都議定書 （気候変動枠組み条約第3回締約国会議で採択）
1999	中央環境審議会答申「これからの環境教育・環境学習 ―持続可能な社会をめざして―」（日）
2011	環境教育等による環境保全の取組の促進に関する法律（日）
2015	第21回気候変動枠組条約締約国会議（COP 21）：パリ協定 「 18. 持続可能な開発目標 （SDGs）」国連サミット全会一致採択

●高等学校学習指導要領家庭科／家庭基礎／内容／C 持続可能な消費生活・環境

(1) 生活における経済の計画

(2) 消費行動と意思決定

ア 消費者の権利と責任を自覚して行動できるよう 19. 消費生活 の現状と課題，消費行動における意思決定や契約の重要性，消費者保護の仕組みについて理解するとともに，生活情報を適切に収集・整理できること。

イ 20. 自立 した消費者として，生活情報を活用し，適切な意思決定に基づいて行動することや責任ある消費について考察し，工夫すること。

(3) 持続可能なライフスタイルと環境

ア 生活と環境との関わりや持続可能な 21. 消費 について理解するとともに，持続可能な社会へ参画することの意義について理解すること。

イ 持続可能な社会を目指して 22. 主体的 に行動できるよう，安全で安心な生活と消費について考察し，ライフスタイルを工夫すること。

•second try•

年 月 日( )

: ～ :

( )

am・pm ℃

1.
2.
3.
4.
5.
6.
7.
8.
9.
10.
11.
12.
13.
14.
15.
16.
17.
18.
19.
20.
21.
22.
23.
24.
25.

•first try•

年 月 日( )

: ～ :

( )

am・pm ℃

1.
2.
3.
4.
5.
6.
7.
8.
9.
10.
11.
12.
13.
14.
15.
16.
17.
18.
19.
20.
21.
22.
23.
24.
25.

プラスチェック！

□消費者行政の原点は，ケネディ大統領の「消費者４つの権利」といわれる。①安全を求める権利，②知らされる権利，③選ぶ権利，④意見を聞き届けられる権利

□今日の環境問題／地球温暖化，オゾン層の破壊，熱帯林の減少，酸性雨，海洋汚染，砂漠化など。

＊このページで覚えた知識を教師になってどう活かしたい？

＊あ！あれ何だっけ？ 確認メモ！

chapter 81 [注目トピックス]

情報通信技術を生かし，教育の質向上を図る

人工知能（AI），ビッグデータ，Internet of Things（IoT），ロボティクス等により社会が激変するSociety5.0時代が到来しつつある。つねに状況を把握していこう。

教育の情報化

次代を切り拓く子供たちには，1.情報活用能力をはじめ，言語能力や数学的思考力などこれからの時代を生きていく上で基盤となる資質・能力を確実に育成していく必要があり，そのためにもICT等を活用して，「2.公正に個別最適化された学び」や学校における3.働き方改革を実現していくことが不可欠である。

(1) 教育の情報化とは

*情報通信技術の，時間的・空間的制約を超える，4.双方向性を有する，カスタマイズを容易にするといった特長を生かして，教育の質の向上を目指すものであり，具体的には次の3つの側面から構成され，これらを通して5.教育の質の向上を図るものである。

① 6.情報教育：子供たちの情報活用能力の育成

② 教科指導におけるICT活用：ICTを効果的に活用した分かりやすく深まる授業の実現等

③ 校務の情報化：教職員がICTを活用した7.情報共有によりきめ細やかな指導を行うことや，8.校務の負担軽減等

*あわせて，これらの教育の情報化の実現を支える基盤として，「教師の9.ICT活用指導力等の向上」「学校のICT環境の整備」「10.教育情報セキュリティの確保」の3点を実現することが極めて重要である。

(2) 情報活用能力の育成

*「情報活用能力」は，世の中の様々な事象を情報とその結び付きとして捉え，情報及び情報技術を適切かつ効果的に活用して，11.問題を発見・解決したり自分の考えを12.形成したりしていくために必要な資質・能力である。

*学習活動を遂行する上で必要となる情報手段の基本的な13.操作の習得や，14.プログラミング的思考，情報モラル等に関する資質・能力等も含む。

(3) 情報モラル教育の充実

*「情報モラル」とは，情報社会で適正な活動を行うための基になる考え方と態度といえる。

*他者への影響を考え，人権，知的財産権など自他の権利を尊重し情報社会での行動に責任をもつことや，犯罪被害を含む15.危険の回避など情報を正しく安全に利用できること，コンピュータなどの情報機器の使用による16.健康との関わりを理解することが挙げられる。

*情報や情報技術の特性についての理解に基づく情報モラルを身に付けさせ，将来の新たな機器やサービス，危険の出現にも適切に対応できるようにすることが重要である。

●プログラミング的思考

自分が意図する一連の活動を実現するために，どのような動きの 17.組合せ が必要であり，一つ一つの動きに対応した記号を，どのように組み合わせたらいいのか，記号の組合せをどのように 18.改善 していけば，より意図した活動に近づくのか，といったことを 19.論理的 に考えていく力をいう。

●インターネットの特性

「公開性」「記録性」「信憑性」「公共性」「流出性」等について児童生徒の発達段階に応じ理解を深めさせ，発生している様々な事件やトラブルの本質を捉えさせることが必要である。

●情報セキュリティポリシーの方向性

＊　教育においては，社会全体のデジタル化，20.デジタルトランスフォーメーション(DX)，Society5.0時代の到来という大きな潮流の中で，学校教育の基盤的なツールとしてICTは必要不可欠なものであり，21.GIGAスクール構想 に基づく１人１台端末の本格運用を進めることによって，一人一人の多様なニーズや特性等に対応した 22.個別最適な学び と協働的な学びを充実させることが重要である。

＊　そのためには，児童生徒の 23.学習履歴(スタディ・ログ)，生活・健康情報（ライフ・ログ），教職員の支援等に関する情報とその効果・有効性の評価（24.アシスト・ログ）等を，低コストでありながら，セキュリティも担保して，有機的に結びつけながら活用できる環境構築が必要である。

＊　さらには，新しい教育の提供手段や緊急時における教育提供手段として，25.同時双方向型 の遠隔授業へのニーズも高まっている。そうした新しい教育ニーズに技術的にも経済的にも対応可能な学校ICT環境の整備が必要となる。

•second try•	•first try•
年　月　日(　)	年　月　日(　)
：　〜　：	：　〜　：
(　　)	(　　)
am · pm　℃	am · pm　℃
1.	1.
2.	2.
3.	3.
4.	4.
5.	5.
6.	6.
7.	7.
8.	8.
9.	9.
10.	10.
11.	11.
12.	12.
13.	13.
14.	14.
15.	15.
16.	16.
17.	17.
18.	18.
19.	19.
20.	20.
21.	21.
22.	22.
23.	23.
24.	24.
25.	25.

プラスチェック！

□アシスティブ・テクノロジー…障害による物理的な操作上の困難や障壁（バリア）を，機器を工夫することによって支援しようという考え方。

□学校における校務の負担軽減を図り，教師の長時間勤務を解消する有効な解決策として，統合型校務支援システムの導入があげられる。

＊このページで覚えた知識を教師になってどう活かしたい？

＊あ！あれ何だっけ？　確認メモ！

2022年12月に「生徒指導提要」改訂版が発出

今日的な課題に対応すべく12年ぶりに全面改訂した生徒指導提要。構造化で捉える児童生徒の発達支援や早期対応，チーム学校の視点，権利・法規確認等への言及が特徴として挙げられる。

「生徒指導提要」改訂版における考え方①(生徒指導の構造)

【生徒指導の2軸3類4層構造】

➤児童生徒の課題への対応のⓐ**時間軸**から2軸，ⓑ**課題性の高低**から3類，ⓒ**対象**となる児童生徒の範囲から4層に類別した生徒指導の重層的な支援構造が示された。

➤児童生徒の個別の課題に対する生徒指導においては，4層の各段階における指導方法等について指南している。

➤これからはとくに**常態的・先行的**（**プロアクティブ**）な生徒指導の創意工夫が，一層必要とされている。

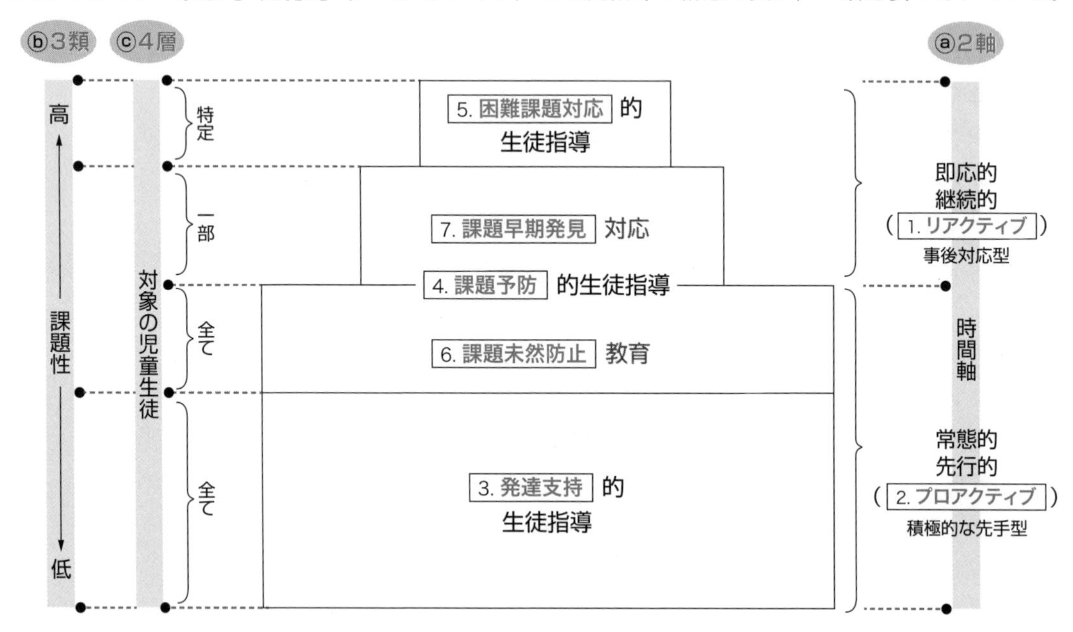

【生徒指導4層の捉え方】

層		対象	対応体制	おもな連携者等
発達支持的生徒指導		全ての児童生徒	特定の課題を意識することのない，**日常的**な教育活動。全ての 8.教育活動 において進められる生徒指導の**基盤**となる。	教職員のほか，SC等の協力
課題予防的生徒指導	課題未然防止教育	全ての児童生徒	諸課題の未然防止をねらいとした，意図的・組織的・系統的な 9.教育プログラム の実施。年間指導計画へ位置づけた実践。	**生徒指導部**を中心に，SC等専門家の協力
	課題早期発見対応	一部の児童生徒（**予兆行動**や**リスクの高まり**がみられる）	**初期**の段階で諸課題を**発見**し**対応**。 （早期対応）10.機動的連携型 支援チームや，11.校内連携型 支援チーム編成による組織的な支援	（早期発見）スクリーニングテスト，SCやSSWを交えた**スクリーニング会議**　（早期対応）①学級・ホームルーム担任，生徒指導主事等の協力　②**教育相談コーディネーター**（教育相談担当主任等），特別支援教育コーディネーター，養護教諭等の協働
困難課題対応的生徒指導		特定の児童生徒（**特別な指導・援助**を必要とする）	個別の支援や学校単独対応が**困難**な場合に，12.校内連携型 支援チームの編成や，校外の関係機関と連携・協働した 13.ネットワーク型 支援チームの編成で対応	教職員だけでなく，校外の教育委員会等，**警察**，病院，児童相談所，NPO等の関係機関との連携・協働

□
□

発達支持的生徒指導

- 発達支持的生徒指導では，日々の教職員の児童生徒への挨拶，声かけ，励まし，賞賛，対話，及び，授業や行事等を通した 14.個 と 15.集団 への働きかけが大切になります。
- 例えば，自己理解力や自己効力感，コミュニケーション力，他者理解力，思いやり，共感性，人間関係形成力，協働性，目標達成力，課題解決力などを含む**社会的資質・能力**の育成や，自己の将来をデザインする 16.キャリア教育 など，教員だけではなく**SC**等の協力も得ながら， 17.共生社会 の一員となるための**市民性教育・人権教育**等の推進などの 18.日常的な教育活動 を通して，**全て**の児童生徒の発達を支える働きかけを行います。
- このような働きかけを， 19.学習指導 と関連付けて行うことも重要です。意図的に，各教科，**特別の教科道徳**，総合的な学習（探究）の時間，**特別活動**等と密接に関連させて取組を進める場合もあります。

課題未然防止教育

具体的には， 20.いじめ防止教育 ，SOSの出し方教育を含む**自殺予防教育**，薬物乱用防止教育，情報モラル教育，非行防止教室等が該当します。

課題早期発見対応

- **深刻**な問題に発展しないように，**初期**の段階で諸課題を発見し，(略) 実態に応じて迅速に対応します。
- 特に，**早期発見**では，質問紙に基づく 21.スクリーニングテスト や，SCやSSWを交えた 22.スクリーニング会議 によって気になる児童生徒を早期に見いだして，指導・援助につなげます。

困難課題対応的生徒指導

- 児童生徒の背景には，**個人的要因**，**家庭的要因**，**人間関係に関する要因**など，様々な要因が絡んでいます。学校として，このような課題の背景を十分に理解した上で，課題に応じて (略) 23.計画的・組織的・継続的 な指導・援助を行うことが求められます。
- いじめの 24.重大事態 や暴力行為の増加，**自殺**の増加などの喫緊の課題に対して，起きてからどう対応するかという以上に， 25.どうすれば起きないようになるのか という点に注力することが大切です。

•second try•

年 月 日( )
: ～ :
( )
am・pm ℃

1.
2.
3.
4.
5.
6.
7.
8.
9.
10.
11.
12.
13.
14.
15.
16.
17.
18.
19.
20.
21.
22.
23.
24.
25.

•first try•

年 月 日( )
: ～ :
( )
am・pm ℃

1.
2.
3.
4.
5.
6.
7.
8.
9.
10.
11.
12.
13.
14.
15.
16.
17.
18.
19.
20.
21.
22.
23.
24.
25.

プラスチェック！

[児童生徒の背景の例]

□個人的要因（個人の性格や社会性，学習障害・注意欠陥多動性障害・自閉症などの発達障害，性的マイノリティ，心身の健康状態等），家庭的要因（児童虐待，家庭内暴力，家庭内の葛藤，経済的困難，ヤングケアラー等），人間関係に関する要因など。

＊このページで覚えた知識を教師になってどう活かしたい？

＊あ！あれ何だっけ？ 確認メモ！

学校は現代的課題を解決していくため，多様な専門人材が参画する組織的なマネジメント体制による「社会に開かれた教育課程」や，地域との連携・協働が，重要度を増している。

「生徒指導提要」改訂版における考え方②(チーム支援)

「チーム学校」の定義

1. 校長 のリーダーシップの下，**カリキュラム**，日々の**教育活動**，学校の**資源**が一体的に 2. マネジメント され，教職員や学校内の多様な人材が，それぞれの 3. 専門性 を生かして能力を発揮し，子供たちに必要な**資質・能力**を確実に身に付けさせることができる学校。

【チーム学校実現のための４つの視点】

教員と専門スタッフとの連携・協働体制の充実 ＋ 学校の**マネジメント機能**の強化 ＋ 教職員の人材育成の充実と 4. 業務改善 の取組 ＋ 教職員間の 5. 同僚 **性**

【困難課題対応的生徒指導及び課題早期発見対応におけるチーム支援】

※　下記が①→②→③→④→⑤　→①→・・・・と，循環するプロセス

①チーム支援の判断と 6. アセスメント の実施

…**生徒指導主事**や**教育相談コーディネーター**等を中心に，関係する複数の教職員（学校配置のSC，SSW等を含む）等が参加し，アセスメントのための**ケース会議**を開催。

（例）　生物・心理・社会モデル（BPSモデル: Bio-Psycho-Social Model）によるアセスメント

児童生徒の課題を，**生物学的**要因，**心理学的**要因，**社会的**要因の３つの観点から検討。

実態を把握すると同時に，児童生徒自身のよさ，長所，可能性等の**自助資源**と，課題解決に役立つ人や機関・団体等の**支援資源**を探る。

②課題の明確化と目標の共有

…具体的な目標（方針）の共有，役割分担，長期目標（最終到達地点）と短期目標（ 7. スモールステップ ）が必要。

③チーム支援計画の作成

…「何を**目標**に（長期目標と短期目標），**誰**が（支援担当者や支援機関），**どこ**で（支援場所），**どのような**支援を（支援内容や方法），**いつまで**行うか（支援期間）」を記載した「 8. チーム支援計画 」を作成。支援目標を達成するための支援チームを編成。

④チーム支援の実践

…定期的なチームによるケース会議の開催，関係者間の**情報共有**と**記録保持**，管理職への報告・連絡・相談

⑤点検・評価に基づくチーム支援の終結・継続

□
□

【生徒指導と法制度】

(1) 校則

➤児童生徒が 9. 遵守 すべき学習上，生活上の 10. 規律 として定められる校則は，児童生徒が健全な学校生活を送り，よりよく成長・発達していくために設けられる。校則の在り方は特に法令上は規定されていない（最終的には 11. 校長 により制定）。

➤校則を見直す際に 12. 児童生徒 が主体的に参加し 13. 意見表明 することは，学校のルールを無批判に受け入れるのではなく，自身がその根拠や影響を考え，身近な課題を 14. 自ら解決 するといった教育的意義を有するものとなる。

(2) 懲戒 (⇒P.16～17参照)

➤懲戒の 15. 手続き については，法令上の規定はないが，懲戒を争う訴訟や**損害賠償請求訴訟**が提起される場合もある。

➤学校は懲戒に関する 16. 基準 をあらかじめ明確化し，児童生徒や保護者に 17. 周知 し，理解と協力を得るように努めることが求められる。

(3) 出席停止 (⇒P.16～17参照)

➤学校は， 18. 教育委員会 の指示や指導を受けながら，当該児童生徒に対する指導体制を整備し，学習の支援など教育上必要な措置を講じるとともに，学校や学級へ円滑に 19. 復帰 することができるよう指導や援助に努めることが必要である。

➤他の児童生徒への適切な指導や被害者である児童生徒への 20. 心のケア にも配慮することが大切である。

【チーム支援の留意点（生徒指導全般共通）】

① 21. 合意形成 と目標の 22. 共通理解 …保護者や児童生徒との「何のために」「どのように進めるのか」「情報をどう扱い，共有するのか」の事前合意と共通理解。

②守秘義務と説明責任 …参加するメンバーの，チーム内守秘義務（ 23. 集団守秘義務 ）が重要。学校や教職員は，説明責任を有し情報公開請求に応えることも求められる。特に当該児童生徒の保護者の 24. 知る権利 への配慮が大切である。

③ 記録保持と情報セキュリティ …会議録，各種調査票，チーム支援計画シート，教育相談記録等を的確に作成し，規定の期間保持することが必要。これらの情報資産については，自治体が定める 25. 教育情報セキュリティポリシー に準拠して慎重に取り扱う。

•second try•	•first try•
年 月 日( )	年 月 日( )
: ～ :	: ～ :
( )	( )
am · pm ℃	am · pm ℃
1.	1.
2.	2.
3.	3.
4.	4.
5.	5.
6.	6.
7.	7.
8.	8.
9.	9.
10.	10.
11.	11.
12.	12.
13.	13.
14.	14.
15.	15.
16.	16.
17.	17.
18.	18.
19.	19.
20.	20.
21.	21.
22.	22.
23.	23.
24.	24.
25.	25.

プラスチェック！

[チーム学校実現のために求められる姿勢]

□①一人で抱え込まない。②どんなことでも問題を全体に投げかける。③管理職を中心に，ミドルリーダーが機能するネットワークをつくる。④同僚間での継続的な振り返り（リフレクション）を大切にする。

＊このページで覚えた知識を教師になってどう活かしたい？

＊あ！あれ何だっけ？ 確認メモ！

new runner's supplementary materials

巻末クイック資料＆教育時事おさえどころ

西洋教育史：主要年表

年	事　項
BC700頃	オリンピアの祭典がギリシアで開かれる
552	孔子が生まれる
470頃	ソクラテスが生まれる
388	プラトンがアカデメイアを開設する
335	アリストテレスがリュケイオンを開設する
106	キケロが生まれる
4	キリストが生まれる
AD784	カール大帝が宮廷学校アルクィンを開設する
800	カール大帝が義務教育令を出す
1050	サレルノ大学が国王の特許を受ける(伊)
1080	パリ大学が特許を受ける(仏)
1209	ケンブリッジ大学が創立される(英)
1289	ハンブルグ市が市学校を公認する(独)
1348	プラハ大学が開設される(チェコ)
1385	ハイデルベルグ大学が開設される(独)
1440	イートン・カレッジ大学が開設される(英)
1512	パブリック・スクールが成立する(英)
1516	トマス・モアが『ユートピア』を著す
1529	エラスムスが『学習方法論』,『幼児教育論』を著す
1532	ラブレーが『第２の書パンタグリュエル物語』を著す
1538	シュトルムがギムナジウムを開設する
1541	カルヴァンがジュネーブ学校規定を制定する
1580	モンテーニュが『エッセイ』を著す
1636	ハーバード大学が開設される(米)
1641	マサチューセッツ州義務教育規定が制定される(米)
1642	ゴーダ教育令が制定される(独)
1657	コメニウスが『大教授学』を著す
1693	ロックが『教育に関する(若干の) 考察』を著す
1751	フランクリン・アカデミーが開設される(米)
1762	ルソーが『エミール』を著す
1774	バセドウが汎愛学院を開設
1780	ペスタロッチが『隠者の夕暮』を著す
1785	日曜学校協会が成立する
1791	教育を各州の所管にする(米)
1792	コンドルセが公教育組織法案を提出する

1798	ランカスターが貧民学校で助教法を実施する
1802	ナポレオンが公教育法を公布する(仏)
1803	カントが『教育学講義』を著す
1806	ヘルバルトが『一般教育学』を著す
1808	フィヒテが『ドイツ国民に告ぐ』を著す
1816	オーエンが性格形成学院を開設する
1826	フレーベルが『人間の教育』を著す
1837	フレーベルが世界で最初の幼稚園を開設する
	ホーレス・マンがマサチューセッツ州の教育長になる(～48)
1861	スペンサーが『教育論』を著す
1889	セシル・レディがアボッツホーム学校を開設する(英)
1894	イタールが『アヴェロンの野生児』を著す
1896	デューイがシカゴ実験学校を開設する(米)
1898	リーツが田園家塾を開設する(独)
1899	ナトルプが『社会的教育学』を著す
	デューイが『学校と社会』を著す
1900	エレン・ケイが『児童の世紀』を著す
1907	モイマンが『実験教育学講義』を著す
1912	ケルシェンシュタイナーが『労作学校の概念』を著す
1915	クループスカヤが『国民教育と民主主義』を著す
1918	キルパトリックがプロジェクト・メソッドを実践する
1919	ウィネトカ・プランが提唱される(米)
1920	ドルトン・プランが提唱される(米)
1924	イエナ・プランが提唱される(独)
1936	マカレンコが『集団主義の教育』を著す
1944	バトラー教育法(英)
1946	世界教員組合連盟(FISE) が結成される
1947	ランジュヴァン・ワロン計画(仏)
1958	国防教育法(米)，フルシチョフ教育改革(ソ)
	コナント報告(米)
1959	クラウザー報告(英)，ウッズ・ホール会議(米)
1960	ブルーナーが『教育の過程』を著す
	ブレーメン・プラン(独)
1966	教員の地位に関する勧告(ユネスコ)
1967	プラウデン報告(英)
1983	『危機に立つ国家』(米)
1985	学習権宣言(ユネスコ)
1989	児童の権利条約(ユネスコ)

日本教育史：主要人物

人　名	生没年	事　項
厩戸王	574～622	17条の憲法を定める。内容は官人への道徳的訓戒
天智天皇	626～672	第38代天皇。初めて学校を建てる
石上宅嗣	729～781	芸(うん)亭。我が国最初の図書館を建てる
藤原氏		勧学院
在原氏		奨学院
橘氏		学館院
和気氏		弘文院
最澄	767～822	山家学生式…僧侶教育の形式を定めたもの
空海	774～835	綜芸種智院。庶民の学校
菅原道真	845～903	文章博士。学問・詩文にすぐれる。"学問の神様"
藤原明衡	989～1066	『明衡往来』。往来物の原型
北条実時	1224～1276	金沢文庫
世阿弥元清	1363～1443	『風姿花伝』(花伝書)。能楽の芸術論
上杉憲実	1410～1466	足利学校の再興
松永尺五	1592～1657	朱子学者。私塾春秋館〔講習堂〕を京都に開く
林羅山	1583～1657	私塾弘文館が湯島に移され昌平坂学問所になる 朱子学。徳川家康以降４代の将軍に歴仕
中江藤樹	1608～1648	日本陽明学の祖。藤樹書院
池田光政	1609～1682	備前岡山藩主。郷学閑谷学校を開く
木下順庵	1621～1698	朱子学者。京都東山に雉塾を開く
山鹿素行	1622～1685	山鹿流兵法。大石内蔵助・吉田松陰へ影響
伊藤仁斎	1627～1705	京都堀川に古義堂〔堀川塾〕を開く
貝原益軒	1630～1714	『和俗童子訓』
荻生徂徠	1666～1728	古文辞学を創始し，江戸茅場町に蘐園塾を開く
石田梅岩	1685～1744	石門心学の祖。『都鄙問答』
賀茂真淵	1697～1769	国学者。歌人。『万葉考』『歌意考』
安藤昌益	1703～1762	封建的な身分制度を批判。『自然真営道』
三浦梅園	1723～1789	思想家。梅園塾を開く
細井平洲	1728～1801	江戸に嚶鳴館を開く。上杉治憲（鷹山）の師
本居宣長	1730～1801	国学者。古事記の注釈書『古事記伝』。私塾鈴の屋を開く
塙保己一	1746～1821	『群書類従』。和学講談所を設立した
大槻玄沢	1757～1827	蘭医。江戸に芝蘭堂を開く
平田篤胤	1776～1843	国学者。気吹舎を開く
広瀬淡窓	1782～1856	豊後日田に咸宜園を開く
シーボルト	1796～1866	ドイツ人。長崎に鳴滝塾を開き，西洋医学を教授
大原幽学	1797～1858	幕末の農民指導者。下総で農村復興を指導。改心楼
伊藤玄朴	1800～1871	蘭医。シーボルトに学ぶ
江川太郎左衛門	1801～1855	韮山に反射炉をつくる。江川塾を開く
緒方洪庵	1810～1863	蘭学者。大坂で適塾（適々斎塾）を開き，大村益次郎，福沢諭吉などを輩出する

人物	生没年	事項
元田永孚	1818～1891	教育勅語の起草者。『教学聖旨』。改正教育令
クラーク	1826～1886	アメリカの教育者。札幌農学校教頭
吉田松陰	1830～1859	幕末の志士。安政の大獄で刑死。萩に松下村塾を開く
モルレー	1830～1905	アメリカの教育家。教育制度の整備に貢献
福沢諭吉	1834～1901	慶應義塾を創設。『学問のすゝめ』
大隈重信	1838～1922	東京専門学校〔現早稲田大学〕を創設
新島　襄	1843～1890	キリスト教主義者。同志社大学の創設者
井上　毅	1844～1895	教育勅語を起草
田中不二麻呂	1845～1909	学制実施に尽力。教育令を草案し，1879年公布する
森　有礼	1847～1889	初代文部大臣。1886年学校令を公布
伊沢修二	1851～1917	アメリカに留学。帰国後，体操伝習所長，音楽取調所長などを歴任
高嶺秀夫	1854～1910	アメリカに留学。ペスタロッチの開発教授法等を学ぶ
内村鑑三	1861～1930	キリスト教徒。無教会主義を唱える
津田梅子	1864～1929	女子英学塾〔現津田塾大学〕を開く
澤柳政太郎	1865～1927	成城小学校を開く。『実際的教育学』
谷本　富	1867～1946	ハウスクネヒトにヘルバルト学派の教育学を学び，五段階教授法を広く普及させた
野口援太郎	1868～1941	池袋児童の村小学校や城西学園中学の創立に努力
樋口勘次郎	1871～1917	児童の自発活動を重んじる活動主義を唱える。ヘルバルト学派を批判し，教育改革の先鞭をつける。晩年は国家社会主義教育を唱えた
木下竹次	1872～1946	合科教授を提唱
芦田恵之助	1873～1951	樋口勘次郎の影響を受けた，国語教育の研究者。随意選題による綴方教授を提唱
羽仁もと子	1873～1957	自由学園を創設
及川平治	1875～1939	動的教育論を唱える。『動的教育論』『分団式動的教育法』
篠原助市	1876～1957	大正から昭和初期に影響力をもった講壇教育学者。『教授原論』『教育学』
下中弥三郎	1878～1961	日本初の教育組合組織者
手塚岸衛	1880～1936	自由教育論を唱える。『自由教育真義』
鈴木三重吉	1882～1936	『赤い鳥』の創刊。生活綴方運動の先駆者
山本　鼎	1882～1946	信州上田で自由画教育運動を展開する
千葉命吉	1887～1959	一切衝動皆満足論を提唱。『創造教育の理論及実際』
長田　新	1887～1961	澤柳政太郎に師事。戦後，スイス政府からペスタロッチ賞を贈られる
小原国芳	1887～1977	玉川学園の創始者。全人教育論を提唱
山下徳治	1892～1965	新興教育研究所を開く
小砂丘忠義	1897～1937	生活綴方教育運動を全国に広げる
羽仁五郎	1901～1983	教育刷新委員会のメンバー

教育心理：主要人物

人　名	国	キーワード
ヴォルフ	ドイツ	「心理学」という用語を初めて用いた／能力心理学の祖
ヘルバルト	ドイツ	哲学の使命は "概念の修正" ／教授方法論
フェヒナー	ドイツ	精神物理学創始／「下からの美学」／ヴェーバー=フェヒナーの法則
ヘルムホルツ	ドイツ	色覚の三色説／無意識的推論／内耳蝸牛殻の共鳴説
ゴールトン	イギリス	双生児，天才の遺伝的研究／優生学／相関係数／平均への回帰
ヴント	ドイツ	実験心理学の創始／内観法／要素主義（構成主義）
ディルタイ	ドイツ	了解心理学の建設／生の哲学
プライエル	ドイツ	児童心理学の創始者／『児童の心』
ジェームズ	アメリカ	意識／機能主義心理学／プラグマティズム／ジェームズ=ランゲ説
ホール	アメリカ	青年期等の応用心理学を開拓／初めて質問紙法を大規模に利用
パブロフ	ロシア	条件反射に関する実験的研究／古典的条件づけ理論
シュトウンプフ	ドイツ	現象学の先駆者／ゲシュタルト心理学に影響を与えた
エビングハウス	ドイツ	忘却曲線
リップス	ドイツ	感情移入概念／リップス=マイヤー説
モーガン	イギリス	比較心理学／モーガンの公準
クレペリン	ドイツ	精神病を早発性痴呆と躁鬱病に分類／クレペリン精神作業検査
フロイト.S	オーストリア	精神分析学の創始／無意識の研究／リビドー／トラウマ
ビネー	フランス	知能検査の創案
キャッテル.J.M	アメリカ	個人差の研究／反応時間や連想時間の測定
モイマン	ドイツ	実験教育学の創始／実験・統計手法に基づいた経験科学としての教育学
スピアマン	イギリス	二因子説／因子分析の始祖／順位相関係数
ティチェナー	イギリス	内観法に基づく構成主義心理学
ウッドワース	アメリカ	動的心理学／性格検査「パーソナルデータシート」の開発
アドラー	オーストリア	個人心理学（アドラー心理学）／児童相談所の設立
シュテルン	ドイツ	輻輳説／人格主義を創始
クレパラード	スイス	差異心理学を教育に応用／機能主義
クリューガー,F.E.	ドイツ	全体的心理学
ソーンダイク	アメリカ	問題箱の考案／試行錯誤説／結合の法則／効果の法則
ユング	スイス	内向・外向／集合的無意識／夢分析
ターマン	アメリカ	スタンフォード=ビネー改訂版知能検査
ワトソン	アメリカ	行動主義心理学〔刺激-反応の連鎖により行動を説明〕
ビューラー	ドイツ	精神発達を本能，訓練，知能の３段階に分ける。
ゲゼル	アメリカ	『狼に育てられた少女（アマラ・カマラ）』
シュプランガー	ドイツ	職業教育／『生の諸形式』（６類型）
バーン	アメリカ	交流分析／エゴグラム
ウェルトハイマー	ドイツ	コフカらとゲシュタルト心理学を創始／仮現運動
エリス	アメリカ	論理療法の創始／ABCシェマ

※　現在，早発性痴呆→総合失調症，躁鬱病→双極性障害にあたる。

ヤスパース	ドイツ	実存主義／限界状況／超越者（包括者）／『精神病理学原論』
ハル	アメリカ	学習理論の数学化／要求（動因）低減説／新行動主義心理学
ロールシャッハ	スイス	インクブロットカードを使った性格検査（投影法）
コフカ	ドイツ	行動的環境／『ゲシュタルト心理学の原理』
トールマン	アメリカ	記号意味説（ＳＳ説）／目的的行動主義
ホリングワース	アメリカ	心理的離乳
ケーラー	ドイツ	チンパンジーの洞察学習／ゲシュタルト心理学
シュナイダー	ドイツ	統合失調症の研究／精神病質の類型／精神医学
クレッチマー	ドイツ	体型による気質の類型
ウェルナー	オーストリア	相貌的知覚／発達は未分化から分化・統合へ
オルポート,F.H	アメリカ	社会心理学を体系化
レヴィン	ドイツ	場理論／集団力学／$B=f(P\cdot E)$／境界人
ウェクスラー	アメリカ	知能検査WISC，WAIS
モレノ	ルーマニア	ソシオメトリック・テスト
サイモンズ	アメリカ	養育態度（受容-拒否，支配-服従）
ゾンディ	ハンガリー	ゾンディ・テスト
マレー	アメリカ	TAT（絵画主題統覚検査）／欲求圧力分析法
カナー	オーストリア	小児自閉症の研究／児童精神科医／『児童精神医学』
ヴィゴツキー	ソ連	発達の最近接領域／『思考と言語』
ピアジェ	スイス	発生的認識論／シェマ／同化，調節，均衡化
オルポート,G.W.	アメリカ	人格心理学／特性論／オルポート,F. H. の弟
ギルフォード	アメリカ	性格･知能の研究／拡散的思考･収束的思考／ＹＧ性格検査
ウィリアムソン	アメリカ	臨床的カウンセリング／因子特性論／進路選択
エリクソン	ドイツ	アイデンティティ（自我同一性）／モラトリアム
パーソンズ	アメリカ	職業指導／キャリア・カウンセリング／三段階モデル
ロジャーズ	アメリカ	非指示的カウンセリング／来談者中心療法／人間中心アプローチ
スキナー	アメリカ	オペラント条件づけ／スキナー箱／プログラム学習／ティーチングマシン／行動分析学の創始／新行動主義
キャッテル,R.B.	イギリス	16PF（16 Personality Factor）質問紙の作成
ハーロウ	アメリカ	サルの愛着行動実験／エラー抑制原因説／操作動因
ローゼンツヴァイク	アメリカ	P-Fスタディ（絵画欲求不満テスト）／フラストレーション研究
マズロー	アメリカ	欲求の階層説／人間主義心理学
ローレンツ	オーストリア	臨界期／刻印づけ（インプリンティング）／ひなの追従反応／比較行動学の創始／『ソロモンの指輪』
ブルーナー	アメリカ	発見学習／『教育の過程』
アイゼンク	イギリス	パーソナリティ研究／アイゼンク性格検査／神経症の行動療法
オズグッド	アメリカ	言語の媒介過程理論／SD（意味微分）法
キャロル	アメリカ	CHC理論／三層理論
バンデューラ	アメリカ	社会的学習理論／モデリング

学校教育法第11条に規定する児童生徒の懲戒・体罰等に関する参考事例

(1) 体罰（通常，体罰と判断されると考えられる行為）

○身体に対する侵害を内容とするもの

- 体育の授業中，危険な行為をした児童の背中を足で踏みつける。
- 帰りの会で足をぶらぶらさせて座り，前の席の児童に足を当てた児童を，突き飛ばして転倒させる。
- 授業態度について指導したが反抗的な言動をした複数の生徒らの頬を平手打ちする。
- 立ち歩きの多い生徒を叱ったが聞かず，席につかないため，頬をつねって席につかせる。
- 生徒指導に応じず，下校しようとしている生徒の腕を引いたところ，生徒が腕を振り払ったため，当該生徒の頭を平手で叩（たた）く。
- 給食の時間，ふざけていた生徒に対し，口頭で注意したが聞かなかったため，持っていたボールペンを投げつけ，生徒に当てる。
- 部活動顧問の指示に従わず，ユニフォームの片づけが不十分であったため，当該生徒の頬を殴打する。

○被罰者に肉体的苦痛を与えるようなもの

- 放課後に児童を教室に残留させ，児童がトイレに行きたいと訴えたが，一切，室外に出ることを許さない。
- 別室指導のため，給食の時間を含めて生徒を長く別室に留め置き，一切室外に出ることを許さない。
- 宿題を忘れた児童に対して，教室の後方で正座で授業を受けるよう言い，児童が苦痛を訴えたが，そのままの姿勢を保持させた。

(2) 認められる懲戒（通常，懲戒権の範囲内と判断されると考えられる行為）（ただし肉体的苦痛を伴わないものに限る。）

※学校教育法施行規則に定める退学・停学・訓告以外で認められると考えられるものの例

- 放課後等に教室に残留させる。
- 授業中，教室内に起立させる。
- 学習課題や清掃活動を課す。
- 学校当番を多く割り当てる。
- 立ち歩きの多い児童生徒を叱って席につかせる。
- 練習に遅刻した生徒を試合に出さずに見学させる。

(3) 正当な行為（通常，正当防衛，正当行為と判断されると考えられる行為）

○児童生徒から教員等に対する暴力行為に対して，教員等が防衛のためにやむを得ずした有形力の行使

- 児童が教員の指導に反抗して教員の足を蹴ったため，児童の背後に回り，体をきつく押さえる。

○他の児童生徒に被害を及ぼすような暴力行為に対して，これを制止したり，目前の危険を回避するためにやむを得ずした有形力の行使

- 休み時間に廊下で，他の児童を押さえつけて殴るという行為に及んだ児童がいたため，この児童の両肩をつかんで引き離す。
- 全校集会中に，大声を出して集会を妨げる行為があった生徒を冷静にさせ，別の場所で指導するため，別の場所に移るよう指導したが，なおも大声を出し続けて抵抗したため，生徒の腕を手で引っ張って移動させる。
- 他の生徒をからかっていた生徒を指導しようとしたところ，当該生徒が教員に暴言を吐きつばを吐いて逃げ出そうとしたため，生徒が落ち着くまでの数分間，肩を両手でつかんで壁へ押しつけ，制止させる。
- 試合中に相手チームの選手とトラブルになり，殴りかかろうとする生徒を，押さえつけて制止させる。

(1) 登校時の出席調査や健康観察

①傷跡やあざ，やけどの跡などが見られる。
②過度に緊張し教師と視線が合わせられない。
③季節にそぐわない服を着ている。
④きょうだいに服装や持ち物などに差が見られる。
⑤連絡もなく欠席する。

(2) 授業中や給食時などの生活場面

①教師等の顔色をうかがったり，接触を避けようとしたりする。
②最近急に気力がなくなる。字が乱雑になるなどの様子が見られる。
③他者とうまくかかわれず，ささいなことでもすぐカッとなるなど乱暴な言動が見られる。
④握手などの身体的接触に対して過度の反応をする。
⑤他の人を執拗に責める。
⑥動植物など命あるものをいじめたり，生命を奪ったりする。
⑦虚言が多かったり，自暴自棄な言動があったりする。
⑧用事がなくても，教師のそばに近づいてこようとする。
⑨集団から離れていることが多い。
⑩食べ物への執着が強く，過度に食べる。
⑪極端な食欲不振が見られる。
⑫何かと理由をつけてなかなか家に帰りたがらない。
⑬必要以上に丁寧な言葉遣いやあいさつをする。
⑭必要以上に人に気に入られるように振る舞ったり，笑わせたりする。
⑮日常の会話や日記・作文の中に，放課後や休日の生活の様子が出てこない。

(3) 健康診断の場面で

①衣服を脱ぐことに過剰な不安を見せる。
②発育や発達の遅れ（やせ，低身長，歩行や言葉の後れ等），虫歯等要治療の疾病等を放置している。
③説明がつかないけが，やけど，出血斑（痕跡を含む）が見られる。
④からだや衣服の不潔感，汚れ，におい，垢の付着，爪が伸びている等がある。

(4) 保護者との関わりの中で

①子供とのかかわり方に不自然なところが見られる。
②発達にそぐわない厳しいしつけや行動制限をしている。
③長期にわたって欠席が続き，訪問しても子供に会わせようとしない。
④家庭訪問や担任との面談を拒否する。
⑤連絡帳への返事がなく，学校からの電話には出ない。
⑥子供の外傷などに対する説明に不自然なところがある。
⑦教材費や給食費を滞納する。
⑧保護者会やPTA 行事等への出席を拒否する。

道徳科の内容項目表

	小学校　第１学年及び第２学年（19）	小学校　第３学年及び第４学年（20）
A 主として自分自身に関すること		
善悪の判断，自律，自由と責任	よいことと悪いこととの区別をし，よいと思うことを進んで行うこと。	正しいと判断したことは，自信をもって行うこと。
正直，誠実	うそをついたりごまかしをしたりしないで，素直に伸び伸びと生活すること。	過ちは素直に改め，正直に明るい心で生活すること。
節度，節制	健康や安全に気を付け，物や金銭を大切にし，身の回りを整え，わがままをしないで，規則正しい生活をすること。	自分でできることは自分でやり，安全に気を付け，よく考えて行動し，節度のある生活をすること。
個性の伸長	★自分の特徴に気付くこと。	自分の特徴に気付き，長所を伸ばすこと。
希望と勇気，努力と強い意志	自分のやるべき勉強や仕事をしっかりと行うこと。	自分でやろうと決めた目標に向かって，強い意志をもち，粘り強くやり抜くこと。
真理の探究		
B 主として人との関わりに関すること		
親切，思いやり	身近にいる人に温かい心で接し，親切にすること。	相手のことを思いやり，進んで親切にすること。
感謝	家族など日頃世話になっている人々に感謝すること。	家族など生活を支えてくれている人々や現在の生活を築いてくれた高齢者に，尊敬と感謝の気持ちをもって接すること。
礼儀	気持ちのよい挨拶，言葉遣い，動作などに心掛けて，明るく接すること。	礼儀の大切さを知り，誰に対しても真心をもって接すること。
友情，信頼	友達と仲よくし，助け合うこと。	友達と互いに理解し，信頼し，助け合うこと。
相互理解，寛容		★自分の考えや意見を相手に伝えるとともに，相手のことを理解し，自分と異なる意見も大切にすること。
C 主として集団や社会との関わりに関すること		
規則の尊重	約束やきまりを守り，みんなが使う物を大切にすること。	約束や社会のきまりの意義を理解し，それらを守ること。
公正，公平，社会正義	★自分の好き嫌いにとらわれないで接すること。	★誰に対しても分け隔てをせず，公正，公平な態度で接すること。
勤労，公共の精神	働くことのよさを知り，みんなのために働くこと。	働くことの大切さを知り，進んでみんなのために働くこと。
家族愛，家庭生活の充実	父母，祖父母を敬愛し，進んで家の手伝いなどをして，家族の役に立つこと。	父母，祖父母を敬愛し，家族みんなで協力し合って楽しい家庭をつくること。
よりよい学校生活，集団生活の充実	先生を敬愛し，学校の人々に親しんで，学級や学校の生活を楽しくすること。	先生や学校の人々を敬愛し，みんなで協力し合って楽しい学級や学校をつくること。
伝統と文化の尊重，国や郷土を愛する態度	我が国や郷土の文化と生活に親しみ，愛着をもつこと。	我が国や郷土の伝統と文化を大切にし，国や郷土を愛する心をもつこと。
国際理解，国際親善	★他国の人々や文化に親しむこと。	他国の人々や文化に親しみ，関心をもつこと。
D 主として生命や自然，崇高なものとの関わりに関すること		
生命の尊さ	生きることのすばらしさを知り，生命を大切にすること。	生命の尊さを知り，生命あるものを大切にすること。
自然愛護	身近な自然に親しみ，動植物に優しい心で接すること。	自然のすばらしさや不思議さを感じ取り，自然や動植物を大切にすること。
感動，畏敬の念	美しいものに触れ，すがすがしい心をもつこと。	美しいものや気高いものに感動する心をもつこと。
よりよく生きる喜び		

道徳科の内容項目表

＊小学校における下線部は，旧学習指導要領（2008年告示）からのおもな変更箇所。★印は新設箇所。

小学校　第５学年及び第６学年（22）	中　学　校（22）	
自由を大切にし，自律的に判断し，責任のある行動をすること。	自律の精神を重んじ，自主的に考え，判断し，誠実に実行してその結果に責任をもつこと。	自主，自律，自由と責任
誠実に，明るい心で生活すること。		
安全に気を付けることや，生活習慣の大切さについて理解し，自分の生活を見直し，節度を守り節制に心掛けること。	望ましい生活習慣を身に付け，心身の健康の増進を図り，節度を守り節制に心掛け，安全で調和のある生活をすること。	節度，節制
自分の特徴を知って，短所を改め長所を伸ばすこと。	自己を見つめ，自己の向上を図るとともに，個性を伸ばして充実した生き方を追求すること。	向上心，個性の伸長
より高い目標を立て，希望と勇気をもち，困難があってもくじけずに努力して物事をやり抜くこと。	より高い目標を設定し，その達成を目指し，希望と勇気をもち，困難や失敗を乗り越えて着実にやり遂げること。	希望と勇気，克己と強い意志
真理を大切にし，物事を探究しようとする心をもつこと。	真実を大切にし，真理を探究して新しいものを生み出そうと努めること。	真理の探究，創造
誰に対しても思いやりの心をもち，相手の立場に立って親切にすること。	思いやりの心をもって人と接するとともに，家族などの支えや多くの人々の善意により日々の生活や現在の自分があることに感謝し，進んでそれに応え，人間愛の精神を深めること。	思いやり，感謝
日々の生活が家族や過去からの多くの人々の支え合いや助け合いで成り立っていることに感謝し，それに応えること。		
時と場をわきまえて，礼儀正しく真心をもって接すること。	礼儀の意義を理解し，時と場に応じた適切な言動をとること。	礼儀
友達と互いに信頼し，学び合って友情を深め，異性についても理解しながら，人間関係を築いていくこと。	友情の尊さを理解して心から信頼できる友達をもち，互いに励まし合い，高め合うとともに，異性についての理解を深め，悩みや葛藤も経験しながら人間関係を深めていくこと。	友情，信頼
自分の考えや意見を相手に伝えるとともに，謙虚な心をもち，広い心で自分と異なる意見や立場を尊重すること。	自分の考えや意見を相手に伝えるとともに，それぞれの個性や立場を尊重し，いろいろなものの見方や考え方があることを理解し，寛容の心をもって謙虚に他に学び，自らを高めていくこと。	相互理解，寛容
法やきまりの意義を理解した上で進んでそれらを守り，自他の権利を大切にし，義務を果たすこと。	法やきまりの意義を理解し，それらを進んで守るとともに，そのよりよい在り方について考え，自他の権利を大切にし，義務を果たして，規律ある安定した社会の実現に努めること。	遵法精神，公徳心
誰に対しても差別をすることや偏見をもつことなく，公正，公平な態度で接し，正義の実現に努めること。	正義と公正さを重んじ，誰に対しても公平に接し，差別や偏見のない社会の実現に努めること。	公正，公平，社会正義
働くことや社会に奉仕することの充実感を味わうとともに，その意義を理解し，公共のために役立つことをすること。	社会参画の意識と社会連帯の自覚を高め，公共の精神をもってよりよい社会の実現に努めること。	社会参画，公共の精神
	勤労の尊さや意義を理解し，将来の生き方について考えを深め，勤労を通じて社会に貢献すること。	勤労
父母，祖父母を敬愛し，家族の幸せを求めて，進んで役に立つことをすること。	父母，祖父母を敬愛し，家族の一員としての自覚をもって充実した家庭生活を築くこと。	家族愛，家庭生活の充実
先生や学校の人々を敬愛し，みんなで協力し合ってよりよい学級や学校をつくるとともに，様々な集団の中での自分の役割を自覚して集団生活の充実に努めること。	教師や学校の人々を敬愛し，学級や学校の一員としての自覚をもち，協力し合ってよりよい校風をつくるとともに，様々な集団の意義や集団の中での自分の役割と責任を自覚して集団生活の充実に努めること。	よりよい学校生活，集団生活の充実
我が国や郷土の伝統と文化を大切にし，先人の努力を知り，国や郷土を愛する心をもつこと。	郷土の伝統と文化を大切にし，社会に尽くした先人や高齢者に尊敬の念を深め，地域社会の一員としての自覚をもって郷土を愛し，進んで郷土の発展に努めること。	郷土の伝統と文化の尊重，郷土を愛する態度
	優れた伝統の継承と新しい文化の創造に貢献するとともに，日本人としての自覚をもって国を愛し，国家及び社会の形成者として，その発展に努めること。	我が国の伝統と文化の尊重，国を愛する態度
他国の人々や文化について理解し，日本人としての自覚をもって国際親善に努めること。	世界の中の日本人としての自覚をもち，他国を尊重し，国際的視野に立って，世界の平和と人類の発展に寄与すること。	国際理解，国際貢献
生命が多くの生命のつながりの中にあるかけがえのないものであることを理解し，生命を尊重すること。	生命の尊さについて，その連続性や有限性なども含めて理解し，かけがえのない生命を尊重すること。	生命の尊さ
自然の偉大さを知り，自然環境を大切にすること。	自然の崇高さを知り，自然環境を大切にすることの意義を理解し，進んで自然の愛護に努めること。	自然愛護
美しいものや気高いものに感動する心や人間の力を超えたものに対する畏敬の念をもつこと。	美しいものや気高いものに感動する心をもち，人間の力を超えたものに対する畏敬の念を深めること。	感動，畏敬の念
★よりよく生きようとする人間の強さや気高さを理解し，人間として生きる喜びを感じること。	人間には自らの弱さや醜さを克服する強さや気高く生きようとする心があることを理解し，人間として生きることに喜びを見いだすこと。	よりよく生きる喜び

教育法規における重要数字一覧

数量	単位	内容	法令名
1	人以上	小学校1学級当たりの教諭等	小学校設置基準第6条①
	年間	初任者研修の期間	特例法第23条①
	年間	条件付採用期間の延長可能期間	地公法第22条
	人以上	中学校1学級当たりの教諭等	中学校設置基準第6条①
	年以内	指導改善研修の期間（計2年以内延長可）	特例法第25条②
2	月前	保護者へ入学期日の通知	学校法施令第5条①・14条①
	人(以上)	町村の教育委員会の委員の定数（条例による）	地方教育行政法第3条
3	年間	教育長の任期	地方教育行政法第5条①
	年間	中学校の修業年限	学校法第47条
	年間	高等学校全日制の修業年限	学校法第56条
	年間	臨時免許状の有効期間	免許法第9条③
	月前	都道府県教育委員会へ認定特別支援学校就学者についての通知	学校法施令第11条①
	歳	幼稚園の入園資格	学校法第26条
4	年間	教育委員会の委員の任期	地方教育行政法第5条①
	月前	就学時の健康診断	学校保健安全法施令第1条①
	人	都道府県，市町村の教育委員会の委員の定数	地方教育行政法第3条
5	月前	学齢簿の作成	学校法施令第2条
	年間	表簿の保存期間（学籍に関する記録を除く）	学校法施規第28条② 学校保健安全法施規第8条④
	年間	指導要録（指導に関する記録）の保存期間	学校法施規第28条②
	年以上	校長，副校長，教頭になるための教員在籍資格	学校法施規第20条第1号・第23条
	人(以上)	指定都市，都道府県の教育委員会の委員の定数（条例による）	地方教育行政法第3条
6	年間	小学校の修業年限	学校法第32条
	年間	中等教育学校の修業年限	学校法第65条
	歳	学齢児童の就学	学校法第17条①
9	種類	学校の範囲	学校法第1条
	年間	義務教育年限	学校法第16条
10	年以上	校長・副校長・教頭になるために教育に関する職にあった年数	学校法施規第20条第2号・第23条
15	歳まで	就学させる義務	学校法第17条①
	人以下	特別支援学校の1学級の児童・生徒数（知的障害者，肢体不自由者又は病弱者の学級）	学校法施規第120条②
	日前	入学学校長へ就学時健康診断票送付	学校保健安全法施令第4条②
20	年間	指導要録（学籍に関する記録）の保存期間	学校法施規第28条②
21	日以内	学校で実施した健康診断結果の保護者への通知	学校保健安全法施規第9条①
35	週	小学校（1学年を除く）・中学校の年間授業週数	小学校・中学校学習指導要領
	単位時間	高等学校の1単位に相当する単位時間数	高等学校学習指導要領
	人	小学校（義務教育学校の前期課程を含む）の学級編制の基準	標準法第3条②
45	分	小学校の授業の1単位時間の標準的な長さ	学校法施規第51条
50	分	中・高等学校の授業の1単位時間の標準的な長さ	学校法施規第73条・高等学校学習指導要領

教育時事

2024年度からデジタル教科書の段階的導入開始

○文部科学省は2024年度から，全ての小・中学校等を対象に，小学校５年生から中学校３年生に対して英語のデジタル教科書の提供を開始した。
○次に導入する算数・数学やその他の教科については，学校現場の環境整備や活用状況等を踏まえながら段階的に提供予定。
○「学習者用デジタル教科書」は，2019年４月に施行された「学校教育法等の一部を改正する法律」等関係法令により，紙の教科書を主たる教材として使用しながら、必要に応じて併用できることが制度化された。当面の間，紙の教科書を併用した上で、段階的に導入することとなった。
○文部科学省では，学習者用デジタル教科書を「紙の教科書の内容の全部（電磁的記録に記録することに伴って変更が必要となる内容を除く）をそのまま記録した電磁的記録である教材」としている。

全国学力・学習状況調査等

○文部科学省が2007年から実施している調査であり，「令和６年度」は，小学校第６学年及び中学校第３学年の全児童生徒を対象とした悉皆方式で，教科に関する調査（国語，算数・数学）と質問調査が実施された。
○全国（国公私）の平均正答率は，小学校の国語67.8％・算数63.6％，中学校の国語58.4％・数学53.0％であった。
○結果より，国語では，小・中学校を通じた効果的な資質・能力の育成のための記録，要約，説明，論述，話合いなど言語活動における工夫の重要性があげられた。
○算数・数学では，日常生活を絡めながら活用できる知識・技能の習得，また，小学校段階からデータを言葉と数を使って表現する力を身に付けさせることの重要性があげられた。

PISA2022結果

○PISA（Programme for International Student Assessment）は，OECDが進めている国際的な生徒の学習到達度調査である。
○義務教育修了段階の15歳の生徒に対し，読解力・数学的リテラシー・科学的リテラシーの３分野について，2000年以降おおむね３年ごとに調査を実施している（順番に１分野ずつ重点的に調査）。質問調査（生徒質問調査、ICT活用調査（生徒対象）、学校質問調査）も併せて実施。
○「PISA2022」では，81か国・地域から約69万人が参加し，日本からは約6,000人が参加（2022年６月から８月に実施）。中心分野は、数学的リテラシーとした。
○日本の結果概要としては，全参加国・地域中，数学的リテラシー：５位，読解力：３位，科学的リテラシー：２位で，３分野全てにおいて世界トップレベルであった。
○今回の結果は，新型コロナウイルス感染症の影響のほか，学校における授業改善やICT環境整備の推進などの要因が複合的に影響していると考えられている。

教育職員等による児童生徒性暴力等の防止等に関する法律

○2021年６月４日公布。2022年４月１日施行（一部2023年７月改正）。
○この法律は，教育職員等による児童生徒性暴力等が児童生徒等の権利を著しく侵害し，児童生徒等に対し生涯にわたって回復し難い心理的外傷その他の心身に対する重大な影響を与えるものであることに鑑み，児童生徒等の尊厳を保持するため，(略) 教育職員等による児童生徒性暴力等の防止等に関する施策を推進し，もって児童生徒等の権利利益の擁護に資することを目的とする。(第１条)

○教育職員等による児童生徒性暴力等の防止等に関する施策は、教育職員等による児童生徒性暴力等が全ての児童生徒等の心身の健全な発達に関係する重大な問題であるという基本的認識の下に行われなければならない。(第４条①)

○教育職員等による児童生徒性暴力等の防止等に関する施策は，児童生徒等が安心して学習その他の活動に取り組むことができるよう，学校の内外を問わず教育職員等による児童生徒性暴力等を根絶することを旨として行われなければならない。(第４条②)

○教育職員等は，基本理念にのっとり，児童生徒性暴力等を行うことがないよう教育職員等としての倫理の保持を図るとともに，その勤務する学校に在籍する児童生徒等が教育職員等による児童生徒性暴力等を受けたと思われるときは，適切かつ迅速にこれに対処する責務を有する。(第10条)

高等学校学習指導要領及び特別支援学校高等部学習指導要領の一部改正

○2022年３月31日告示。2023年４月１日から施行。

○第１章 総則における「海外から帰国した生徒などの学校生活への適応や，日本語の習得に困難のある生徒に対する日本語指導」について，項が加えられた。

〈高等学校学習指導要領／第１章 総則／第５款 生徒の発達の支援／２ 特別な配慮を必要とする生徒への指導／(2)／ウ〉

日本語の修得に困難のある生徒に対して，学校教育法施行規則 第86条の２の規定に基づき，特別の教育課程を編成し，日本語の能力に応じた特別の指導（以下「通級による日本語指導」という。）を行う場合には，教師間の連携に努め，指導についての計画を個別に作成することなどにより，効果的な指導に努めるものとする。(略)

誰一人取り残されない学びの保障に向けた不登校対策「COCOLOプラン」

○2023年３月31日とりまとめ。

○Comfortable, Customized and Optimized Locations of learning

○不登校により学びにアクセスできない子供たちをゼロにすることを目指し，

1. 不登校の児童生徒全ての学びの場を確保し，学びたいと思った時に学べる環境を整える
2. 心の小さなSOSを見逃さず，「チーム学校」で支援する
3. 学校の風土の「見える化」を通じて，学校を「みんなが安心して学べる」場所にする

ことにより，誰一人取り残されない学びの保障を社会全体で実現するためのプラン。

こども家庭庁創設

○2023年４月１日発足。

○今後のこども政策の基本理念

＊こどもの視点，子育て当事者の視点に立った政策立案
＊全てのこどもの健やかな成長，Well-beingの向上
＊誰一人取り残さず，抜け落ちることのない支援
＊制度や組織による縦割りの壁，年齢の壁を克服した切れ目ない包括的な支援

＊待ちの支援から，プッシュ型支援，アウトリーチ型支援に転換

＊データ・統計を活用したエビデンスに基づく政策立案，PDCAサイクル

[こども基本法]

＊2023年４月１日施行。

＊こども施策は，次に掲げる事項を基本理念として行われなければならない。

一　全てのこどもについて，個人として尊重され，その基本的人権が保障されるとともに，差別的取扱いを受けることがないようにすること。

二　全てのこどもについて，適切に養育されること，その生活を保障されること，愛され保護されること，その健やかな成長及び発達並びにその自立が図られることその他の福祉に係る権利が等しく保障されるとともに，教育基本法の精神にのっとり教育を受ける機会が等しく与えられること。

三　全てのこどもについて，その年齢及び発達の程度に応じて，自己に直接関係する全ての事項に関して意見を表明する機会及び多様な社会的活動に参画する機会が確保されること。（以上第３条抜粋）

第４期 教育振興基本計画

○2023年6月16日閣議決定。

○2040年以降の社会を見据えた教育政策のコンセプトとして「持続可能な社会の創り手の育成」及び「日本社会に根差したウェルビーイングの向上」を掲げ，5つの基本的な方針 (⇒P.144参照) と16の教育政策の目標，また，目標それぞれに対する基本施策と指標を示している。

新たな研修のしくみ（教員免許更新制の発展的解消）

2022年７月１日から教員免許更新制に関する規定が廃止され，「新たな教師の学び」のための法規改正・しくみ，研修履歴を活用した対話に基づく受講奨励に関するガイドライン等が策定された。

○教育公務員特例法及び教育職員免許法の一部を改正する法律（2022年）により，教育委員会による教師の研修履歴の記録の作成と当該履歴を活用した資質向上に関する指導助言等のしくみが2023年４月１日から施行。

○任命権者である教育委員会は，教員研修計画に基づき，体系的・計画的で持続的な資質向上の推進体制を整備することが求められる。オンライン活用も考慮した効果的・効率的な研修実施体制を整えることが重要である。

（2023年４月１日施行：教育公務員特例法改定第20条・第22条の３～第22条の６より）

○公立の小学校等の校長及び教員の研修実施者※1は，指標（当該校長及び教員の職責，経験及び適性に応じて向上を図るべき校長及び教員としての資質に関して任命権者が定めたもの）を踏まえ，毎年度，校長・教員の研修について教員研修計画を定める。

○任命権者は，研修等について記録（校長・教員ごとの研修の受講履歴等）を作成しなければならない。

○公立の小学校等の校長及び教員の指導助言者※2は，校長及び教員が職責・経験及び適性に応じた資質向上のための取組を行うことを促進するため相談に応じ，研修や認定講習などの機会に関する情報の提供，資質向上に関する指導及び助言を行う。

※１　研修実施者…県費負担教職員で，中核市設置小学校等（中等教育学校を除く）の場合は中核市教育委員会，市町村設置の中等教育学校（後期課程に定時制課程のみを

置くものを除く）の場合は市町村教育委員会，それ以外の場合は任命権者を指す。

※2　指導助言者…県費負担教職員の場合は市町村教育委員会，それ以外の場合は任命権者を指す。 教員への指導助言等は，教育委員会の指揮監督に服する校長等が実施することが想定されている。

キャリア教育

○キャリア教育とは……一人一人の社会的・職業的自立に向け，必要な基盤となる能力や態度を育てることを通して，キャリア発達を促す教育。

○キャリア発達とは……社会の中で自分の役割を果たしながら，自分らしい生き方を実現していく過程。

○キャリア形成とは……社会の中で自分の役割を果たしながら，自分らしい生き方を実現していくための自他の働きかけ。

○キャリア・パスポート……児童生徒が，小学校から高等学校までのキャリア教育に関わる諸活動について，特別活動の学級活動及びホームルーム活動を中心として，各教科等と往還し，自らの学習状況やキャリア形成を見通したり振り返ったりしながら，自身の変容や成長を自己評価できるよう工夫されたポートフォリオのこと。

知っておきたい教育関連用語

▶STEAM教育……STEM（Science, Technology, Engineering, Mathematics）に加え，Aを芸術，文化，生活，経済，法律，政治，倫理等を含めた広い範囲で定義し，各教科等での学習を実社会での問題発見・解決に生かしていくための教科等横断的な学習を示す。様々な情報を活用しながらそれを統合し，課題の発見・解決や社会的な価値の創造に結び付けていく資質・能力の育成が求められている。

▶ウェルビーイング……身体的・精神的・社会的に良い状態にあることをいい，短期的な幸福のみならず，生きがいや人生の意義など将来にわたる持続的な幸福を含むものである。また，個人のみならず，個人を取り巻く場や地域，社会が持続的に良い状態であることを含む包括的な概念。well-being。

▶マルトリートメント……「不適切な養育」と訳され，近年，欧米などでは一般化している考え方。児童虐待をより広く捉えた，虐待とは言い切れない大人から子供への発達を阻害する行為全般を含めた，避けなければならない養育を意味している。

▶ヤングケアラー……一般に，本来大人が担うと想定されている家事や家族の世話などを日常的に行っているような子供を指す。いわゆる「お手伝い」の範囲を超え，子供の年齢や成長の度合いに見合わない重い責任や負担を負っている。その影響は成人した後も残る場合がある。子供自身や家族が子供にとって困難な状態とは認識しておらず、問題が表面化しにくい。

▶アントレプレナーシップ……文部科学省では「様々な困難や変化に対し，与えられた環境のみならず自ら枠を超えて行動を起こし，新たな価値を生み出していく精神」であるとしている。アントレプレナーシップ教育は，起業家を育成するだけのビジネス教育とは異なり，自ら社会課題を見つけ解決へのチャレンジや，他者との協働による解決策の探求などができる知識・能力・態度を身に付けるようにすることであると示している。

2026年度版　教職教養 新ランナー

（2023年度版　2021年12月24日　初版　第1刷発行）
2024年9月25日　初　版　第1刷発行

編著者　東京教友会
発行者　多田敏男
発行所　TAC株式会社　出版事業部
（TAC出版）

〒101-8383
東京都千代田区神田三崎町3-2-18
電話 03(5276)9492（営業）
FAX 03(5276)9674
https://shuppan.tac-school.co.jp

組　版　朝日メディアインターナショナル株式会社
印　刷　日新印刷　株式会社
製　本　株式会社　常川製本

ISBN 978-4-300-11235-9
N.D.C. 370

のご案内

『人物重視の選考に、人物重視の対策を』

TACでは「ここを覚えてください」ではなく、「なぜ」「どうして」といった、理解中心の本質的な講義を展開します。理解して覚えるためのノウハウを盛り込んだ充実の講義は最終合格に結びつき、その後の学校現場にもつながっていきます。

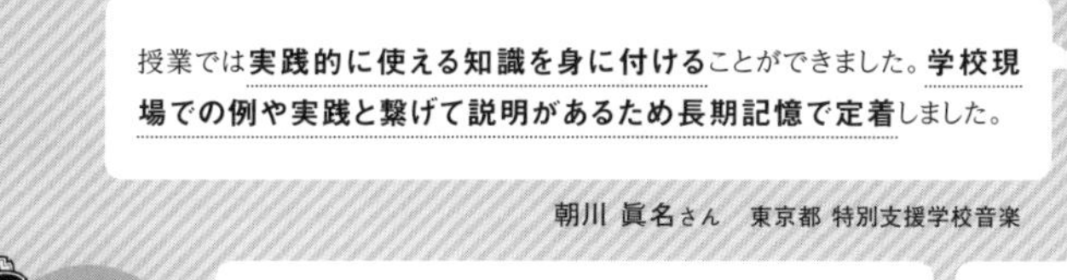

授業では**実践的に使える知識を身に付ける**ことができました。**学校現場での例や実践と繋げて説明があるため長期記憶で定着**しました。

朝川 眞名さん　東京都 特別支援学校音楽

様々な先生の視点から指導いただけるのは非常に有意義だと思います。**どんな面接官に対しても高評価をもらえるような解答を用意**することができました。

石原 俊さん　愛知県 中学校数学

TACは面接や論文のサポートが手厚く、面接対策では、**自身の希望する自治体に合わせた質問や形式を準備頂き、本番に近い状況で対策をすることができました。**

竹腰 皐生さん　東京都 中高地歴

鴨田 拓 講師 Kamota Taku

鎌田 瀟子 講師 Kamata Syoko

竹之下 シゲキ講師 Takenoshita Shigeki

永平 一洋講師 Nagahira Kazuhiro

※各種本科生を対象とした合格体験記より抜粋。

自分に合った学習スタイルを！
選べる学習メディア

Web通信講座

いつでもどこでも
何度でも！
マルチデバイス対応
のオンライン学習

教室+Web講座

教室でも、Webでも、
自由に講義を受けられる！

【開講校舎】
新宿校・横浜校・大宮校・
名古屋校・梅田校・神戸校

各種資料のご請求・教員講座の受講や試験に関するご相談は

資料請求する

講座パンフレットを
ご自宅へお届けします

講義動画を視聴してみる

無料体験動画を公開中

オンラインで話を聞く

個別に学習や受講の
相談を承ります

TACカスタマーセンター 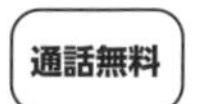

0120-509-117（ゴウカク イイナ）

受付時間　平日・土日祝／10:00〜17:00

TAC出版 書籍のご案内

TAC出版では、資格の学校TAC各講座の定評ある執筆陣による資格試験の参考書をはじめ、資格取得者の開業法や仕事術、実務書、ビジネス書、一般書などを発行しています！

TAC出版の書籍

＊一部書籍は、早稲田経営出版のブランドにて刊行しております。

資格・検定試験の受験対策書籍

- 日商簿記検定
- 建設業経理士
- 全経簿記上級
- 税　理　士
- 公認会計士
- 社会保険労務士
- 中小企業診断士
- 証券アナリスト
- ファイナンシャルプランナー(FP)
- 証券外務員
- 貸金業務取扱主任者
- 不動産鑑定士
- 宅地建物取引士
- 賃貸不動産経営管理士
- マンション管理士
- 管理業務主任者
- 司法書士
- 行政書士
- 司法試験
- 弁理士
- 公務員試験(大卒程度・高卒者)
- 情報処理試験
- 介護福祉士
- ケアマネジャー
- 電験三種　ほか

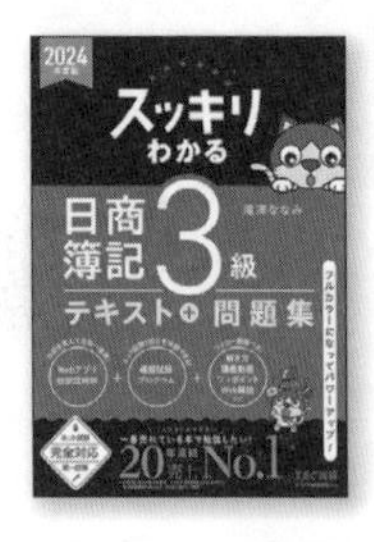

実務書・ビジネス書

- 会計実務、税法、税務、経理
- 総務、労務、人事
- ビジネススキル、マナー、就職、自己啓発
- 資格取得者の開業法、仕事術、営業術

一般書・エンタメ書

- ファッション
- エッセイ、レシピ
- スポーツ
- 旅行ガイド（おとな旅プレミアム/旅コン）

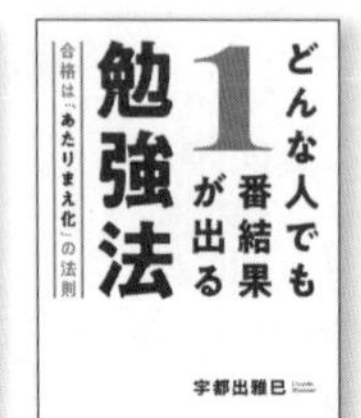

(2024年2月現在)

書籍のご購入は

1 全国の書店、大学生協、ネット書店で

2 TAC各校の書籍コーナーで

資格の学校TACの校舎は全国に展開!
校舎のご確認はホームページにて

資格の学校TAC ホームページ
https://www.tac-school.co.jp

3 TAC出版書籍販売サイトで

TAC 出版 で 検索

24時間
ご注文
受付中

https://bookstore.tac-school.co.jp/

新刊情報を
いち早くチェック!

たっぷり読める
立ち読み機能

学習お役立ちの
特設ページも充実!

TAC出版書籍販売サイト「サイバーブックストア」では、TAC出版および早稲田経営出版から刊行されている、すべての最新書籍をお取り扱いしています。
また、会員登録(無料)をしていただくことで、会員様限定キャンペーンのほか、送料無料サービス、メールマガジン配信サービス、マイページのご利用など、うれしい特典がたくさん受けられます。

サイバーブックストア会員は、特典がいっぱい!(一部抜粋)

通常、1万円(税込)未満のご注文につきましては、送料・手数料として500円(全国一律・税込)頂戴しておりますが、1冊から無料となります。

専用の「マイページ」は、「購入履歴・配送状況の確認」のほか、「ほしいものリスト」や「マイフォルダ」など、便利な機能が満載です。

メールマガジンでは、キャンペーンやおすすめ書籍、新刊情報のほか、「電子ブック版TACNEWS(ダイジェスト版)」をお届けします。

書籍の発売を、販売開始当日にメールにてお知らせします。これなら買い忘れの心配もありません。

書籍の正誤に関するご確認とお問合せについて

書籍の記載内容に誤りではないかと思われる箇所がございましたら、以下の手順にてご確認とお問合せをしてくださいますよう、お願い申し上げます。

なお、正誤のお問合せ以外の**書籍内容に関する解説および受験指導などは、一切行っておりません。**

そのようなお問合せにつきましては、お答えいたしかねますので、あらかじめご了承ください。

1 「Cyber Book Store」にて正誤表を確認する

TAC出版書籍販売サイト「Cyber Book Store」のトップページ内「正誤表」コーナーにて、正誤表をご確認ください。

CYBER BOOK STORE TAC出版書籍販売サイト

URL:https://bookstore.tac-school.co.jp/

2 1の正誤表がない、あるいは正誤表に該当箇所の記載がない ⇒ 下記①、②のどちらかの方法で文書にて問合せをする

★ご注意ください★

お電話でのお問合せは、お受けいたしません。

①、②のどちらの方法でも、お問合せの際には、「お名前」とともに、

「対象の書籍名(○級・第○回対策も含む)およびその版数(第○版・○○年度版など)」

「お問合せ該当箇所の頁数と行数」

「誤りと思われる記載」

「正しいとお考えになる記載とその根拠」

を明記してください。

なお、回答までに1週間前後を要する場合もございます。あらかじめご了承ください。

① ウェブページ「Cyber Book Store」内の「お問合せフォーム」より問合せをする

【お問合せフォームアドレス】

https://bookstore.tac-school.co.jp/inquiry/

② メールにより問合せをする

【メール宛先　TAC出版】

syuppan-h@tac-school.co.jp

※土日祝日はお問合せ対応をおこなっておりません。

※正誤のお問合せ対応は、該当書籍の改訂版刊行月末日までといたします。

乱丁・落丁による交換は、該当書籍の改訂版刊行月末日までといたします。なお、書籍の在庫状況等により、お受けできない場合もございます。

また、各種本試験の実施の延期、中止を理由とした本書の返品はお受けいたしません。返金もいたしかねますので、あらかじめご了承くださいますようお願い申し上げます。

(2022年7月現在)